Anne B. Ragde

Das Lügenhaus
Roman

Aus dem Norwegischen
von Gabriele Haefs

btb

Die norwegische Originalausgabe erschien 2005 unter dem Titel
»Berlinerpoplene« bei Forlaget Oktober, Oslo.

FSC
Mixed Sources
Product group from well-managed
forests and other controlled sources
Cert no. GFA-COC-001223
www.fsc.org
© 1996 Forest Stewardship Council

Verlagsgruppe Random House FSC-DEU-0100
Das FSC-zertifizierte Papier *Munken Pocket* für Taschenbücher aus
dem btb Verlag liefert Arctic Paper Munkedals AB, Schweden.

7. Auflage
Genehmigte Taschenbuchausgabe März 2009
Copyright © 2005 by Forlaget Oktober as, Oslo
Copyright © der deutschsprachigen Ausgabe 2007 by btb Verlag
in der Verlagsgruppe Random House GmbH, München
Umschlaggestaltung: semper smile, München nach einem
Umschlagentwurf von Design Team München
Umschlagfoto: © plainpicture / Pietsch
Satz: Uhl + Massopust, Aalen
Druck und Einband: CPI – Clausen & Bosse, Leck
NB · Herstellung: BB
Printed in Germany
ISBN 978-3-442-73868-7

www.btb-verlag.de

Komm«, flüsterte sie. »Kannst du denn nicht bald kommen…«

Sie stand vor der Tür des Bootshauses und rang die Hände, unten in der Schürzentasche, was, wenn er nicht allein wäre, es wäre nicht das erste Mal. Denn wer könnte ahnen, dass ein Ausflug hinunter zum Strand etwas anderes war als ein Ausflug an den Strand, sie könnten doch auf die Idee kommen, dass er Gesellschaft haben wollte. Aber wenn er nicht allein kam und sie sie hier fanden, würde sie das einfach damit erklären, dass sie kaltes Fjordwasser holen wollte, um die frisch gefangenen Heringe damit zu übergießen. Sie hatte einen Eimer mitgenommen, eben, um eine solche Entschuldigung zu haben.

Im Bootsschuppen stand die Hitze, Sonnenstreifen sickerten durch die Wandbretter, und dort, wo die Sonnenstreifen auf den Boden trafen, wuchsen kurze grüne Grasbüschel zwischen den Steinen hervor. Am liebsten hätte sie sich jetzt ausgezogen, um in den noch winterkalten Fjord hinauszuwaten, den Muschelsand unter ihren Fußsohlen zu spüren, die Tanglappen an Waden und Schenkeln vorbeigleiten zu lassen, ihn für kurze Zeit zu vergessen, ihn zu vergessen und sich desto mehr zu freuen, wenn er ihr wieder einfiel.

»Komm doch endlich, bitte…«

Sie hatte die Tür angelehnt und konnte hinausschauen. Draußen lag das Boot an Land, leicht schräg auf der Seite. Der Bug bohrte sich ins Wasser, kleine Wellen leckten schmatzend an den geteerten Brettern. Austernfischer jagten einander über die Wasseroberfläche, schwarzweiße Wuschel mit knallroten Streifen, benommen und ausgelassen von der Sonne und der plötzlichen Hitze. Alle sprachen über die Hitze, darüber, dass die warmen Sommer mit dem Frieden gekommen seien. Zwei Jahre Frieden im Land, und plötzlich war es wieder warm. Die Felder strotzten vor Korn und Saatkartoffeln, Beerensträucher und Bäume waren übersät von neuen Knospen, sogar die deutschen Bäume wuchsen wie besessen. In dem Frühling, in dem die Deutschen gekommen waren und mit dem Land gemacht hatten, was sie wollten, war es so kalt gewesen, dass bis weit in den Mai hinein in den Fjordarmen Eis gelegen hatte.

Noch immer freute sie sich über den Frieden und fragte sich, wie viel Zeit vergehen müsste, bis sie ihn so selbstverständlich nehmen würde, wie man das doch eigentlich sollte. Aber vielleicht kam die Freude auch noch von woandersher, von ihm. Sie hatte ihn im Friedenssommer kennengelernt. Wenngleich, kennengelernt… Sie hatte doch immer gewusst, wer er war, bei mehreren Gelegenheiten hatte sie sogar ganz normal mit ihm gesprochen, er kam ja auf alle Höfe, wie die meisten Menschen aus der Nachbarschaft. Aber plötzlich, an diesem Sommerabend auf Snarli, als sie draußen auf der Hofwiese saßen, nachdem sie den ganzen Tag mit Torfstechen beschäftigt gewesen waren, als sie schweißnass und benommen von Hitze und Anstrengung dasaßen, kam er von Neshov aus über die Felder geschlendert, und sie sah sofort, dass er zu ihr wollte. Ihr Körper verstand, jede Faser ihres Leibes wurde von ihm gesehen, ihr Hals, die schweißnassen Locken, die an ihrer Stirn klebten, die Hände, die sie hinter sich ins Gras stützte, die Waden, von denen sie wusste, dass sie braun und blank aus ihren Schuhen ragten, ihm entgegen. Irgendwer holte einen Becher Bier, das Bier brachte sie zum Lachen, auch er lachte, versuchte, vor allem die anderen anzulachen, aber sein Blick landete doch immer wieder bei ihr und machte sie schön, und als sie spürte, wie ihr Rocksaum ein wenig über ihre Knie glitt, dahin, wo die Oberschenkel sich nach innen wölbten, ließ sie ihn ein wenig weiter gleiten, und noch ein wenig weiter, und spreizte leicht die Knie, und sie lachte noch mehr und spürte den Schmerz, der ihr das Kreuz hochwanderte, so dass sie fast aufgejammert hätte.

Sie ging heimwärts, und er stand im Laubwald und wartete, sie durfte ihre Handflächen auf seine Haut legen und seinem Blick begegnen, und sie wusste, dass von jetzt an alles neu sein würde. Nicht nur der Frieden und dass sie im Laufe der Kriegsjahre erwachsen geworden war, sondern die ganze Welt, hier standen sie und erschufen die Welt, sie beide zusammen, Bäume und Boden wurden neu, der Fjord dort unten, der Sommerhimmel mit den jagenden Schwalben, als er den Kopf senkte und fest damit rechnete, dass sie seinen Lippen begegnen würde.

An das Ungeheuerliche daran verschwendete sie nicht einen einzigen Gedanken.

Da kam er! Allein, Gott im Himmel sei Dank.

Sie schluchzte auf und spürte, wie das Zittern einsetzte, ihre Beine überzogen sich in der stehenden Hitze mit Gänsehaut, ihr Mund trocknete aus. Er schwenkte die Arme, seine Stirn leuchtete blank und braun, während er seine Holzschuhe anstarrte und seine Schritte auf dem steinigen, unebenen Weg plante. Unter der groben Arbeitskleidung gehörte er ihr, hinter den Gerüchen harter Arbeit lagen ihre Gerüche, sie wollte seine Augen lecken, bis nur noch für sie Platz dort wäre, obwohl sie doch wusste, dass es ohnehin schon so war. Sie gehörte jetzt nach Neshov, würde dort sein, er hatte dafür gesorgt, dass sie immer dort sein konnte. Und ab und zu würden sie sich davonschleichen, hierher oder in die Scheune oder in den Wald, weg von den dünnen Schlafzimmerwänden, die nur aus Ohren zu bestehen schienen.

Seine Holzschuhe knirschten auf dem sonnengetrockneten Tang. Vor dem Bootshaus blieb er stehen.

»Anna?«, fragte er leise in den dunklen Türspalt.

»Hier bin ich«, flüsterte sie und versetzte der Tür einen kleinen Stoß.

Erster Teil

Als an einem Sonntagabend um halb elf das Telefon schellte, wusste er natürlich, was los war. Er griff nach der Fernbedienung und drehte den Fernseher leiser, über den Bildschirm flimmerte eine Reportage über Al-Quaida.

»Hallo, hier spricht Margido Neshov.«

Und er dachte: Ich hoffe, da ist ein alter Mensch in seinem Bett gestorben, ich hoffe, es ist kein Verkehrsunfall.

Es war jedoch keins von beiden, sondern ein Junge, der sich erhängt hatte. Der Vater rief an, Lars Kotum, Margido wusste genau, wo in Byneset der große Kotumhof lag.

Im Hintergrund hörte er laute Schreie, tierisch, schrill. Schreie, mit denen er in gewisser Weise vertraut war, die Schreie einer Mutter. Er fragte, ob der Vater bereits Polizei und Ärztin verständigt habe. Nein, der Vater hatte sofort Margido angerufen, er wusste, wer Margido war und welchen Beruf er ausübte.

»Du musst auch Polizei und Ärztin anrufen, oder soll ich das tun?«

»Er hat sich nicht ... auf normale Weise erhängt. Er hat sich eher ... erwürgt. Es ist einfach entsetzlich. Ruf du an. Und komm. Bitte, komm.«

Er nahm nicht den schwarzen Leichenwagen, sondern den Citroën. Sollte doch die Polizei einen Krankenwagen kommen lassen.

Er rief von unterwegs an, während die Autoheizung wütend gegen die Windschutzscheibe blies, er musste rufen, um das Rauschen zu übertönen, es waren viele Grade unter null an diesem dritten Adventssonntag. Er erreichte Polizei und Ärztin, die Sonntagabende waren immer ruhig. An diesem kalten, stillen Abend würde es auf einem Hof bald schwarz vor Autos sein, die Leute von den Nachbarhöfen würden sich zu den Fenstern vorbeugen und sich wundern. Sie würden den Krankenwagen sehen, die Wagen von Polizei und Ärztin und einen weißen Citroën CX, einen Kombi, den einige von ihnen vielleicht erkennen würden. Sie würden Licht hinter den Fenstern sehen, wenn es sonst schon längst dunkel dort war, aber sie würden es nicht wagen, so spät noch anzurufen, sie würden bis tief in die Nacht hinein wach liegen und leise in der Dunkelheit über alles reden, was auf dem Nachbarhof passiert sein könnte und wem, und insgeheim würden sie eine beschämte Freude verspüren, dass nicht sie betroffen waren.

Der Vater empfing ihn in der Tür. Polizei und Ärztin waren schon da, sie hatten einen kürzeren Weg. Sie saßen in der Küche, vor ihren Kaffeetassen, und die Mutter stand da, mit glotzendem, kohlschwarzem Blick und trockenen Augen. Margido stellte sich ihr vor, obwohl er wusste, dass sie ihn erkannt hatte. Sie hatten sich jedoch noch nie die Hand gereicht.

»Dass du herkommen musst. Du. Seinetwegen«, sagte sie. Ihr Tonfall war monoton, ihre Stimme klang ein wenig heiser.

Ein Adventsgesteck mit elektrischen Kerzen stand vor dem Fenster, das auf den Hofplatz hinausblickte. Der Dorfpolizist erhob sich und lief vor Margido her zum Schlafzimmer. Die Ärztin ging vor die Tür, als ihr Telefon schellte. Ein gelber Papierstern, in dem eine Glühbirne saß, hing vor einem kleinen Fenster auf dem Flur, das elektrische Licht durchdrang die Löcher im Papier, das in der Mitte hellgelb war und sich zu den Zackenspitzen hin orange färbte. Der Vater blieb in der Küche. Er starrte aus dem Fenster und schien sich nicht um die Mutter des Jungen kümmern zu wollen, die einfach nur dasaß, plötzlich gleichgültig, die Hände in den Schoß gelegt, die Füße auf den Boden gestellt, die Tassen vor sich auf dem Tisch, das Ticken der Uhr, die Rechnungen im Regal, die Kühe im Stall, der Mann am Fenster, das Wetter und die Minusgrade, die Weihnachtsbäckerei, die Tage, die kommen würden, ganz von selbst. Sie saß da und war nur überrascht, dass sie weiteratmete, dass ihre Lunge sich von selbst bewegte. Sie wusste noch nicht, was Trauer ist, sie saß nur da und war ehrlich überrascht, dass die Uhr immer noch tickte.

Margido registrierte das alles. Woher sollte er wissen, wie es ist, einen Sohn zu verlieren, er wusste ja nicht einmal, wie es ist, einen zu bekommen. Außerdem konnte er sich keine Gefühle erlauben, seine Aufgabe bestand darin zu erfassen, wie die Gefühle der Hinterbliebenen zum Ausdruck kamen, damit er sie dazu bringen konnte, sich um die praktischen Dinge zu kümmern. Das Mitgefühl und die Trauer, die sich hinter seiner Professionalität verbargen, versuchte er immer dadurch zu zeigen, dass er genau tat, was die Hinterbliebenen von ihm wünschten und erwarteten.

Er war nicht auf den Anblick vorbereitet, obwohl der Vater ja gesagt hatte, der Junge habe sich nicht auf normale Weise erhängt. Der Vater hatte sicher an ein an der Decke befestigtes Seil gedacht, an einen umgekippten Stuhl auf dem Boden, an eine Leiche, die sich langsam um ihre eigene Achse drehte oder ganz ruhig dahing. Das klassische Szenario, das alle im Film gesehen hatten, in allen Details, abgesehen von den Exkrementen, die am Hosenbein entlangliefen und auf dem Boden eine Lache bildeten. So war es nicht, der Junge hing nicht hoch und frei da. Er lag vornübergebeugt auf Knien im Bett, fast nackt, bekleidet nur mit weinroten Boxershorts. Das Seil war um den Bettpfosten gewickelt und zog sich schräg von seinem Nacken hin aufwärts. Sein Gesicht war blassblau, seine Augen aufgerissen, die Zunge hing trocken und geschwollen zwischen seinen Lippen. Der Dorfpolizist hatte die Tür hinter ihnen geschlossen und sagte jetzt: »Er hätte sich die Sache jederzeit anders überlegen können.«

Margido nickte, ohne den Blick von der Leiche abzuwenden.

»Wie lange bist du schon in der Branche?«, fragte der Dorfpolizist.

»Fast dreißig Jahre.«

»Hast du so etwas schon einmal gesehen?«

»Ja.«

»Hast du Schlimmeres gesehen?«

»Vielleicht einmal ein Mädchen an einer Tür. Es war nicht weit genug zum Boden, sie hatte die Knie an den Brustkasten gezogen.«

»Oh verdammt. Dann wollen sie es wirklich.«

»Das tun sie. Sehen keine andere Lösung. Sind wohl zu jung, um eine andere Lösung zu sehen, die Armen.«

Er hatte gelogen, er hatte diese Variante von Selbstmord noch nie gesehen, aber er musste blasierte Ruhe vortäuschen, dann arbeitete er am besten, hatte seine Ruhe und wurde als Fachmann wahrgenommen, und nur als das. Ja, oft wurde von ihm eine größere professionelle Distanz erwartet als zum Beispiel von Polizisten. Man ging wohl davon aus, dass er nicht vom Tod berührt wurde, da er jeden Tag damit zu tun hatte. Er hatte schon mehrere Male zusammen mit Krankenwagenbesatzung und Polizei Körperteile vom Asphalt aufgelesen, und den anderen war krisenpsychiatrische Betreuung angeboten worden, ihm aber nicht.

Er musterte den Jungen. Auch wenn der Anblick ihn schockte, war er doch auf makabere Weise davon beeindruckt, dass ein Junge sich einfach im Bett vorbeugt und sein Gewicht auf Knie und Oberschenkel legt, das Seil auf Adern und Nervenzentren drücken lässt und auf die Finsternis wartet. Und wenn die Finsternis dann einsetzt, zuerst in Form von roten Flecken vor den Augen, dann stemmt er nicht die Hände auf die Matratze, um sich wieder aufzurichten. Er tut es nicht. Er schafft es, das nicht zu tun. Er hat sich entschieden.

»Ich habe von einer Art Sexspiel gelesen«, flüsterte der Polizist und trat von einem Bein auf das andere.

Margido warf ihm einen kurzen Blick zu, dann sah er wieder die Leiche an.

»Ich verstehe nicht, was du meinst«, sagte er.

»Es geht darum, fast erwürgt zu werden, ehe du …«

»Er trägt doch eine Unterhose.«

»Ja. Du hast recht. Ist mir nur so eingefallen. Der ganze Fall ist klar. Absolut kein Verdacht auf … irgendetwas Kriminelles. Er hat auch einen Brief hinterlassen. Nur eine Zeile, eine Entschuldigung. Die Eltern waren auf der Nachfeier eines frischverheirateten Paars. Der Junge wusste, dass er mehrere Stunden Zeit haben würde. Er hätte eigentlich mitkommen sollen. Er ist der Jüngste. Sie haben zwei Mädchen, die eine studiert in Trondheim irgendeinen unnützen Hokuspokus, die andere geht zum Glück auf die Landwirtschaftsschule. Aber der hier … Yngve, hat noch zu Hause gewohnt, wusste nicht so recht, was er wollte. Ich hab ihn oft mit dem Fernglas über der Schulter nach Gaulosen fahren sehen, er wollte Vögel beobachten, hier machen doch verdammt viele Vogelarten Zwischenlandung, weißt du. Aber für den Vater muss es ein Problem gewesen sein, einen Vogelgucker zum Sohn zu haben, wo auf einem Hof doch immer so viel zu tun ist, auch wenn ja nicht Yngve der Anerbe war. Aber sich aufzuhängen, auf Knien! Das tut doch verdammt noch mal kein normaler Mensch …«

Margido holte aus dem Auto den Behälter für Sondermüll. Der Krankenwagen war noch nicht gekommen. Die Ärztin saß mit den Eltern in der Küche. Er hörte die Stimmen, als er auf dem Rückweg an der offenen Tür vorbeikam. Sätze mit wenigen Wörtern, gefolgt von langen Pausen. Die Ärztin kam hinter ihm her ins Schlafzimmer, zog die Tür zu.

»Wir dürfen ihn losschneiden«, sagte der Polizist. Die Ärztin hatte eine Schere geliehen, so eine mit Handgriffen aus orangem Kunststoff, und reichte sie dem Polizisten. Er schnitt. Der Kopf fiel auf die Bettdecke. Margido band das Seilende vom Bettpfosten.

»Der Krankenwagen kann jeden Moment hier sein«, sagte der Polizist. »Du erledigst den Rest? Morgen im Krankenhaus?«

»Natürlich«, sagte Margido.

»Ja, für diesen Patienten kann ich jedenfalls nichts mehr tun«, sagte die Ärztin.

Margido stutzte, weil von der Ärztin überhaupt kein mitfühlender Kommentar kam. Sie war zwar Ärztin, aber doch auch eine Frau. Sie redete, als ob sie jeden Tag Knaben fand, die im eigenen Bett auf Knien gestorben waren. Er war erleichtert, als sie in die Küche zurückging.

Dann hörte er den Krankenwagen vorfahren, er trat auf den Flur, fing den Blick des Fahrers auf, der jetzt das Haus betrat, und nickte. Margido wollte die Leiche auf die Bahre legen, ehe die Eltern dazukamen. Es wäre besser so. Dann sah es eher aus wie ein Unfall, etwas, für das die Eltern nicht zur Verantwortung gezogen werden könnten.

»Ich hätte ihn gern fertig gemacht. Übel, ihn so losschicken zu müssen, mit dem Seil um den Hals«, sagte Margido leise.

»So ist es eben bei Selbstmord«, sagte der Polizist. »Sogar, wenn alles klar ist.«

Das Krankenwagenpersonal brachte die Bahre und bedeckte sie mit schwarzer Plastikfolie. Es waren zwei junge Männer. Nur wenige Jahre älter als der kniende Junge im Bett. Sie zogen Plastikhandschuhe an und fassten den Jungen unter den Armen und um die Knöchel, zählten gemeinsam bis drei und hoben ihn mit raschem Griff auf die Folie, die sie dann um

16

ihn herumwickelten. Die nackte Matratze bot keinen schönen Anblick.

»Ich habe den Behälter schon geholt«, sagte Margido. »Kann ich wenigstens das Laken wegnehmen? Damit die Eltern das nicht sehen müssen?«

»Ja, tu das«, sagte der Polizist.

Er konnte auch noch die Bettdecke zusammenfalten und damit den großen feuchten Fleck auf der Matratze verstecken, ehe die Mutter kam. Die Matratze würde ohnehin weggeworfen werden, das wurde sie immer, aber je mehr die Angehörigen sahen, umso mehr Gefühle wurden aufgewühlt und forderten Margido. Oft waren es Einzelheiten, die eine Tragödie für Hinterbliebene zur Wirklichkeit werden ließen und sie in die Realität schleuderten, in die Hysterie, es konnte alles sein, eine halbleere Tasse Tee auf einem Nachttisch, ein schmutziger Teddy auf dem Boden, eine Thermosflasche und eine Butterbrotdose, die ihnen nach einem Unfall an einem Arbeitsplatz ausgehändigt wurden.

»Was habt ihr mit ihm gemacht!«, schrie die Mutter. »Ihn in Plastik gewickelt! Aber er kann doch nicht ... er kriegt doch keine Luft. Ich will ihn sehen!«

»Das geht nicht«, sagte der Polizist. »Aber morgen, wenn Margido ...«

»Nein! Ich will ihn jetzt sehen!«

»Ich muss ihn zuerst fertig machen«, sagte Margido.

Die Mutter warf sich über die Bahre und riss an der schwarzen Folie. Jetzt hätte ihr Mann kommen müssen. Aber das tat er nicht. Es war der Fahrer des Krankenwagens, der ihre Schultern packte und sie festhielt.

»Ganz ruhig jetzt, dann können wir ...«

»ER BEKOMMT KEINE LUFT! YNGVE! Mein Junge ...«

Endlich war der Mann da. Er übernahm die schluchzende Frau und starrte selbst unverwandt auf die schwarzglänzende Fracht, die seinen einzigen Sohn enthielt. Alle Energie im Raum schien zu diesem Punkt zu streben, angesogen von der ungeheuerlichen Tatsache, dass der ehemalige Bewohner dieses Jungenzimmers hier verpackt lag, größer und dominierender als je zu seinen Lebzeiten.

»Aber warum…«, fragte er. »Ich dachte, wir dürften ihn vorher noch einmal sehen. Ich wusste nicht, dass… ich dachte, Margido würde…«

»Er muss obduziert werden«, sagte der Polizist und starrte zu Boden. »Das ist das übliche Vorgehen bei Selbstmord.«

»Aber warum denn bloß? Es steht doch fest, dass er es selbst getan hat.«

Der Vater war heiser und angespannt vom Versuch, sich zusammenzureißen, die Mutter des Jungen hing hilflos in seinen Armen und weinte lautlos mit geschlossenen Augen.

»Das glaube ich ja auch«, sagte der Polizist, räusperte sich und verlagerte sein Gewicht auf den anderen Fuß.

»Kann ich das nicht verweigern? Verbieten, dass irgendwer unseren Jungen aufschneidet?«

Die Mutter zuckte zusammen, aber sie öffnete die Augen nicht, die Tränen liefen einfach immer weiter über ihre Wangen.

Der Polizist schaute dem Vater des Jungen plötzlich ins Gesicht und sagte: »Ist schon gut. Ich werde keine Obduktion beantragen. Ist schon gut, Lars. Aber trotzdem könnt ihr ihn heute Abend nicht mehr sehen. Wir lassen den Krankenwagen jetzt mit ihm fortfahren. Aber wenn Margido ihn fertig gemacht hat…«

Der Vater nickte langsam.

»Danke. Tausend Dank. Turid, sie müssen ihn jetzt wegbringen. Komm.«

Während die Bahre aus dem Haus getragen wurde, konnte Margido unbemerkt den Abfallbehälter in sein Auto bringen und seine Papiere holen. Der Krankenwagen fuhr langsam und ohne Eile die Einfahrt hinunter, ohne Sirene oder Blaulicht, und damit wusste die ganze Nachbarschaft, dass jemand tot war. Der Wagen des Dorfpolizisten folgte gleich darauf.

Die Haustür stand noch immer sperrangelweit offen, gelbes Licht fiel über den Schnee auf Treppe und Boden, ein warmgelbes Licht, das leicht an traute Gemütlichkeit, knisternden Ofen und heißen Kaffee denken lassen könnte, an Normalität. Margido staunte immer wieder über diese Kontraste, der Tod passte nirgendwohin, abgesehen vielleicht von einem Schlachtfeld, überlegte er. Der Mond hing weiter oben über dem Hügel, er war fast voll, ein schwacher Frostkragen umgab ihn, die Schatten der Bäume zeichneten Risse in den Harschschnee, er betrachtete sie, während er den nächsten Tag plante. Er musste am Vormittag wieder herkommen, dann hatte er in der Kirche von Strinda um halb vier eine Beisetzung, danach musste er die Leiche fertig machen, damit sie den Jungen sehen konnten, auch die Schwestern. Vielleicht wollten sie auch eine Andacht an der Bahre, morgen Abend in der Krankenhauskapelle. Er würde das alles am nächsten Morgen mit seinen Damen besprechen. Er musste nicht alles allein in die Wege leiten. Es war immer ein Trost, dass Frau Gabrielsen und Frau Marstad ihre Arbeit beherrschten. Aber auch wenn sie zu dritt waren, musste immer er die Hausbesuche machen. Wenn er dazu keine Zeit hatte, verwies er die Kundschaft an ein anderes Bestattungsunternehmen. Die Damen wollten keine Hausbesuche machen, sie wussten nur zu gut, dass es da um ganz andere Dinge ging als darum, Bettwäsche in einen Abfallbehälter zu stecken.

Die Ärztin hatte der Mutter eine Beruhigungstablette gegeben, der Vater wollte keine. Das war das klassische Muster: Männer wollten es ohne schaffen, sie wollten einen klaren Kopf behalten, nicht zusammenbrechen, nicht die Kontrolle verlieren. Also lief der Vater, die Hände im Rücken verschränkt, in der Küche hin und her. Margido beneidete ihn nicht um die Nacht, die jetzt vor ihm lag.

»Du kannst doch eine Schlaftablette haben«, sagte die Ärztin, die offenbar dasselbe gedacht hatte wie Margido.

»Nein.«

»Ich lass dir für alle Fälle ein paar hier. Das sind keine... altmodischen Schlaftabletten, nichts, was auf den gesamten Organismus schlägt. Sie lassen dich nur ganz friedlich einschlafen.«

Margido schaute sie kurz an, aber sie schien sich bei dieser Wortwahl nichts gedacht zu haben, und den beiden anderen Anwesenden war wohl auch nichts aufgefallen.

»Er wird nicht eingeäschert«, sagte der Vater und hob vor seinem Spiegelbild in der Fensterscheibe den Kopf.

»Natürlich nicht, wenn ihr das nicht wollt«, sagte Margido.

»Doch!«, schrie die Mutter. »Er soll nicht in die schwarze Erde! Soll da nicht liegen und verwesen und aufgefressen werden! Er soll... er soll...«

»Er soll nicht in der Hölle brennen, wenn ich das irgendwie verhindern kann«, sagte der Vater leise. Die Mutter verstummte und hob eine Hand an die Augen.

»Ich versteh das nicht«, flüsterte sie. »Warum er... Wir waren doch nur für ein paar Stunden aus dem Haus. Warum hat er nicht gewartet, damit wir darüber reden können, ihm helfen, meinem Jungen helfen. Er muss so gelitten haben...«

»Ich finde, du gehst jetzt ins Bett«, sagte er Vater. Sofort erhob sie sich, verwirrt, und taumelte aus dem Raum. Der Mann half ihr hinaus auf den Gang. Die Ärztin und Margido blieben in der Stille sitzen und lauschten auf die unsicheren Schritte, die sich die Treppe hochbewegten. Sie wechselten einen Blick. In den Augen der Ärztin lag plötzlich tiefe Trauer, aber sie sagte nichts.

Als die Ärztin aufgebrochen war, saß nur noch Margido in der Küche, allein mit dem Vater, der sich endlich auf einen Holzstuhl setzte, den Kopf senkte und die Fäuste zwischen seinen

Beinen herabhängen ließ. Bauernhände, schwarze Ränder unter den Nägeln und Dreck in der Tiefe jeder Furche und Runzel. Seine Älteste besuchte die Landwirtschaftsschule in Ås. Nicht der Anerbe war in einer Sonntagnacht im Advent auf dem Weg in den Kühlraum des Krankenhauses. Als wäre das ein Trost. Der Polizist schien das geglaubt zu haben.

»Ich kann bei allem helfen, wozu ihr Hilfe braucht«, begann Margido. »Aber das habt ihr zu bestimmen.«

»Du musst dich um alles kümmern. Ich bringe es nicht einmal über mich, die… eine Beerdigung. Wir müssen Yngve begraben, es ist nicht zu fassen, dass so etwas nötig ist. Das hat doch einfach keinen Sinn.«

»Habt ihr seinen Schwestern schon Bescheid gesagt?«

Der Vater hob das Gesicht. »Nein.«

»Das solltest du aber tun. Und der übrigen Verwandtschaft.«

»Morgen früh.«

»Ja, mach jetzt eins nach dem anderen«, sagte Margido und legte Mitgefühl in seine Stimme, er wusste, wie man das macht. »Zuerst die Anzeige. Die kann am Dienstag erscheinen.«

»Ich bring es nicht über mich…«

»Natürlich nicht. Deshalb lasse ich dir eine Broschüre hier, die könnt ihr euch ansehen, und dann komme ich morgen früh wieder. Gegen zehn, ist das recht?«

»Es ist egal, wann du…«

»Dann komme ich gegen zehn.«

Der Vater zog die Broschüre zu sich herüber und schlug sie irgendwo auf. »Todesfallsymbole«, las er. »Todesfallsymbol? Das ist aber ein seltsames Wort.«

»Das ist das Symbol, das oben in der Anzeige steht.«

»Das hab ich schon verstanden. Ich wusste nur nicht, dass es… einen Namen hat. Als mein Vater gestorben ist, hat Mutter sich um alles gekümmert, und als Mutter gestorben ist, hat meine Schwester das gemacht. Ich muss wohl… ich muss sie auch anrufen. Wir haben sie vorhin erst getroffen, sie war auch auf diesem Fest. Wir haben gemeinsam etwas geschenkt. Eine Leinendecke, glaube ich. Genäht in Røros. Oder ... gewebt ... in Røros. Von irgendwem.«

»Die ist sicher schön.«

»Ja. Das ist sie sicher«, sagte der Vater. Er wiegte sich mit der Broschüre in den Händen auf dem Stuhl hin und her. Margido wusste, dass er nach Erklärungen suchte. Erklärungen, nach denen zu suchen Margido längst aufgegeben hatte, obwohl er so oft danach gefragt wurde. Im Tod lag eine Unmöglichkeit, die ihn immer wieder von Neuem faszinierte, aber den Tod erklären konnte er nicht. Die Wahrheit fand er an keinem Ort außer in den Ritualen.

»Kannst du nicht einfach so ein ... Todesfallsymbol aussuchen?«, fragte der Vater.

»Das kann ich natürlich. Aber es kann ... euch guttun. Selbst zu entscheiden. Ihr werdet euch an die Beerdigung erinnern. Später. Und dann kann es wichtig sein, dass es ... für euch das Richtige war.«

Er legte zwischen den Wörtern immer kleine Pausen ein, schien nach Worten zu suchen. Er fand sich nicht zynisch dabei, er wusste, dass für die, mit denen er hier sprach, die Lage einzigartig auf der Erde war, einzigartig im Leben. Deshalb durfte er nicht einfach seinen Spruch aufsagen und den anderen zu verstehen geben, dass er das alles oft vorbrachte, dass in ihm ein Tonband mit den geeigneten Floskeln ablief, zu jeder Gelegenheit das Passende. Jedenfalls zu fast jeder Gelegenheit.

»Ich habe gehört, dass Yngve Vögel sehr geliebt hat«, sagte er.

»Ja.«

»Vielleicht eine Schwalbe«, sagte Margido. »Oben in der Anzeige.«

»Er ist total wild nach den Schwalben, die hier auf dem Hof brüten. Schreibt ... hat in einem Heft aufgeschrieben, wann

22

sie von Süden kommen, es sind die letzten Zugvögel, die hier Station machen. Vielleicht erst Anfang Juni. Das scheint für Zugvögel offenbar spät zu sein. Er konnte ihnen stundenlang zusehen, wie sie in der Luft über der Scheune Flugvorführungen veranstalteten.«

»Dann vielleicht eine Schwalbe. Für die Anzeige.«

»Er hat die Natur so sehr geliebt. So sehr. Man könnte ja meinen, dass ein Bauernsohn selbstverständlich die Natur lieben muss, aber bei ihm war das anders. Ich denke nicht so viel an die Natur, wenn du verstehst, das ist meine Arbeit, sie umgibt mich überall, sie ist selbstverständlich. Aber Yngve, der interessierte sich für Dinge, die anders sein könnten, kam an mit Mülltrennung und wollte die alte Natur wiederherstellen und Höfe aufgeben. Natürlich denke ich auch an solche Dinge, aber für ihn waren sie... wichtig! Ich habe doch nicht die Zeit, um... Ich begreife nicht, warum er... nur neunzehn Jahre alt. Nahm gerade Fahrstunden. Hab schon ein Auto in der Scheune, einen alten Toyota. Aber er fand es nicht so interessant, daran herumzubasteln, war irgendwie nicht der Typ dafür, dachte wohl, der würde schon in Gang kommen, an dem Tag, wo er den Führerschein in der Tasche hätte und den Zündschlüssel umdrehen könnte. Und da saßen wir und haben uns mit Kuchen vollgestopft und Kaffee getrunken und Fotos angeguckt und über diese verdammte Hochzeit geredet, während er...«

»Ich glaube, du solltest jetzt versuchen, dich ein bisschen auszuruhen, es ist spät, und morgen wird ein langer Tag.«

Der Vater verstummte, senkte den Kopf, musterte seine Hände und sagte leise: »Eine Schwalbe. Dann nehmen wir eine Schwalbe. Danke.«

»Nichts zu danken. Natürlich nicht. Aber denk dran, hier liegen die Tabletten.«

»Ich will keine. Ich muss doch morgen früh in den Stall. Muss wach sein.«

Es war wenig Verkehr. Der Korsfjord war in Ufernähe von weißem Frostrauch bedeckt, quer über den Fjord zogen sich Streifen aus Mondlicht. Der Wagen war wieder eiskalt geworden. Als Margido eine Weile später an der Auffahrt nach Neshov vorbeikam, an der langen Ahornallee dort hinauf, starrte er nur steif vor sich hin. Er wusste ja sowieso, dass die Fenster um diese Tageszeit dunkel waren, nur die Lampen außen an der Wand würden brennen, und wie die aussahen, war ihm schließlich bekannt.

Er schaltete das Autoradio ein, ließ die Auffahrt hinter sich und hörte fröhliche Akkordeonmusik. Er fühlte sich plötzlich überraschend entspannt und ein wenig munter, ohne so recht zu wissen, warum. Es war ein seltenes Gefühl. Vielleicht war es die Erleichterung darüber, dass er die Trauer im Blick der Ärztin entdeckt hatte.

Als er am nächsten Vormittag auf dem Kotumhof erschien, wimmelte es im Haus nur so von Menschen. Am Küchentisch saß der Pastor, der Pastor der Kirche von Byneset, Fosse-Pastor wurde er von allen genannt, ein Mann in Margidos Alter. Dünn und eingeschrumpelt in seinen Kleidern, aber mit warmem, kräftigem Händedruck. Margido mochte ihn sehr. Er war immer korrekt, pünktlich und professionell, was sich nicht von allen Geistlichen sagen ließ; einige nervten und versuchten, die Leute vom Bestattungsunternehmen herumzukommandieren, als wären die von den Geistlichen bestellt worden und nicht von den Hinterbliebenen.

Die Küche war jetzt das Reich der Frauen, die Männer wurden in eine der guten Stuben des langen, gut erhaltenen Holzbaus verwiesen. Die Mutter des Jungen saß in der Küche auf einem Holzstuhl und betrachtete voller Verwunderung, was um sie herum geschah. Fünf Frauen mit geröteten Augen, vermutlich waren die eine Schwester des Jungen und eine Tante darunter, machten sich mit Broten, Kaffee, Tassen, Untertassen, Servietten und Zuckerdosen zu schaffen. Frauen hatten Glück, sie konnten sich immer mit Kochen und Servieren beschäftigen, während die Männer ihre Trauer tatenlos verarbeiten mussten. Es wäre ein Ding der Unmöglichkeit, wenn der Vater an diesem Tag draußen gearbeitet hätte, die Mutter dagegen könnte ohne Weiteres zehn Liter Waffelteig anrühren, ohne dass irgendwer Anstoß daran nehmen würde. Wenn es über Nacht einen Meter geschneit hätte, könnte der Mann auf dem Hof Schnee schaufeln, mehr aber nicht, und eigentlich müssten die Nachbarn ihm auch diese Arbeit abnehmen.

Der Vater schloss die Tür zur Küche, sperrte die Geschäftigkeit aus und sagte zu Margido, noch ehe er die Türklinke losgelassen hatte: »Ein Mädchen hat mit ihm Schluss gemacht. Am Samstagabend. Wir wussten nicht einmal, dass er eine Freundin hat.«

Der Vater ließ sich auf ein Ledersofa sinken, sein Körper fiel in sich zusammen, die Schulterblätter zeichneten sich unter dem karierten Flanellhemd deutlich ab.

»Liebeskummer«, flüsterte er. »Dass er sich aus Liebeskummer das Leben genommen hat. Dass er sich ... sein ganzes Leben weggenommen hat. Weil ein Mädchen ihn nicht wollte. Einfach so ein Mädchen.«

Niemand hatte sich die Broschüre angesehen, die Margido hinterlassen hatte, das wurde ihm schnell klar. Er hatte noch eine weitere bei sich, in der unterschiedliche Sargmodelle abgebildet waren. Noch eine Schranke, die übersprungen werden musste. Aber er brauchte den Sarg später an diesem Tag, wenn er die Leiche fertig machte, und er brauchte ihn auch abends in der Kapelle.

»Wann kommt Yngves älteste Schwester?«, fragte er.

»Ingebjørg? In ein paar Stunden, glaube ich.«

Margido nickte. Also musste er die Sargfrage klären.

»Ihr wollt ihn heute Abend sehen? Ihr alle?«, fragte Margido.

»Ich glaube schon.«

»Das solltet ihr«, sagte der Pastor und beugte sich vor, die Ellbogen auf die Knie gestützt. »Die Mädchen müssen ihn sehen. Oder jedenfalls die Möglichkeit dazu haben. Wenn sie nicht wollen, ist das auch in Ordnung. Aber Margido macht es so schön. Es ist wirklich gut, einen Schritt weiterzugehen in der Trauer, im Schock, der euch alle getroffen hat, Lars.«

Sie schwiegen sehr lange.

»Wir müssen eigentlich das mit der Anzeige klären«, sagte Margido.

»Eine Schwalbe«, sagte der Vater.

Margido zog einen Notizblock aus der Tasche. Er war froh, dass der Pastor anwesend war, der Pastor half dem Vater zu entscheiden, dass nur *unser unersetzlicher* über dem Namen Yngve Kotum stehen sollte, und darunter *unerwartet von uns gerissen*. Der Pastor wollte, dass der Vater die Frau von dem Holzstuhl in der Küche holte, damit sie sich an dieser Entscheidung beteiligte, aber dazu kam es nicht. Und der Pastor half Margido, alle Namen zu notieren, den umgekehrten Familienstammbaum unter den Namen des Jungen, dazu Geburts- und Todesdatum.

»Ein Gedicht. Möchtest du ein Gedicht?«, fragte Margido.

»Ein Gedicht?« Der Vater schaute ihn mit ehrlicher Überraschung an.

»Das machen viele, Lars«, sagte der Pastor. »Margido kann dir sicher mehrere zur Auswahl zeigen.«

Margido nahm die Broschüre. Darin standen viele Gedichte, die Kunden sich ansehen konnten. Er öffnete auf der richtigen Seite und schob sie dem Vater hin, der griff danach mit einem Blick, der vor verzweifeltem Widerstand leuchtete. Er vertiefte sich in die Texte, musterte jedes Gedicht sehr lange.

»Vieles hier passt auf alte Leute oder auf Leute, die lange krank waren«, sagte der Vater und räusperte sich. »Aber es geht doch um jemanden, der … das hier vielleicht.« Er zeigte auf das Gedicht und reichte es dem Pastor, der zur Broschüre griff und laut vorlas: »So schließen wir dich in unsere Herzen ein, du sollst für immer darin geborgen sein. Dort wohnst du friedlich für alle Zeit, bis an das Ufer der Ewigkeit.«

Der Vater presste die Hände an den Kopf und sank in sich zusammen, fast in eine sitzende Embryostellung, seine Fersen hoben sich vom Boden, er stieß piepsende, keuchende Kehllaute aus. Fast im selben Moment wurde die Tür geöffnet, und zwei Frauen brachten Kaffeetassen und Untertassen und eine große Platte Butterbrote und Kuchenstücke. Sie blieben überrascht stehen. Der Vater riss sich zusammen, seine Schluckgeräusche waren plötzlich das Einzige, was im Zimmer zu hören war.

»Jetzt wird ein Kaffee uns guttun«, sagte der Pastor, nickte den Frauen zu und lächelte, dann erhob er sich, ging um den Tisch herum und legte dem Vater die Hand auf die Schulter. Die Frauen verstanden das Signal und deckten schnell den Tisch, ohne auf die Hilflosigkeit des Mannes zu achten oder sich für ihn verantwortlich zu fühlen. Zuerst nahmen sie den gewebten Läufer vom Tisch und ersetzten ihn durch eine viereckige Baumwolldecke mit Stickereien, danach verteilten sie die Tassen und die zu präzisen Dreiecken gefalteten Servietten, am Ende wurden die Platten mit Broten und Kuchenstücken in die Mitte gesetzt, zusammen mit Zuckerdose und Milchkännchen.

Margido und der Pastor blieben allein dort sitzen, nachdem der Vater mit der Entschuldigung verschwunden war, nur kurz zur Toilette zu müssen. In dem Moment, in dem sich die Tür hinter ihm schloss, fingen sie an, leise über die praktischen Dinge zu reden.

»Donnerstag um eins«, sagte der Pastor. »Sie wollen eine Beerdigung.«

»Die Mutter nicht«, sagte Margido und notierte Datum und Uhrzeit. »Gestern Abend hat sie gesagt…«

»Heute will sie«, sagte der Pastor. »Ich habe mit ihr gesprochen. Yngve soll neben seinen Großeltern liegen. Mit dieser Vorstellung konnte sie sich versöhnen. Natürlich kommt der Junge in die Erde. Er ist schließlich Bauernsohn.«

»Kannst du ihm bei der Auswahl von Liedern und Musik helfen? Und mir dann Bescheid sagen?«

»Natürlich.«

Margido reichte dem Pastor einen Zettel und sagte: »Die Choräle, die hier aufgeführt sind, liegen in der Druckerei bereit.«

Der Pastor nickte und sagte: »Und du kümmerst dich um heute Abend? Vielleicht wollen sie den Toten nicht nur sehen, sondern hätten auch gern eine Andacht.«

»Ich muss im Krankenhaus anrufen und die Kapelle bestellen. Und ich muss ihn dazu bringen, dass er einen Sarg aussucht. Du bleibst hier?«

Der Pastor schaute auf die Uhr und nickte.

Margido war daran gewöhnt, dass jeder Teil der Prozedur neue Trauerwellen auslöste. Eine Todesanzeige machte aus dem Unmöglichen eine vage mögliche Wirklichkeit, Farbbilder von verschiedenen Sargmodellen ließen den Schmerz einen Schritt weitergehen. Der Vater hielt die Sargbroschüre in den Händen und starrte die Bilder an, als betrachtete er etwas ganz und gar Unvorstellbares.

»Die sind doch alle schön«, sagte der Pastor.

Die meisten zeigten hilflos auf das weiße Modell Nordica. Davon hatte er im Lager in Fossegrenda auch die meisten Exemplare stehen. Aber der Mann auf dem Sofa überraschte ihn.

»Den da«, sagte er und tippte mit dem Finger auf das Bild eines Kiefernholzsarges, Modell Natur in drei Varianten: lackiert und ohne Astlöcher, unbehandelte Oberfläche oder mit Lauge behandelte Oberfläche.

»Unbehandelt«, sagte der Vater. »Und er heißt Natur. Das passt.«

Margido räusperte sich. »Ich habe einige auf Lager, aber die sind laugebehandelt. Den unbehandelten muss ich bestellen, das dauert zwei Tage.«

»Dann nehmen wir den mit Lauge behandelten. Vielleicht ist der ja auch schöner. Aber so ein weißer, der passt eher zu alten Leuten. Genau wie die Gedichte.«

Er warf die Broschüre auf den Tisch, und Margido verstaute sie rasch in seiner Tasche. »Dann ist das abgemacht«, sagte er.

Er war erleichtert, weil es so gut gegangen war und der Vater nicht den ganzen Haushalt zur Entscheidung hinzugezogen hatte. Manche machten das, sie wollten Preislisten sehen und vergleichen, er war immer peinlich berührt, wenn er das erleben musste, obwohl er es logisch gesehen durchaus verstehen konnte. Eine Beisetzung führte zu hohen Ausgaben, jetzt, da das Sterbegeld gestrichen worden war. Einige betrachteten den Sarg als eine notwendige Bagatelle, während andere ihn als letztes Zuhause der Verstorbenen ansahen, als ihr Fahrzeug oder Bett. Er konnte sich gut an eine Mutter erinnern, deren drei Monate alte Tochter am plötzlichen Kindstod gestorben war und die ihre Hand auf den kleinen, vierzig Zentimeter langen Sarg gelegt und gesagt hatte: »Das ist von jetzt an deine Wiege, Herzchen, hier wirst du für immer schlafen, und ich werde an dich denken, da unten in deiner kleinen Wiege.«

»Es soll danach keine Bewirtung geben«, sagte der Vater. »Und wir wollen keine Blumen.«

»Ab und zu wird um Spenden gebeten«, sagte Margido.

»Und an wen sollten die Spenden gehen?«, fragte der Vater mit plötzlich greller, lauter Stimme. »An den norwegischen Selbstmordverein? Die Ornithologische Gesellschaft? Den Bauernverband?«

»So war das nicht gemeint, Lars«, sagte der Pastor ruhig. »Man könnte sich aber vorstellen … den Jugendclub oder … andere, denen man Geld spenden könnte, in Yngves Namen. Anstelle von Blumen.«

Der Vater ließ sich zurücksinken, atmete aus wie nach einem langen Lauf und ließ die Blicke zu den Dachbalken wandern.

»Na gut. Ja, der Jugendclub ist vielleicht keine schlechte Idee. Auch wenn er nur selten dort war und nicht viele Freunde hatte. Mir ist es eigentlich total egal, aber sollen sie dem Jugendclub doch ein paar Kronen geben. Schreib das auf. Sind wir bald fertig? Jetzt trinken wir Kaffee, ich kann nicht mehr.«

Der Sarg stand um halb eins auf dem grünen Katafalk im Mittelschiff der Kirche von Strinda, anderthalb Stunden vor Beginn der Trauerfeier, es war ein weißes Modell Nordica, das Frau Marstad mit dem Leichenwagen zur Kirche gebracht hatte. Frau Marstad und Frau Gabrielsen waren beide kräftige Frauen, sonst hätte Margido einen Mann anstellen müssen. Es war harte Arbeit, einen Sarg an Ort und Stelle zu schaffen. Bisweilen mussten sie alle drei zupacken oder den Küster um Hilfe bitten.

Im Sarg lag eine Frau von vierundfünfzig, die bei einem Asthmaanfall ums Leben gekommen war. Sie hinterließ eine zwanzig Jahre alte Tochter und zwei Exmänner, die sich beide an den Vorbereitungen für die Trauerfeier beteiligt hatten.

Der Küster brachte Kerzen und andere Gegenstände und lief in der Sakristei ein und aus, während Margido und Frau Marstad Gestelle, Koffer voller Kerzenhalter und Blumenvasen holten. Die Kirchen hatten nichts von dem, was für Beisetzungen benötigt wird, einige besaßen nicht einmal eine kleine Schaufel.

Immer wieder brachten Boten Blumensträuße, Kränze und Gestecke, und Margido musterte jedes Teil für sich und dann den Gesamteindruck. Es war wichtig, bei der Aufstellung zu beiden Seiten des Sarges an die Symmetrie zu denken. Die Sträuße, die auf dem Sarg lagen, mussten perfekt arrangiert werden, und er legte auch gern ein oder zwei Kränze vor den

Sarg auf den Boden. Er füllte die hohen Blumenvasen und zog alle bedruckten Seidenbänder so zurecht, dass der Aufdruck von den Bänken aus gelesen werden konnte.

Der Tisch am Eingang stand bereit, sie brauchten jetzt nur noch die Kerze anzuzünden. Sie war kornblumenblau, was ungewöhnlich war, aber die Tochter der Verstorbenen wollte es so, es war die Lieblingsfarbe der Toten gewesen. Eine Kondolenzliste lag bereit, schräg über dem obersten linierten Bogen lag ein Kugelschreiber. Ein gerahmtes Foto der Verstorbenen zeigte sie in Freizeitjacke an einem steinigen Strand, in der Hand hielt sie eine graue Wurzel, die überraschende Ähnlichkeit mit einem Schwan aufwies.

Sie lachte, und der Seewind fuhr ihr in die Haare. Die graue Wurzel bildete jetzt das Mittelstück des größten Gestecks auf dem Sarg, umkränzt von Tannenzweigen, Moosen und Erika, die Ähnlichkeit mit dem im Dezember nirgendwo aufzutreibenden norwegischen Heidekraut hatte, und Tannenzapfen in unterschiedlichen Größen. Es war ein Gesteck von seltener Schönheit, und es war ganz anders als die üblichen Gestecke. Margido hatte es bewundert, als er es an seinen Platz gestellt hatte.

Neben dem Bild lag der Stapel der Liedhefte, die Margido austeilen sollte, wenn die Trauergäste eintrafen. Auf der Vorderseite war wieder das Bild der Verstorbenen zu sehen. Am Ende des Tisches stand ein Gefäß für die Geldspenden. Frau Marstad hatte eine Karte geschrieben und davorgestellt: »Danke für deine Spende für die Asthma- und Lungengesellschaft. Im Namen der Angehörigen.«

»Herr, du bist unsere Zuflucht für und für. Ehe denn die Berge wurden und die Erde und die Welt geschaffen wurden, bist du, Gott, von Ewigkeit zu Ewigkeit. Der du die Menschen lässest sterben und sprichst: Kommt wieder, Menschenkinder! Denn tausend Jahre sind vor dir wie der Tag, der gestern vergangen ist, und wie eine Nachtwache. Lehre uns bedenken, dass wir sterben müssen, auf dass wir klug werden.«

Margido lauschte auf die Worte, sie rauschten an sein Ohr wie eine vertraute Welle, berührten ihn aber nicht. Das Einzige, was ihn von dem, was verkündet wurde, noch berührte, war das Fehlen oder die Anwesenheit von Innigkeit in der Stimme der einzelnen Geistlichen. Margido dachte an alles, was er erledigen musste, wenn er wieder im Büro sein würde. Frau Marstad war schon gefahren und hatte ihm die Namensliste der Blumengrüße hinterlassen, für den Fall, dass von denen, die in letzter Minute eintrafen, noch jemand Blumen bei sich haben sollte. Es war ungeheuer wichtig und eine ihrer letzten Aufgaben, alle, die Blumengrüße mitbrachten, auf einer Liste aufzuführen. Die Karten würde er später in einer Erinnerungsmappe sammeln und den Angehörigen überreichen. Danach würde er der Familie vorgedruckte Dankeskarten aushändigen. Er wusste, dass die Familien Namenslisten und Erinnerungsmappe immer genau durchsahen, zusammen mit der Kondolenzliste; beides wurde zum Symbol dafür, wie geliebt und wichtig die Verstorbenen gewesen waren, und es half den Angehörigen in ihrer Trauer. Es half auch, wenn sie hörten: »Das war eine schöne Beerdigung, wirklich schön.«

Und es war Margidos Aufgabe, dafür zu sorgen, dass es *schön* wurde. Seine Aufgabe und die der Geistlichen. Vor allem aber seine.

Als er nach der Beerdigung sein Telefon wieder einschaltete, war die Mitteilung eingelaufen, dass er bitte bitte Selma Vanvik anrufen solle.

Er legte das Telefon auf den Beifahrersitz, öffnete das Fenster und ließ kaltfeuchte Winterluft hereinströmen. Er hatte plötzlich das Gefühl, an den starken Blumendüften, die noch im Auto hingen, zu ersticken, fast hätte er sich erbrochen. Keine Schnittblumen fanden den Weg in seine Zweizimmerwohnung in Flatåsen. Auf dem kleinen Balkon stand nur eine

Zypresse in einem Tontopf. Aber sie war ein schöner Anblick im Winter, wenn der Schnee sie bedeckte. Eine winzig kleine Aussicht, die ihm gehörte, und das reichte. Er brauchte durchaus nicht von seinem Fenster den Korsfjord zu sehen. Gegenüber stand ein neuer Wohnblock, eine Betonfläche, dicht besetzt mit Fenstern voller Vorhänge und Pflanzen und allerlei Dekorationsgebammel, einige mit Gesichtern und Bewegungen dahinter, fast alle jetzt mit elektrischen Adventsleuchtern, in Reih und Glied und eine wie die andere standen dort kleine Pyramiden aus sieben Leuchtpunkten, der mittlere der höchste. Symmetrie. Stadtleben. So weit vom Eigentlichen entfernt, wie man nur konnte, und genauso, wie er es wollte.

Er hätte sich durchaus ein Haus kaufen können. Er hatte Geld genug, aber was sollte er mit einem Haus? Ein Haus würde ihm nur Flausen in den Kopf setzen. Hingegen dachte er in letzter Zeit ziemlich viel an eine gute Sauna. In Hitze und Feuchtigkeit sitzen und die Arbeit des Tages aus sich herausschwitzen, die Gerüche des Tages, die vielen Tränen, die er fließen sehen musste, all die Verzweiflung, all den Unglauben. In seiner kleinen Wohnung war kein Platz für eine Sauna. Aber vielleicht könnte er sich eine neue Wohnung kaufen, eine nagelneue mit Platz für eine Sauna, oder vielleicht sogar mit einer schon vorhandenen Sauna. Eine Wohnung, die für jedes Alter und auch für Behinderte geeignet war, mit breiten Türen, alles auf einer Ebene und ohne Türschwellen, man wusste ja nie, wann das, was bevorstand, wirklich eintreffen würde. Und mit Fahrstuhl. Einem guten Badezimmer. Lange Badewanne, geräumige Duschkabine. Schöne, angeraute Keramikfliesen unten, vielleicht heller Schiefer.

Selma Vanvik mochte nicht hinnehmen, dass Margido aus der Welt war, nachdem er ihren an Prostatakrebs gestorbenen Mann bestattet hatte.

Er fuhr nach Fossegrenda, um für Yngve Kotum ein Modell Natur laugebehandelt zu holen. Er müsste ihren Anruf erwidern, das wäre ein Gebot der Höflichkeit, aber er tat es nicht. Er hatte sie vor über einer Woche zuletzt aufgesucht und hätte sich denken können, dass sie sich wieder melden würde.

Die Kuchenstücke auf der Platte, die klirrenden Kaffeetassen, das flaschengrüne Samtsofa, die flaumigen Runzeln unter ihren Augen und unter dem Kinn oberhalb der Bluse, der Geruch von schwerem Parfüm, das besser in einen anderen Zusammenhang gepasst hätte.

Frischgebackene Witwen in seinem Alter, das war nicht ungewöhnlich. Sie öffneten sich ihm in ihrer Trauer. Blühten unter Tränen wieder auf. Sie waren vorbereitet und suhlten sich in Aufmerksamkeit und Mitgefühl. Hatten einen Großteil der Trauer im Voraus hinter sich gebracht. Auch wenn viele das nicht für möglich hielten, konnten Frauen das eben doch. Für Männer schlug der Tod immer wie eine Bombe ein. Sogar wenn ihre Frauen vor ihren Augen langsam dahinschwanden, steckten sie den Kopf in den Sand und erlitten einen Schock, sobald sie allein zurückblieben. Aber Frauen wussten. Selma hatte gewusst. Und sie hatte Margido schon beim ersten Besuch herzlich willkommen geheißen, mit einem lippenstiftroten Lächeln und diesem Parfüm. Hatte ihm alles anvertraut und die Trauer als Alibi benutzt. Hatte ihm Dinge erzählt, die sie *noch niemals irgendwem erzählt hatte,* wie sie sagte, nicht einmal ihren Töchtern. Über ihre traurige, lieblose Ehe, über geheim gehaltene Finanzprobleme, über Alkohol und andere Frauen, und Margido hatte dagesessen und eigentlich nur eine Todesanzeige verfassen und einen Sarg auswählen wollen.

»Du bist mein Seelsorger«, sagte sie. »Ich will keinen Geistlichen. Ich bin nämlich Atheistin. Glaubst du an Gott?«

Sie hatte das Wort *Atheistin* aus sich herausgeschleudert wie den Namen einer Partei, die sie wählte, oder eines Ladens, den sie anderen vorzog.

»Ich bin aber kein wirklicher Seelsorger«, sagte er. »Natürlich werde ich mir alle Mühe geben, um die Beisetzung deines Mannes so ...«

»Du musst alles für mich erledigen. Arve hat mir ja nichts erlaubt, ich weiß nicht einmal, wie eine Steuererklärung aussieht. Werden Rechnungen auf seinen Namen kommen? Und wie kann ich das verhindern? Ich bin ziemlich hilflos, das kann ich dir sagen, Margido.«

»Das ist ganz unproblematisch. Wir haben den Totenschein und melden das beim Nachlassgericht. Von dort aus werden Einwohnermeldeamt und Versicherungskasse informiert, mit der Bank musst du selbst sprechen. Und ihr habt doch gemeinsame Kinder, die dir helfen können.«

»Gemeinsame Kinder? Natürlich sind die gemeinsam. Aber mit denen will ich nicht über all das sprechen. Sie sind es doch gewöhnt, dass alles von ... uns erledigt wird. Von ihm.«

»Ein Anwalt vielleicht?«

Sie gab keine Antwort. Stattdessen schlug sie die Beine übereinander, beugte sich über den Tisch, starrte in seine Kaffeetasse und machte ein enttäuschtes Gesicht, als sie sah, dass die Tasse noch immer fast voll war.

Drei Mal seit der Beisetzung hatte sie ihn um einen Besuch angefleht, und er hatte ja gesagt. Er wusste nicht, was er sonst hätte sagen sollen, sie war schließlich eine frischgebackene Witwe, eine Frau in Trauer, ein Mensch, für den seine Branche zuständig war, eine Frau, die mit Mitgefühl behandelt werden musste.

Nein, er würde nicht anrufen. Sollte sie es doch noch einmal versuchen oder, noch besser, es aufgeben. Er wusste nicht, was sie von ihm wollte, auch wenn er es sich denken konnte. Aber er kannte sich damit nicht aus. Er hatte noch nie eine Beziehung mit einer Frau gehabt, hatte nie eine Frau gehabt, das hatte sich einfach nicht ergeben, und es wäre lächerlich, jetzt damit anzufangen, in seinem Alter, nur mit einer kleinen Zypresse auf dem Balkon und dem Traum von einer Sauna. Zugleich fühlte er sich widerwillig geschmeichelt von der Aufmerksamkeit, die sie ihm entgegenbrachte, vom Vertrauen auf seine Allmacht und darauf, dass alle Probleme verschwinden würden, wenn er sich nur voll und ganz auf sie einließ, sich aus der Kuchenschüssel bediente, sich auf ihr Sofa legte und ein Nickerchen machte, wie sie es bei seinem letzten Besuch vorgeschlagen hatte, er sehe so müde aus. Und beim Abschied hatte sie ihn umarmt, was sich nun überhaupt nicht gehörte, und noch dazu seine Nackenhaare gezaust. Sein Haaransatz war viel tiefer, als ihm lieb war, und die Nackenhaare wuchsen schneller als die Kopfhaare. Vierzehn Tage nach einem Friseurbesuch hatte er immer Löckchen neben den Nackenwirbeln. Er versuchte, daran zu denken, dass er sie wegrasieren musste, aber ab und zu vergaß er das, genau wie die Haare in Nase und Ohren. Diese Nackenhaare hatte sie um ihre Finger gewickelt, ziemlich hart, während sie ihn umarmt hatte, und sein einziger Wunsch war es gewesen, sich so höflich wie möglich von ihr entfernen zu dürfen.

Er holte aus dem Lager einen Sarg vom Modell Natur laugebehandelt, samt Decke, Kissen, Hemd und Leichentuch. Er bugsierte alles in den Wagen und breitete eine Decke darüber. Mit dem Citroën ging alles schneller, ein Leichenwagen mit Kreuz auf dem Dach konnte nicht bei Gelb fahren oder in die Kurve brettern. Er rief Frau Marstad an, um zu fragen, ob sie daran denke, dass sie die Ausrüstung aus Strinda holen müsse, und sie bejahte, wenn auch mit leicht gereiztem Unterton, und sagte, Frau Gabrielsen sei unterwegs, um ihm beim Zurechtmachen von Yngve Kotum zu helfen. Das war dumm von mir, dachte er danach, Frau Marstad dachte immer an alles. Was war denn nur los mit ihm, woher kam diese Unruhe? Sicher brachte die Sache mit Selma Vanvik ihn aus dem Gleichgewicht. Wie viel Zeit musste eigentlich vergehen, bis er nicht mehr so mitfühlend und höflich zu sein brauchte? Er zwang seine Gedanken in praktische Bahnen. Zwei Liedhefte mussten gedruckt werden, wenn sie den jungen Kotum zurechtgemacht hätten, noch ehe sie die Andacht abhielten.

Frau Gabrielsen traf gleichzeitig mit ihm ein.

Im Kühlraum überprüften sie mehrmals Namen, Geburtsdatum und Sterbetag, ehe sie die Bahre mit der in schwarze
Folie gewickelten Leiche herausholten. Obwohl Margido genau wusste, wer hier lag, gehörte das zur Routine. Und an die
Routine hielt er sich bis ins letzte Detail, es gab ihm große
Freiheit, sich an die Routine zu halten. Es befreite die Gedanken.

»Der Vater hat die Obduktion verweigert«, sagte Margido
als Erklärung dafür, dass die Leiche nicht frischgewaschen
und sorgfältig vom Pathologen wieder zusammengenäht vor
ihnen lag.

Sie zogen Plastikhandschuhe und durchsichtige Plastikschür-
zen an, die sie im Rücken verschnürten. Man musste das vorsichtig machen, sonst rissen die dünnen Plastikbänder ab.

Sie wickelten die Leiche aus. Die Gerüche stiegen ihnen
entgegen, und automatisch fingen sie an, durch den Mund zu
atmen.

»Die armen Eltern«, sagte Frau Gabrielsen. »Haben die ihn
gefunden?«

»Ja.«

Frau Gabrielsen zog dem Jungen die Unterhose aus, öffnete
den mitgebrachten Behälter für Sondermüll und verstaute die
Unterhose darin. Margido schnitt ihm das Seil vom Hals. Sie
entfernten die verdreckte Plastikfolie und ersetzten sie durch
Papier. Danach drehten sie die Leiche auf die Seite und brachten sie in eine stabile Lage, ehe Margido die Gaze anfeuchtete
und mit dem Waschen begann. Frau Gabrielsen reinigte den
restlichen Körper des Jungen.

Margido machte seine Arbeit sorgfältig und gründlich. Alle
mussten so sauber wie nur möglich begraben oder eingeäschert werden. Den Hinterbliebenen sollte die Erinnerung
daran erspart bleiben, was ein Körper auch dann noch aus-
scheidet, wenn alle Muskelaktivität ein Ende genommen hat.

Als der Junge unten sauber war, schob Margido einen Pfropfen aus aufgerollter Gaze hinein, der weitere Ausscheidungen verhindern sollte. Danach machte er sich an der Zunge des Jungen zu schaffen. Er steckte ihm die Finger tief in den Hals und versuchte, die Zungenwurzel zurückzudrücken. Es gelang ihm ansatzweise, und er brachte die Kinnbinde an. Er versuchte, dem Toten die Augen zuzudrücken, aber die Augäpfel waren so stark hervorgequollen, dass die Lider sich nur zu drei Vierteln darüber schlossen. Er schmierte das Gesicht mit einer weißlich braunen Creme ein, die den Blauton ein wenig dämpfte, vor allem auf den Lippen. Er zog einen Seitenscheitel, was sicher falsch war, aber man wusste doch nie, welche Frisuren die jungen Männer gerade bevorzugten.

»Wir behalten die Kinnbinde bis heute Abend«, sagte Margido. »Die Familie wird ihn um sechs Uhr sehen.«

Sie packten den Jungen, um ihn in den Sarg zu legen. Margido fasste oben an. Ein Luftstoß befreite sich aus der Kehle des Jungen, aber darauf war Margido vorbereitet, er hatte sein Gesicht abgewandt. Er befolgte automatisch alle Vorschriften zur Verhinderung von Ansteckung, obwohl der Junge sicher keinerlei Ansteckungsherde mehr in sich trug. Aber eine Leiche konnte auch nach dem Tod Infektionen übertragen. Margido wusste ja nicht, ob im Hals des Jungen noch immer gelbe Straphylokokken lauerten. Diese Leiche war schließlich erst einen Tag alt.

Zusammen zogen sie ihm das Leichenhemd an. Seine kalten Hände wurden auf seiner Brust gefaltet. An der rechten Hand trug er einen Siegelring, vermutlich ein Konfirmationsgeschenk. Die Haare wurden noch einmal gekämmt, das weiße Seidentuch wurde zusammengefaltet und neben das Gesicht auf das Kissen gelegt. Die Tüte mit den Schrauben für den Sargdeckel legte Frau Gabrielsen ans Fußende des Sarges, und gemeinsam hoben sie den Deckel darauf, ehe sie den Sarg wieder in den Kühlraum schoben.

Der war fast voll. Yngve Kotum war der Neunte, und im Raum war nur Platz für zehn. Margido hatte versprochen, ihn spätestens am nächsten Abend zu holen und zur Kirche von Byneset zu fahren, wo er bis zur Beerdigung stehen sollte.

Um halb sechs war er wieder da. Er hielt an und blieb im Wagen sitzen, ohne den Motor auszuschalten. Im Gegenteil, er beugte sich vor und drehte für einen Moment die Heizung hoch. Die warme trockene Luft strich über seine Hände. Die Fertigmahlzeit, die er im Büro in der Teeküche aufgewärmt hatte, während er die beiden Liedhefte auf Fehler durchgegangen war, hatte seinen Magen nicht richtig gefüllt, er merkte, dass er noch Hunger hatte. Oder vielleicht nicht Hunger, eher ein hohles Gefühl. Der Abend lag pechschwarz hinter den Wagenfenstern, es tat gut, hier zu sitzen, auf einer warmen Insel, wie von einer dichten Kapsel umschlossen. Selma Vanvik hatte nicht wieder angerufen. Wenn er nur darin eine Art Frieden finden könnte. Es hatte den ganzen Nachmittag geschneit, sicher waren dreißig Zentimeter Neuschnee dazugekommen. Bald würde er sich in seinem Wohnzimmer im Sofa zurücksinken lassen und den Schnee auf dem Balkon betrachten, die winzigen, dicht gewachsenen und jetzt weiß dekorierten Zypressenzweige.

Seine Hände waren von außen warm, von innen jedoch nicht. Er rieb sie aneinander, atmete tief ein, dann langsam aus, ehe er den Motor abwürgte.

»Lasset uns beten. Himmlischer Vater, behüte uns mit starker Hand, und lass uns danken für alles, was du uns durch Yngve gegeben hast. Tröste und stärke uns, die wir hier in Trauer und Schmerz sitzen. Hilf uns, eins mit dir zu sein, damit wir einst in Frieden von hier gehen, in Jesus Christus, deinem Sohn, unserem Herrn. Amen.«

Er hob den Blick zu der kleinen Versammlung von Menschen, die am Fußende des Sarges standen. Ehe sie gekommen waren, hatte er den Sarg in die Kapelle geschoben, hatte die weißen Kerzen angezündet, den Sargdeckel abgenommen und die Kinnbinde entfernt. Eine langstielige rote Rose steckte in den gefalteten Händen des toten Jungen, und die Mutter hatte bei ihrer ersten Begegnung mit ihrem Sohn im Leichenhemd nichts von der Hysterie des Vortags gezeigt. Als sie die Kapelle betreten hatte, war sie mit tiefem Unglauben im Gesicht auf den Sarg zugegangen und hatte die ganze Zeit den Kopf des Jungen auf der weißen Seide angestarrt. Sie hatte beide Augenlider mit steifen Fingern berührt, hatte die Unbeweglichkeit des Todes spüren müssen, um daran glauben zu können.

Margido hatte still danebengestanden und auf ihre Reaktion gewartet. Er hasste diese Augenblicke, er hatte keine Kontrolle darüber, die Menschen reagierten so unterschiedlich. Einige zeigten gar keine Reaktion, bei anderen war sie heftig, vielleicht sogar irrational, Gelächter oder unverständliche Kommentare oder Wut, Wut oft bei plötzlichen Todesfällen.

Aber sie legte einfach ihre Hand auf die Stirn des Jungen, wie um sie zu wärmen. Vielen tat es weh, die Kälte der Leichenhalle zu spüren, aber sie ließ ihre Hand lange dort liegen, ohne etwas zu sagen, ohne zu weinen, sie zitterte nur leise. Seine Schwestern klammerten sich aneinander, ihre Gesichter waren rot und glänzten. Der Vater und die Schwester des Vaters standen stocksteif mit ausdruckslosem Gesicht da, vermutlich waren sie so erzogen, dachte Margido, und ehe er mit der Andacht begann, setzte die Mutter sich auf einen der Stühle vor der Wand. Sie saß dort allein, mit gesenktem Kopf.

»Der Herr ist mein Hirte, mir wird an nichts mangeln. Er weidet mich auf einer grünen Aue und führet mich zum frischen Wasser. Er erquicket meine Seele. Er führet mich auf rechter Straße, um seines Namens willen. Und ob ich schon wanderte im finstern Tal, fürchte ich kein Unglück. Denn du bist bei mir. Dein Stecken und Stab trösten mich…«

Ehe er beim Segen angekommen war, hatte sich tiefes Schweigen über den Raum gesenkt, Friede. Niemand weinte noch, sie waren in sich versunken, mit eigenen Augen hatten sie ihn tot hier liegen sehen, ihn, der noch wenige Tage zuvor gelebt hatte, zugänglich gewesen war, Stimme und Bewegung, Leben. Der Tod schien ihnen eine Art Stempel aufzudrücken, alle Verstellung galt nicht mehr.

»Die Gnade unseres Herrn Jesus Christus und die Liebe Gottes und die Gemeinschaft des Heiligen Geistes sei mit euch allen.«

Margido bedeckte das Gesicht des Jungen mit dem Seidentuch, ehe er und der Vater den Deckel auf den Sarg legten. Der Deckel passte sich präzise dem Unterteil an, das war immer so.

»Wollt ihr mir beim Festschrauben helfen?«

Er ließ seinen Blick von einem Gesicht zum anderen wandern. Die Mutter saß noch immer zusammengesunken auf dem Stuhl an der Wand und reagierte nicht auf die Frage. Der Vater starrte zu Boden, vielleicht dachte er vage an den vielen Schnee, der gefallen war, und hoffte, dass der Nachbar nicht für ihn geräumt hatte, damit er bei der Rückkehr nicht sofort ins Haus musste. Aber die Schwestern nickten, und jede ließ sich zwei Schrauben geben, er zeigte ihnen, wie sie schräg hineingedreht wurden. Es war ganz still im Raum, während sie die Handlung vollzogen. Die Kerzen brannten wie kleine unbewegliche Säulen, mit einer Gleichgültigkeit, von der sich Margido bisweilen gewaltig provoziert fühlte.

Als er allein den Sarg in den Kühlraum zurückschob, war eine zehnte Bahre dazugekommen, jetzt war der Kühlraum voll.

Er blies die Kerzen aus, feuchtete seine Finger an und drückte sorgfältig jeden Docht zusammen. Kaum etwas war ihm mehr zuwider als der Geruch frisch gelöschter Kerzen, mehr zuwider sogar als der Geruch von Schnittblumen. Aber die Lüge, die er dabei im Mund schmeckte, wurde jedes Mal schwächer, bei jeder Andacht, die er abhielt.

Sie glaubten immer, er meine, was er sagte, warum hätten sie auch Verdacht schöpfen sollen. Und abermals schärfte er sich ein, dass die Wirkung seiner Worte dieselbe war, ob er sie nun glaubte oder nicht. Er ruhte nicht auf grünen Auen. Aber das war doch eigentlich keine Lüge, eben weil er nicht mehr an die vielen Beschwörungen glaubte. Dieses Argument beruhigte ihn immer. Es waren nur Wörter.

Trotzdem schmeckte er die Lüge, immer noch.

Er saß da wie am Vorabend, als gegen elf das Telefon klingelte. Er dachte dasselbe wie am Vorabend, hoffentlich ist es ein alter Mensch, der in seinem Bett gestorben ist, und kein Verkehrsopfer. Auf jeden Fall hatte er in den nächsten beiden Tagen keine Kapazitäten frei und würde die Anrufenden an eines der größeren Unternehmen verweisen. Er hatte Käsebrote gegessen, die er in einer zugedeckten Pfanne überbacken hatte, er hatte geduscht, er hatte sich im Nacken rasiert und für Ohren und Nasenlöcher den kleinen batteriebetriebenen Apparat benutzt, er hatte sich eine Sendung über den Vielfraßbestand im norwegischen Hochgebirge angesehen, er hatte ziellos ein wenig in der Tageszeitung geblättert.

Er hatte die Nummer eines anderen Bestattungsunternehmens schon auf der Zunge, als er beim dritten Klingeln auf den kleinen Knopf mit dem grünen Telefonsymbol drückte.

Es war sein älterer Bruder Tor. Der Bauer auf Neshov. Margido legte eine Hand auf die Sessellehne und drückte zu. Es war unvorstellbar, dass Tor ihn anrief, und doch hatte er seine Stimme im Ohr. Bald war Weihnachten, war das eine Idee von Mutter, konnte er gerade noch denken, dann sagte sein Bruder:

»Es geht um Mutter. Sie ist im Krankenhaus.«

»Weshalb?«

»Schlag.«

»Ernst?«

»Sieht so aus. Aber sie wird nicht heute Nacht sterben, sagen sie, falls nicht ein weiterer Schlag folgt.«

»Rufst du aus dem St. Olavs an?«

»Ja.«

»Dann… ja, dann komme ich.«

»Dann warten wir hier.«

»Wir?«

»Vater ist auch da.«

»Warum das?«

»Er hat geholfen, sie ins Auto zu tragen. Ich konnte nicht auf den Krankenwagen warten. Und dann ist er hiergeblieben.«

»Wird er die ganze Nacht da sein?«

»Wir haben ja nur ein Auto. Aber ich habe zu Hause zu tun. Ich habe eine Sau, die…«

»Habt ihr jetzt Schweine?«

»Ja.«

»Nimm ihn mit nach Hause. Dann fahre ich zu Mutter.«

»Na gut.«

»Das kannst du ja wohl tun.«

»Ja, hab ich gesagt.«

»Kannst du mich anrufen? Wenn ihr zu Hause seid? Dann fahre ich los.«

»Ja.«

»Hast du… Erlend erreicht?«

»Noch nicht. Ich habe seine Nummer nicht.«

»Die kriegst du sicher bei der Auslandsauskunft.«

»Wir wissen doch nicht, wo er…«

»Ich habe vor ein paar Jahren eine Postkarte von ihm bekommen. Abgestempelt in Kopenhagen.«

»Wirklich?«, fragte Tor.

»Ja. Ruf die Auslandsauskunft an.«

»Du kannst so etwas besser, Margido. Kannst du das nicht machen?«

»Na gut. Aber ruf mich an, wenn ihr zu Hause seid. Auch wenn es mitten in der Nacht ist.«

Er blieb mit dem Telefon auf den Knien sitzen. Seine Gedanken trieben vage dahin, und seine Füße waren eingeschlafen, als das Telefon wieder klingelte und die Zeiger der Wanduhr auf zehn nach zwölf zeigten.

Das wird einfach toll. *Pfui Søren!*

»Das sagt man in Norwegen, aber hier geht das nicht. So heißen doch Leute hier. Ihr Bergaffen könnt nicht mal…«

»Dann sag ich eben *zum Teufel*. Dir zuliebe, weißt du. Aus Rücksicht auf deine zarte Seele. Halt das mal, Herzchen.«

Es war eigentlich ein großes Glück, dass ihm das Büro diesen jungen Trottel für das Schaufenster geschickt hatte. Einen Knaben ohne jeglichen kreativen Mut, um eigene Ideen oder Veränderungen durchzusetzen. Er kam aus Jütland. Aber er war immerhin niedlich, mit wunderbarem dunklen, fast weiblichen Flaum auf der Oberlippe und einem sehr deutlichen Amorbogen. Auch auf den Ohrläppchen wuchsen dunkle, matte Härchen. Er hatte den Pullover ausgezogen und arbeitete in einem engen, honiggelben T-Shirt und einer tiefsitzenden Hüfthose, was einen großen Teil der schwarzen Fellspitze freilegte, die frech und fröhlich in Richtung der Leckereien zeigte. Sein Kreuz war feucht von Schweiß, die Haut golden wie *crème brulée*. Das alles waren gewichtige Pluspunkte, und dazu kam, dass er aufs Wort gehorchte und sich nur über Kraftausdrücke ärgerte, obwohl er Lehrling war und lernen und sich nach Sinn und Zweck von absolut allem erkundigen sollte.

Dieses Fenster hatte er im Kopf fertigkomponiert, im dunklen Schlafzimmer, während Krumme schnarchend neben ihm gelegen hatte, und er wusste, dass es perfekt sein würde. Er musste ja leider für den Ladeninhaber Skizzen anfertigen, und das bremste den Elan ein wenig, aber es führte kein Weg daran vorbei, nicht zuletzt, weil der Inhaber selbst die Schmuckstücke aussuchte, die ausgestellt werden sollten. Am liebsten hätte er es ganz allein gemacht, hinter einer großen Decke, die das Glas bedeckte und den Einblick verhinderte, um danach das Fenster in seiner ganzen Pracht zu enthüllen, vor den Menschen, die gespannt draußen im Schnee warteten. Sie würden in einstimmiger Bewunderung nach Luft schnappen, wenn er die Decke sinken ließ, und in jubelnder Anerkennung ihre Champagnergläser heben. Das war ein Traum, dem er sich in seiner Fantasie stundenlang hingeben konnte, immer vor der Fertigstellung eines neuen Fensters.

Jetzt jedoch saßen zwei Wächter im Laden und passten auf die Wertsachen auf. Tranken bitteren Kaffee und rauchten heimlich an der Hintertür, und dabei starrten sie alles an, was sich im Fenster in dieser kleinen Seitenstraße von Strøget tat. Es wurde nie so, wie er es sich erträumte. Und er selbst war nur ein Mensch und hatte leider nur zwei Arme, weshalb er auf einen Assistenten angewiesen war.

»Und dann nur noch etwas über eine Woche bis Weihnachten«, sagte der Knabe und hob die Rolle Alufolie hoch, wie ihm befohlen worden war. Eine breite Welle reflektierender Lichter floss aus seinen Händen, er stand da wie ein schmollender Atlas, der die Welt über seinen Kopf stemmt.

»Das sind doch die besten Tage! Zum Goldschmied kommen all die Männer, die im letzten Moment noch ein Geschenk für ihre Frau kaufen wollen. Männer voll schlechten Gewissens wegen der Überstunden und der zahllosen Seitensprünge eines ganzen Jahres, sie legen ihre Karten hin und blechen dermaßen himmelhohe Beträge, dass die Karten sich in der Reibungshitze fast aufrollen. Ja, sie kaufen nicht nur für die Ehefrauen, sondern auch für die Geliebten, ganz besonders für die Geliebten. Außerdem kann das Fenster nach Weihnachten so bleiben, das hat ihnen ja gerade so gut daran gefallen. Jedenfalls noch eine kleine Weile, bis Januar vielleicht. Hier ist ja nirgendwo etwas Rotes zu sehen. Kein Engel, kein Weihnachtsmann. Keine Schneeflocke, keine Weihnachtsschleife. Lausche und lerne. Bald ist Neujahr, nicht wahr? Und damit ist das fast ein Neujahrsfenster. Und ein Fenster für das neue Jahr. Man sollte Carlsberg wirklich dafür danken, dass sie den guten Geschmack fördern!«

Zwei Tage zuvor hatte ein Brauereilaster von Carlsberg beim Zurücksetzen die Fensterscheibe demoliert und die ganze Weihnachtsdekoration zerstört. Mehrere Diamantringe und ein Smaragdarmband waren in dem Chaos verschwunden. Er hatte diese Dekoration als Eilauftrag übernommen. So kurz vor Weihnachten wollten sie das alte Schaufenster nicht wiederherstellen. Er wurde gut bezahlt, eben weil es eilte, obwohl der Dezember sonst fast schon eine tote Zeit für ihn war. Alle wollten ihre Fenster spätestens Mitte November fertig haben.

Er gestaltete alles aus Silber, Gold und Glas und hatte sich allerlei Gehänge aus Kristall mit Diamantschliff besorgt. Sterne, Speere, Tropfen, Herzen. Sie hingen in unterschiedlicher Tiefe an unsichtbaren Schnüren von der Decke, angestrahlt von Spots, die all die Facetten bei jeder kleinsten Bewegung in Farbe explodieren ließen. Sie waren wie Prismen geschliffen, aber auf viel raffiniertere Weise als normale Glasprismen, sie hatten *Klasse*. Die Seitenwände des Fensters waren mit silbernen Tüchern bedeckt, auf dem Boden lag eine goldene Decke, es gab Treppen aus Glas und Spiegelflächen in terrassierten Regalen. Hinter dem Glas standen Torsos von Schaufensterpuppen, die überall, außer an strategischen Stellen, in Alufolie gewickelt waren. Die Köpfe hatte er daran gelassen, Arme und Perücken waren entfernt. Die Alufolie war so um die Puppen gewickelt, dass zum Beispiel ein Ohr frei war, dort konnte man den Anblick von zwei Ohrringen bewundern, bei einer anderen lag der Hals frei, und der trug einen breiten Silberreif, der am Rand mit Perlen besetzt war. Auf der gesamten rechten Seite stand ein gespreizter Fächer aus Silberarmen, zwölf an der Zahl, mit Ringen an allen Fingern und mit Armbändern. Es war einfach, aber aufreizend wirkungsvoll, als strecke eine ganze Schar Frauen ihre Arme aus einem Loch im Boden und verlange hungrig nach Weißgold und Diamanten. Die Idee war ihm gekommen, nachdem er in der Galerie Metal eine Körperkunstausstellung gesehen hatte. Im Hintergrund sollten lange Schleier aus Folie hängen, die das Licht zurückwerfen würde, er wollte den Effekt einer Lichtbombe erreichen, mit einem Kern aus intensivem Glanz und Glitzer, wie in einem Eisschloss. Ganz vorne an der Fensterscheibe, vor den Silberarmen, wollte er zwei halbvolle Sektgläser stehen haben, eine fast leere Flasche Bollinger, zerrissenes Geschenkpapier und ein Band, als ob hier eben erst jemand ein Geschenk ausgepackt hätte, dazu eine kleine offene Schachtel mit einem hochkarätigen Diamantring. Und einen kleinen Stringtanga aus Rohseide, wie hingeworfen neben der Champagnerflasche sozusagen. Rotwein ging nicht, der würde innerhalb weniger Tage in den Gläsern verdunsten und eingetrocknete Ringe hinterlassen, und Champagner passte immer zu kostbarem Schmuck. Er hatte dem Inhaber noch nichts von dem Tanga erzählt, aber das hier war Kopenhagen, der Mann würde begeistert sein von der Andeutung dankbaren Entgegenkommens einer Frau.

Er war erfüllt von einer Art warmem und ausgedehntem Glück. Einem Glück, das ihm ab und zu den Atem verschlug, während in kleinen Stößen Adrenalin in sein Zwerchfell jagte. Er öffnete die Champagnerflasche und hob sie an den Mund.

»Und was ist mit mir?«

Himmel, dieser widerliche jütische Akzent. Erinnerte an den aus Trøndelag. *Und waas is mit miähr?*

Er rülpste und sagte: »Du bist Lehrling. Und diese Flasche

gehört zur Dekoration. Deshalb soll sie meinen Speichel tragen, meine DNA, meinen Stempel.«

Kein Lächeln von Seiten des Knaben. Absolute Verschwendung honiggelber Haut am Bauch, wenn man keinen Humor hat, dachte er.

Er spürte den leichten Champagnerrausch im Leib, als er von außen das fertige Fenster betrachtete. Er fror nicht, obwohl es fünf Grad unter null war und er schweißnass hier stand, ohne Mantel, oder vielleicht fror er doch, aber im Moment war das ganz und gar uninteressant. Das Fenster hob sich von den anderen Schaufenstern ab wie ein Puls, ein Lichtstoß im dunklen Abend, ein visueller Magnet, ein physischer, quadratischer Kaufzwang. Und das Glück brach wieder über ihn herein, der Gedanke an das Geschenk, das er morgens von Krumme bekommen hatte, das Adventsgeschenk, das er an diesem Abend vielleicht einweihen würde.

Er lief wieder hinein. »Das ist absolut perfekt. Pfui Søren!«

»Schön. Dann gehe ich.«

»*Ein total verworfener Jüte wollte auf einen Trønder schießen, aber dessen Stirn blieb heil. Denn bei Trøndern hilft nur ein Beil*. Je gehört?«

»Trønder? Was ist das?«

»Das würde ich dir sehr gründlich zeigen, wenn ich nicht zu einem monogamen Mann mit Kondomallergie geworden wäre. Schöne Weihnachten, Schatz. Ich hoffe, du kriegst, was du dir innig wünschst. Von hinten reingeschoben.«

Der Knabe zog seinen Pullover an. Als der Kopf aus der Halsöffnung trat und die Haare von der statischen Elektrizität unkleidsam an seinen Kopf gepresst wurden, sagte er: »Ich lass so alte Stöckchen wie dich nicht in mich rein. Ich will doch nicht verschimmeln.«

Erlend lachte laut. »Sieh an. Sieh an! Du hast es ja doch in dir. Das solltest du pflegen. Ehe du selber verschimmelst. Prämatur.«

»Was zum Teufel soll das heißen?«

»Was zum *Töhfel* das heißen soll? Schöne Weihnachten. Und ein pochend gutes Neujahr, du!«

Auch der Sommer war schön. Der Sommer hatte eine gewisse Leichtigkeit, viel entblößte Haut, beschlagene Gläser, Gelächter in blauen Nächten, schweißnasse Achselhöhlen, nackte Zehen in Sandalen, der Geruch von Tang, der ihn immer an feuchte Befreiung erinnerte. Und der Frühling war wunderbar. Der Frühling mit allem, was sich bald entblößen würde, neu anfangen, diesmal ganz anders, vielleicht zum ersten Mal, was wusste man denn schon, man war doch nur ein Mensch, der nie zu hoffen aufhörte. Und der Herbst. Das Zweitbeste. Die scharfe Luft, die Blätter auf dem Boden, zu schön, um begreifen zu können, dass sie nicht handgemacht waren, heiße Schokolade mit Sahne, hoher Himmel, Erwartung. Aber der Winter war das Allerbeste. Und mitten im Winter lag Weihnachten, im obersten Fach, funkelnd.

Er hatte die Hände tief in den Taschen seiner Lammfelljacke vergraben, als er zum Gråbrødretorv nach Hause ging, durch die weihnachtlich geschmückten Straßen, die Bäume mit elektrischen Lichtpunkten besetzt wie in einem Disneyfilm, der Himmel tiefschwarz mit echtem Sternendekor, das vor dem künstlichen allerdings verblasste. Auf Strøget wimmelte es nur so von Menschen. Weihnachten war in ihre Gesichter gezeichnet. Dazu kamen natürlich Eile und Stress, aber auch Schönheit und die heimliche Freude, die sie in sich trugen. Die Überraschungen im Schrank, ganz hinten versteckt, die sorgfältig geplanten Mahlzeiten, Rituale und Schmuck und Wollust und Überfluss. Für ihn war Weihnachten der innerste Kern des Jahres, von dem alles symmetrisch ausstrahlte, während Mittsommer am anderen Ende stand.

Er hatte nasse Füße, aber das machte wirklich nichts. Er würde sich in den Whirlpool setzen, mit einem Glas Champagner, und zwar sofort, nachdem er die Wohnung betreten und die Tür hinter sich abgeschlossen haben würde, er glaubte, dass er vier oder fünf Flaschen Bollinger kühl gestellt hatte. Eine Kutsche glitt dicht an ihm vorbei, im Wagen saßen als Weihnachtswichtel verkleidete Kinder, die feierlich Fackeln in den Händen hielten. Irgendwo passierte etwas, etwas passierte immer in Kopenhagen, überall, zur selben Zeit, ohne dass man davon wusste, ohne dass man davon wissen konnte, in dieser Stadt gab es tausendmal mehr, als ein einzelner Mensch registrieren konnte. Er wollte niemals von hier wegziehen, niemals, Kopenhagen war zu seinem Zuhause geworden, es war die königliche Stadt, die Stadt der Könige, seine und Krummes Stadt. Er atmete tief durch, schmeckte die Kälte in der Luft, öffnete die Augen für alle Lichter und Bewegungen und war plötzlich geil. Am nächsten Morgen wollte er Brot backen, für das Adventsfest in drei Tagen. Dunkles Roggenbrot, das er in Plastikfolie wickeln und in den Kühlschrank legen würde, feuchte Scheiben, falls jemand abends Brot und Hering essen wollte. Und er wollte den Mürbeteig für die Apfeltörtchen fertig machen und in die Förmchen geben, damit er sie nur noch zu füllen und zu backen brauchte, unmittelbar vor dem Eintreffen der Gäste. Krumme hatte sicher den Baum geholt, der auf der Dachterrasse stehen sollte, geschmückt mit hunderten von Lichtpunkten und roten und gelben Weihnachtskörbchen, gefüllt mit künstlichem Schnee, es könnte ja regnen. Und mit einem Georg-Jensen-Stern ganz oben, darunter taten sie es nicht. Der Baum in der Wohnung sollte echte Kerzen haben. Nur fünfzehn Stück, das reichte absolut, wenn man aufpassen musste, dass sie nicht umkippten und die Tanne ansteckten und Weihnachen zu Asche werden ließen.

Der Weihnachtszug ratterte vorbei. Auf den hätte er verzichten können. Weihnachten und Züge, was hatten die miteinander zu tun? Der Zug war ein störendes und zerstörendes Element mitten in der Ganzheit, wie ein unästhetisches Sonderangebotsplakat in einem wunderschönen Fenster. Gut eingemummelte Familien mit kleinen Kindern und Touristen saßen im Zug und wackelten lahm mit den Köpfen in alle Richtungen, während sie auf diese blödsinnige Weise vom Kongens Nytorv zum Weihnachtsbaum auf dem Rathausplatz befördert wurden.

Er schaute bei Madam Celle vorbei, kaufte in Schokolade gerösteten Kaffee und sog die Düfte aus den Regalen in sich ein, während die junge Verkäuferin mit der Goldpapiertüte vor der Kaffeemühle stand. Das pfeifende, geschäftige Geräusch erinnerte ihn plötzlich an die Kaffeemühle im Supermarkt in Spongdal, wo er als kleiner Junge für seine Mutter die Tüte hatte halten dürfen. Er erinnerte sich an das Geräusch des warmen, frischgemahlenen Kaffees, der in seiner Hand wuchs, und an die Metallstreifen am Tütenrand, den er zweimal faltete, ehe er die Enden der Streifen zusammendrückte und damit die Tüte ganz dicht verschloss. Dann lobte ihn die Mutter und streichelte seinen Kopf, bevor sie die Tüte in ihren Korb legte.

Er fing ein Gespräch mit der Verkäuferin an, um sich von dieser Erinnerung zu befreien, und sie plauderte bereitwillig drauflos, unter anderem über einen neuen in Karamel gerösteten Kaffee, natürlich um ihn zum Kaufen zu bewegen, aber er wollte die Kaffeemühle nicht noch einmal hören müssen. Von seinem Wechselgeld bekam er einen Plastikbecher mit warmem Weihnachtspunsch.

»Schöne Weihnachten«, sagte sie und lächelte. Durch den Kaffeeduft nahm er einen leichten Zigarrengeruch wahr, irgendwer rauchte im Hinterzimmer, vielleicht wartete ihr Liebster darauf, dass sie Feierabend machen konnte.

Er nippte im Weitergehen an seinem Punsch. Als der Becher leer war, fischte er mit den Fingern Rosinen und Mandelstücke heraus und dachte an Krummes Geschenk. Nein, an diesem Abend wollte er es doch nicht einweihen, er wollte dabei alleine sein. Auf dem Amagertorv blieb er für einen Moment stehen und bewunderte die Kerze, den größten Adventskalender der Welt, der unendlich langsam herunterbrannte. Er war nicht mehr so hoch wie am 1. Dezember, als der Weihnachtsmann ihn angezündet hatte, da war er sechs Meter hoch und über einen halben Meter breit gewesen, er und Krumme hatten hier gestanden und zugesehen, Hand in Hand wie Kinder, voll von Lammsattel und Rotwein nach einem Besuch im Restaurant Bagatelle.

Krumme kam ihm mit dem Fahrstuhl entgegen, er wollte Zigarren kaufen.

»Du hättest mich doch einfach anrufen können«, sagte Erlend, bückte sich rasch, nahm für einige Sekunden Krummes Ohrläppchen in den Mund und nuckelte daran. Krumme hatte dicke und gute Ohrläppchen, weich wie Samt und immer warm.

»Ich wollte den Künstler nicht stören. Ist es unendlich toll geworden? Wie du es dir vorgestellt hattest?«, fragte Krumme.

»Besser. Morgen musst du es dir ansehen. Und beeil dich jetzt. Ich will baden.«

»Brauchst du etwas, Mäuschen?«

»Nein. Ich habe Kaffee gekauft.«

Nach einem langen Tag draußen in der großen Welt die Wohnung zu betreten, war, wie sich eine neue Haut überzuziehen, einen warmen Pelz, der Körper und Gedanken umhüllte. Die Zutaten für Krummes Mahl waren wunderbar auf dem Küchentisch arrangiert, die Lammfleischstücke funkelten auf der schwarzen Steinplatte, das Gemüse war schon zu Streifen geschnitten, der Reis abgewogen, das Chili von Samenkörnern befreit, der Koriander zu einer grünen Masse gehackt, mit deutlich sichtbaren Messermulden, Kokosmilch war aus der Dose in eine Kanne gegossen worden, um Zimmertemperatur anzunehmen. Zwei Weinflaschen standen geöffnet neben dem Backofen bereit. Er nahm eine Flasche Bollinger aus dem einen Kühlschrank, wickelte vorsichtig den Draht ab und zog den Korken in einer langsamen Gleitbewegung heraus, um Überschwemmungen und den Verlust von Kohlensäure zu verhindern. Ein wenig weißer Rauch quoll aus der Öffnung. Er ging ins Wohnzimmer, um ein Glas zu holen. Der Gasofen brannte, und Musik wogte in der Luft, so leise, dass er sie nicht erkennen konnte, aber vermutlich war es Brahms. Krumme hörte beim Kochen liebend gern Brahms, er sagte, es erinnere ihn an Sonntagsessen in der Herrschaftsvilla in Klampenborg.

Im Badewasser, mit dem Glas in der Hand, dachte er an Krummes dringlichsten Weihnachtswunsch und lachte laut. Wenn Krumme plötzlich vor ihm gestanden und gefragt hätte, worüber er lache, hätte er von dem jütischen Prinzen erzählt, der sich vor dem Verschimmeln fürchtete. Krumme wünschte sich einen Matrixmantel. Einen schwarzen, knöchellangen, taillierten Ledermantel. Erlend war immer wieder überrascht und auch ein wenig neidisch angesichts von Krummes mangelnder Einsicht, was sein Äußeres betraf. Krumme im Matrixmantel, das wäre, wie einen Badeball mit einem engen Muff zu überziehen, der Ball würde nach beiden Seiten herausquellen. Der Mann war eins sechzig, sein Kampfgewicht unbekannt, und nackt sah er aus wie eine große Kugel auf zwei Stöckchen mit einer kleineren Kugel, die auf der großen balancierte. Wenn man einen Tannenzapfen mit zwei Streichhölzern versah und eine Haselnuss draufsetzte, dann hatte man Krumme. Trotzdem prahlte er damit, genauso groß zu sein wie Robert Redford und Tom Cruise.

Erlend schloss die Augen und leerte sein Glas. Das Sausen der Düsen und das perlende Wasser machten ihn schläfrig. Er riss die Augen auf und betrachtete die Fische im Salzwasseraquarium, das die ganze Längsseite des Badezimmers bedeckte. Die beiden türkisen waren die schönsten, sie hießen Tristan und Isolde, er füllte sein Glas und trank ihnen zu.

Natürlich würde Krumme seinen Mantel bekommen, Erlend konnte ihn am nächsten Tag bei dem Lederschneider abholen, der nach den genauen Maßen, die er heimlich von anderen Kleidungsstücken genommen hatte, die Anpassungsarbeit seines Lebens geleistet hatte. Die bloße Vorstellung reichte aus, dass er sich wie verrückt auf den Heiligen Abend freute.

»Willst du spielen?«

»Da bist du ja, Schatz. Nein, ich bin zu müde…«

»Dann setze ich mich hierher.«

Krumme ließ sich in den weißen Ohrensessel in der Ecke bei den Palmen sinken und zog die Socken aus, dann spreizte er auf den geheizten Bodenfliesen die Zehen.

»Hol dir ein Glas, ein bisschen ist noch da«, sagte Erlend. »Und wenn du noch eine Flasche mitbringst, dann will ich doch spielen. Oh! Ich hab vergessen, nach dem Baum zu sehen. Hast du ihn geholt?«

»Natürlich. Der steht auf der Terrasse.«

»Nicht geschmückt, ja? Das will ich machen.«

»Natürlich darfst du ihn schmücken. Aber kannst du nicht den verdammten Atlantikorkan abdrehen, ich kann ja hier kein Wort verstehen. Und dann hole ich das Prickelwasser.«

Er kam nackt zurück, massiv wogend in seinem kugelrunden Leib, mit einem Glas und einer neuen Flasche. Er setzte sich am anderen Ende in die Wanne, und das Wasser schwappte über. Sofort glänzte sein Gesicht vor Schweiß.

»Das ist das Glück. Schenk den Becher voll«, sagte er und hielt Erlend das Glas hin.

Sie kicherten, nippten mit erhobenem Kinn und geschlossenen Augen am Champagner. Krumme wollte alles über das Fenster wissen und musste sich stattdessen von dem jütischen Spielverderber erzählen lassen. Das Fenster sollte er sich mit eigenen Augen ansehen.

»Ich kann es unmöglich beschreiben«, sagte Erlend. »Wann arbeitest du morgen?«

»Ab fünf. Und als ob es nicht so schon reichte, mussten wir auch noch die Reportage über Weihnachten auf Amalienborg stoppen«, sagte Krumme.

»Warum das denn bloß?«

»Die Königin muss sie autorisieren, und stell dir vor, sie wollte doch wirklich ein Bild herausnehmen. Das sei zu privat, fand sie. Und dann muss natürlich alles geändert werden, das Layout und auch einige Textstellen.«

»Was war denn los mit dem Bild?«

»Eine Tür im Hintergrund stand offen, sie führt in eine Küche, und dort hängt etwas hinten auf einem Stuhl. Die Tür hätte zu sein müssen. An allem ist dieser blöde Fotograf schuld.«

Er trank einen langen Zug. Erlend starrte ihn an und rief: »Aber was hängt denn auf dem Stuhl! Jetzt sag schon! Herrgott, was kannst du manchmal nervig sein, Krumme!«

»Eine Jacke. Eine braune Jacke.«

»Aber wieso…«

»Keine Ahnung. Ich habe wirklich keine Ahnung. Vielleicht hat ein Liebhaber sie vergessen.«

»Bestimmt. Bei dem essigsauren, verwöhnten Grafen, den sie zum Mann hat. Wein. Sonst interessiert den doch nichts. Wein und Trauben und Schlösser in Frankreich.«

»Ist ja wohl nicht das Schlechteste, wofür man sich interessieren kann. Prost!«

»Und jetzt reden wir über das Fest. Ich freu mich so, Krumme! Der Tisch, damit fangen wir übermorgen an, ja? Dann haben wir einen ganzen Tag, ehe die Blumen geliefert werden. Und apropos Tisch! Wir haben die Schokoladentische noch nicht gesehen.«

»Ich wohl. Wir hatten doch am zweiten Samstag im Advent eine große Reportage über die Porzellanmanufaktur, weißt du das nicht mehr?«

»Auf Bildern, ja. Aber du warst nicht da. Du hast nur einen Fotografen geschickt. Ich will sie riechen, Krumme! Die eine

Tischplatte besteht aus hundert Kilo purer Schokolade und ist mit Schokoladengeschirr mit Muschelmuster gedeckt.«

»Das weiß ich.«

»Ich weiß, dass du das weißt. Sei nicht so blöd! Aber wir gehen morgen hin. Erst mein Fenster, dann die Porzellanmanufaktur. Das ist eine gute Reihenfolge.«

»Komm her.«

»Warum denn? Begehrst du meinen Leib?«

»Ja.«

»Ups. Und das Wasser steigt.«

Nachdem sie sich geliebt hatten, bis der Badezimmerboden überflutet war, nachdem sie drei Kerzen am Adventsleuchter angezündet und gemeinsam gekocht und gegessen hatten, entdeckte Erlend draußen bei der Garderobe den Kasten. Er erkannte ihn sofort. Im Vorjahr hatte er sich geschworen, ihn rechtzeitig zu holen und der Müllabfuhr zu überreichen und Krumme die Lüge zu servieren, er sei aus dem Keller verschwunden, sicher mitgenommen von einem unverschämten Dieb. Obwohl der Kellerraum mit einem riesigen Hängeschloss gesichert war. Oder ... er hatte nicht so genau geplant, was er Krumme sagen wollte, aber jetzt stand der Kasten hier. Es war zu spät.

»Wir stellen sie nicht auf, das kannst du vergessen«, sagte er zu Krumme, der mit offenem Schlafrock auf dem Sofa lag. Sein Nabel sah aus wie ein zusammengedrücktes Auge.

Krumme seufzte. »Das sagst du jedes Jahr.«

»Ich hasse diesen Scheiß! Ich werfe den ganzen Kasten aus dem Fenster. Und zwar sofort!«

»Das tust du nicht. Die Weihnachtskrippe steht da, wo sie seit elf Jahren steht. Wie kann man so undankbar sein. Sie war ein Geschenk von mir. Eine Liebesgabe!«

»Das sagst du jedes Jahr«, sagte Erlend, marschierte zum Barschrank, goss sich einen üppigen Kognak ein und leerte ihn in einem Zug, ehe er auch für Krumme und noch einmal

für sich ein Glas füllte. »Es hilft nichts, dass sie eine Liebesgabe war, wo ich sie doch so innig und herzlich hasse.«

»Ich verstehe nicht, wieso.«

»Die ist einfach scheußlich. Der verdreckte Stall, die farb-
losen Klamotten, die Armut! Und dieser idiotische kleine
Rotzbengel liegt im Fressnapf eines Esels, und darüber hängt
ein Stern, das ist doch der Gipfel des Lächerlichen! Lug und
Trug alles zusammen. Das ist hässlich.«

»Die ist wirklich nicht so gestaltet worden, um dir auf die
Nerven zu gehen. Josef und Maria waren bettelarm, und der
Stall war nicht extra geschmackvoll eingerichtet worden, weil
dort der Erlöser geboren werden sollte.«

»Ja, das wäre aber viel besser gewesen. Die fürchterlichen
Klamotten des Typen da…«

»Ein armer Zimmermann aus Nazareth, Mäuschen. Du
musst doch ein wenig Verständnis für die Geschichte haben,
die dahintersteckt, und für die Tradition, ehe du…«

»Ich verabscheue diese Geschichte und die Tradition! Und
die drei Könige! Ich meine… die sind doch Könige! Ich habe
irgendwo gelesen, dass sie reich waren.«

»Das hast du vielleicht in der Bibel gelesen.«

»Aber sie waren reich. Bestimmt trugen sie Purpur und
Seide und Hermelin! Während sie in unserer Krippe in
schnöde Baumwolle gewickelt sind. In Farben, die nicht zu-
sammenpassen, mit hässlichen Kronen, die man einfach nicht
putzen kann. Die werden jedes Jahr schwärzer. Nein! Ich will
die absolut nicht aufstellen. Sie ruiniert die Ganzheit. Sie ruiniert meine Weihnachtsstimmung!«

»Ich habe sie in Oslo gekauft, falls du das vergessen haben
solltest. Sie ist aus Norwegen. Deshalb hasst du sie.«

»Die Norweger lieben diesen Pisskram. Sie glotzen die Armut an und genießen ihre selbstzufriedene Nüchternheit, sie
schämen sich, wenn sie laut lachen, schämen sich, wenn sie
gutes Essen genießen, wenn sie sich ein wenig Überfluss und
Lebensfreude gönnen.«

58

»Ich glaube, es gibt allerlei Norweger, die das nicht ganz so sehen. Dich zum Beispiel.«

»Ich bin Däne. Däne geworden.«

»Aber du erzählst mir nie irgendwas.«

»Es gibt nichts zu erzählen. Ich bin ich. Ich bin hier. Zusammen mit dir. So einfach ist das. Und die Krippe wird nicht aufgestellt.«

»Wird sie wohl. Ich finde sie wunderbar. Sie ist so schlicht und schön. Genau wie die Weihnachtsbotschaft.«

Erlend prustete los. »Das sagst du doch nur, um mich zu ärgern. Als ob du religiös wärst! Falls du es vergessen haben solltest, wir feiern hier in diesem Haus Jul und nicht Christmesse. Jul ist ein heidnisches Fest, es geht um frisches Tierblut und die Sonne, die umkehrt, und nicht um schlecht angezogene Kleinfamilien aus dem Mittleren Osten.«

»Aber trotzdem.«

»Dann musst du sie in die Gästetoilette stellen. Da können unsere Gäste beim Kacken Josef in die Augen starren und dankbar dafür sein, dass sie nicht der Vater des Erlösers der ganzen Welt sind.«

»Ich glaube, nicht gerade der ganzen Welt. An anderen Orten der Welt glauben sie eher an andere fesche Knaben. Mohammed und Buddha und …«

»Weich jetzt bloß nicht aus. Das Ding kommt aufs Klo!«

»Die Krippe wird da stehen, wo sie immer steht. Komm jetzt und setz dich zu mir, Mäuschen.«

»Nein. Ich will den Baum auf der Terrasse fertig machen. Er muss in den Ständer. Und ich will die Lichter anbringen. Und die Körbchen.«

»Jetzt? Gerade jetzt?«

Erlend stampfte mit dem Fuß auf. »Jetzt! In dieser Sekunde!«

Krumme kugelte vom Sofa, band sich den Schlafrock fest zu, holte Schuhe für beide und ging brav hinaus auf die Terrasse, um den Status quo wiederherzustellen.

Und als eine ganze Weile und viele Kognakgläser später der Baum mitten auf der sechzig Quadratmeter großen Dachterrasse stand, mit leuchtenden Lichtern und goldenen Körbchen voll künstlichen Schnees, ließen sie sich beide auf das Sofa sinken und bewunderten den Baum durch die Schiebeglastüren.

»Ich liebe dich«, flüsterte Krumme. »Du umgibst dich mit Magie, du strahlst Schönheit aus, um alle zu erfreuen.«

»Das war schön gesagt. Aber es ist wohl eher egoistisch von mir. Ich tu es nicht für andere, sondern nur für mich. Und ein bisschen für dich.«

»Ich friere«, sagte Krumme und legte seinen Kopf auf Erlends Schulter. »Draußen ist es fast null Grad, und ich habe wie ein Schwerarbeiter geschuftet, nur mit dem Schlafrock bekleidet.«

»Aber der ist immerhin von Armani. Der muss dich doch ein wenig wärmen. Jetzt setze ich Kaffeewasser auf. Fast eine ganze Flasche Kognak, ohne Kaffee dazu zu trinken, bedeutet, dass wir Alkoholiker sind. Hier, wickel dich in die Wolldecke.«

»Ist schon gut«, sagte Krumme. »Die Krippe kann auf der Gästetoilette stehen. Und ich will Sahne in den Kaffee.«

Der Ladenbesitzer hatte den Tanga liegen lassen. Er hatte ihn nicht nur liegen lassen, er lobte ihn noch dazu über den grünen Klee und bezeichnete Erlend als Genie. Krumme wartete mit einer Zigarre draußen und starrte aus großen Augen auf die winkenden Frauenarme, die von nirgendwoher aufragten.

»Ich habe richtig Lust, etwas zu kaufen«, sagte er, als Erlend aus dem Laden kam.

»Ich wünsche mir aber nichts von hier, außer der Dekoration. Den Prismen. Aber die sind nicht verkäuflich.«

»Swarovski?«

»Natürlich.«

»Heute Abend wirst du es dir gemütlich machen, das habe ich schon verstanden. Allein.«

»Ja, das werde ich. Das ist ein wunderschönes Geschenk, Krumme. Ich freue mich wahnsinnig darauf, es einzuweihen.«

»Und es wird nicht dabei bleiben. Dafür hat der Weihnachtsmann schon gesorgt.«

»Jetzt gehen wir uns die Tische ansehen. Und schaffen wir einen Abstecher in den Tivoli, ehe du in die Redaktion musst?«

Seit der Weihnachtsmarkt eröffnet worden war, hatten sie den Tivoli schon fünf Mal besucht. Erlend wusste, dass das kindisch war, aber daran war nichts zu ändern. Er würde noch mit kindlichem Gemüt ins Grab sinken und alle seine Disneyfilme dem UN-Sicherheitsrat vermachen. Ein wenig mehr Disney und die Welt wäre ein friedlicherer Ort. Alle mussten doch einfach glücklich sein, wenn sie durch das Weihnachtswichteldorf gingen, wo hundertfünfzig mechanische Weihnachtswichtel Geschenke einpackten und winkten, Ski liefen und sonstige Seltsamkeiten trieben. Sie befanden sich mitten in einem Weihnachtsmärchen, und Erlend hatte gelesen, dass in diesem Jahr vierhundertfünfzigtausend Glühbirnen für die Weihnachtsdekoration verwendet worden waren, dazu zweihundertvierundzwanzig Spotlights für den goldenen Turm, der in gleitendem Übergang seine Farbe wechselte, um die verschiedenen Jahreszeiten zu symbolisieren. Und die kleinen Dörfer! Er zog Krumme mit sich, auch wenn sie danach viel zu wenig Zeit zum Essen haben würden.

»Den Orient! Den haben wir noch nicht gesehen«, sagte er.

Das Erste, was sie sahen, war die Krippe, und Erlend jubelte: »So ist es richtig! Kein langweiliger Kram in tristen Klamotten. Sieh dir doch nur die Könige an!«

Die Gabenbringer des Erlösers saßen auf vier Meter hohen

Metallkamelen. Erlend klatschte in die Hände und hüpfte auf und ab. Auch das Jesuskind war unvorstellbar schön und hatte natürliche Größe.

»Du glaubst doch nicht an Weihnachtskrippen«, sagte Krumme und kniff ihn in den Hintern, tief unter der Lammfelljacke.

»Ich glaube ein bisschen. Im Moment. Aber nicht zu Hause.«

Sie konnten nur noch einen Heringssalat essen, dazu gab es Bier und kleine beschlagene Gläser mit rotem Aalborg, die Unterhaltung drehte sich um die Schokoladentische der Königlich Dänischen Porzellanmanufaktur und darüber, wer sie nach Weihnachten essen würde.

»Arme Kinder in Afrika«, sagte Erlend. »Denk doch mal, wie überrascht die wären, wenn ihnen so ein Tisch vor die Nase gestellt würde.«

»Oder arme Kinder in Dänemark.«

»Die wären nicht ganz so überrascht. Bestimmt haben sie die Bilder in deiner Zeitung gesehen. Aber versuch mal, was über die Jacke auf dem Stuhl herauszufinden. Sie kann doch auch von Henriks Liebhaber stammen, oh, was für ein Skandal. Und so wahnsinnig spannend! Du musst das einfach klären. Wann kommst du nach Hause?«

»Wenn du die Weihnachtswäsche deiner Schätze hinter dich gebracht hast.«

»Das hatte ich ganz vergessen«, sagte Erlend.

»Lügner. Hattest du nicht. Das ist das Einzige, was du überhaupt noch im Kopf hast.«

»Absolut nicht. Ich habe mir gerade überlegt, ob sich unsere Weihnachtskrippe mit ein paar Metallkamelen aufpeppen ließe.«

Aber Krumme hatte natürlich recht. Erlend hatte wirklich nur daran gedacht, dass er bald allein vor seinem Glasschrank stehen würde.

Er schloss die Wohnungstür auf und schloss sie dann sorg-fältig wieder zu. Ob er zuerst backen sollte, wie er es am Vortag geplant hatte? Nein, er wollte jetzt nicht mit den Hän-den in klebrigem Brotteig dastehen, er würde am nächsten Tag noch mehr als genug Zeit haben, um Brot und Mürbeteig herzustellen. Er drehte sein Telefon aus und schaltete am Fest-anschluss den lautlosen Anrufbeantworter ein. Er drehte den Gaskamin ganz weit auf und blieb einen Moment stehen, um in die Flammen zu sehen, die die Ewigkeitsscheite umzüngel-ten, eine dottergelbe Kaminfeuerillusion. In seiner ersten Zeit in Kopenhagen hatte er weder Kamin noch Ofen gehabt und sich sehr danach gesehnt. Er hatte sich von einem Freund drei Stunden Kaminfeuer auf Video aufnehmen lassen und dieses Video dann abends abgespielt. Es war ungeheuer wirkungs-voll gewesen, mit Knistergeräuschen und allem, er hatte das Gefühl gehabt, die Wärme der Strahlen auf seiner Haut zu spüren. Der einzige Nachteil war, dass er nicht hatte fernse-hen können, wenn das Kaminfeuer lief.

Am liebsten hätte er einen echten Kamin, keinen mit Gas, jetzt, da er nicht mehr einsam und ärmlich in einem gemiete-ten Zimmer hauste, aber die Feuervorschriften im Haus lie-ßen das nicht zu. Das hinderte ihn nicht daran, echte Holz-scheite zu kaufen und in einen Korb aus gebürstetem Stahl links vom Kamin zu legen. Damit war die Illusion perfekt, so perfekt, dass ein Essensgast eines Abends versucht hatte, ei-nen vollen Aschenbecher in den Kamin zu leeren. Alle Kippen waren gegen das feuerfeste Glas geprallt, und ein Aschesturm war nach allen Seiten gestoben.

Der Anblick der Flammen beruhigte ihn und brachte Ord-nung in seine Gedanken. Die leere Wohnung, die ihn umgab, der gute Tag, der hinter ihm lag, das bevorstehende Weih-nachtsfest. Konnte man denn wirklich noch glücklicher sein? Und müsste er sich nicht selbstverständlich und eigentlich schämen? Die armen Kinder in Afrika ohne Schokoladentisch, die vielen Kriege, über die Krumme alles wusste und über die er ab und zu diskutieren wollte. Das Elend.

Er mochte nicht daran denken, wollte nichts davon wissen. Er staunte immer wieder über Menschen, die sich freiwillig ins Elend stürzten und es zu ihrer Lebensaufgabe machten, anderen zu erzählen, wie schlimm es um die Welt bestellt war. Wurde die etwa besser davon? Diese verbissenen Menschen, die durch die Straßen stapften und Plakate schwenkten, vollgekritzelt mit irgendwelchen von schwarzen Ausrufezeichen gefolgten Mitteilungen, glaubten sie wirklich, irgendetwas auszurichten? Sollten sie nicht lieber nach Hause gehen und für ihre Kinder Kerzen anzünden, Brot backen und ein Lied mit ihnen singen, munter sein? Statt den Kindern zornige und empörte Eltern vorzuleben, die ihnen komplizierte, politisch korrekte Bücher aufzwangen und verlangten, dass sie sich über alles Mögliche informierten, die ihre Kinder auf diese Weise in die Drogensucht trieben, einfach als Flucht vor der politischen Agitation im eigenen Heim.

Dir fehlt die Fähigkeit zur Solidarität mit den Schwächsten, sagte Krumme dann immer, und manchmal ärgerte ihn das über alle Maßen. Einmal hatte Krumme ihn oberflächlich genannt, aber das hatte er nach fünf Tagen Schweigen und Liebesentzug zurücknehmen müssen. Außerdem hatte Krumme doch keine Ahnung. Er verstand das nicht. Und das war nicht Krummes Schuld. Verflixt, warum hatte er diese verdammte Weihnachtskrippe nicht rechtzeitig weggeworfen!

Nein, so ging das nicht. Seine Gedanken störten ihn. Er durfte jetzt nicht denken. Er wollte innerlich rein und leer sein, wenn er anfing. Vermutlich lag die Lösung im Alkohol. In einem gedankendesinfizierenden Wodka mit Limettensaft zum Beispiel. Er legte U2 ein und wanderte zufrieden in die Küche, er hatte immer das Gefühl, sie zum ersten Mal zu sehen, wenn er allein in der Wohnung war und sich bald einen kleinen Rausch antrinken würde und sich auf etwas freute. Er liebte diese Küche, diese irrwitzig teure deutsche Küche, liebte die Schwere und Präzision der Türen, er hatte das Gefühl, Mercedestüren zu öffnen und zu schließen. Er liebte den Terraschrank mit dem Urwald aus Kräuterkrügen und den Buckelglasgefäßen, die neongrün leuchteten und von innen beschlugen, er liebte das Weingestell mit den runden, blutroten Schatten, die langen Bänke, die eingebaute Kaffeemaschine, die Designersessel um den kleinen Frühstückstisch, der gerade groß genug war für zwei aufgeschlagene Zeitungen, zwei Tassen Kaffee und Croissants mit Butter und französischem Brie. Eine Küche, die so groß war wie ein durchschnittliches dänisches Wohnzimmer. Luxus. Luxus! Warum fanden es viele Leute so wichtig, dass man sich deshalb schämen sollte? Aber diese verdammte Weihnachtskrippe. Sollte er die einfach von der Terrasse werfen? Und sich dem Streit stellen, der unweigerlich folgen würde?

Es ärgerte ihn wieder, dass er so nervös war, er hatte sich doch darauf gefreut, nach Hause zu kommen, das hier sah ihm überhaupt nicht ähnlich. Eilig mischte er Wodka und Limettensaft in einem großen Glas und hörte die Eiswürfel knacken wie den vom Treibhauseffekt angefressenen Südpol. Darüber hatte er ganz heimlich gelesen und wollte Krumme gegenüber nicht zugeben, dass es ihn so beschäftigte. Kopenhagen lag doch in Meeresnähe, das pure Venedig, was, wenn Flutwellen über die Langelinje hereinbrachen und die ganze Stadt mit all ihren Schaufenstern plötzlich unter Wasser lag? Das betraf ihn doch unmittelbar und persönlich. Es war eine ganz grauenhafte Vorstellung, er sah sich bis zu den Knien im Wasser waten, mit unkleidsamen Gummistiefeln, die Arme voller schöner Dinge, die nicht nass werden durften, und er hatte wirklich aufgehört, Dekospray mit Freongas zu benutzen.

Er holte das Geschenk hervor. Hob mit der linken Hand das Glas an die Lippen und nahm den Deckel von der dunklen Schachtel. Bono dehnte im Wohnzimmer seine Stimme bis zum Zerreißpunkt, und dort lag die ganze Pracht: ein Marder-haarpinsel mit Glasgriff, ein Polierlappen, der aussah wie ein kleines Kind, weiße Baumwollhandschuhe, das kleine Buch mit Hinweisen zu Reinigung und Pflege und der Samtbeutel mit einzelnen, wie Diamanten geschliffenen Kristallen zur Dekoration der Figuren. Er glaubte nicht, dass er sie jetzt benutzen würde. Nein, er wollte nichts dekorieren. Er wollte sie im Samtbeutel lassen und sie in die Hand gießen, wenn er den Anblick brauchte, die vielen Lichtpunkte, diese Glitzer-streu einer Zauberfee, für ihn bestimmt, für ihn allein.

Das Glas beschlug. Es ging nicht, Handschuhe zu tragen und gleichzeitig zu trinken. Er holte einen Strohhalm und stellte ihn ins Glas, stellte das Glas auf den Wohnzimmertisch, streifte die Handschuhe ab und öffnete die Schranktüren, hin-ter denen die Schätze standen. Einhundertdrei Swarovski-Figuren. Er holte tief Luft und murmelte einige Koseworte, die er nicht einmal selber richtig hörte, dann begann er, die Figuren auf den Esstisch zu stellen. Kleine perfekte Wunder-werke, nur wenige Zentimeter hoch. Miniaturen von allem, vom Schwan bis zum Ballettschuh. Man konnte sie durch ein Vergrößerungsglas studieren, er hatte das schon oft gemacht und keinen einzigen Makel gefunden. Sie waren magisch, sie waren erfüllt von Träumen und Sehnsüchten, sie führten durch ihre Schönheit zur Besessenheit, denn wenn man sie besaß, brauchte man sich nicht mehr vom Gedanken an den Tod schrecken zu lassen, man hatte das Erlesene besessen, hatte das Exquisite erlebt, war dabei gewesen.

Früher hatte er hässliche Latexhandschuhe aus der Apotheke benutzt, wenn er die Figuren angefasst hatte. Aber nun hatte Swarovski doch wirklich ein spezielles Reinigungsset für seine Sammler hergestellt, und man war nicht mehr auf geschmack-lose provisorische Lösungen angewiesen. Und Krumme hatte so ein Set für ihn gekauft.

Plötzlich hatte er wahnsinnige Lust auf eine Zigarette, obwohl er fast nie rauchte; er wusste, dass ihn diese Lust einfach deshalb überkam, weil er natürlich nicht mit den Handschuhen an den Händen rauchen konnte, der Teer würde Flecken wie Öl hinterlassen. Er hatte immer Lust auf das, was gerade nicht möglich war, Hindernisse sorgten dafür, dass ihm vor Frustration schlecht wurde. Als alle Figuren auf dem Esstisch standen, zog er die Handschuhe aus und holte sich eine Zigarette aus dem Behälter im Barschrank. Er machte so tiefe Lungenzüge, dass ihm schwindlig wurde, und leerte sein Glas. Jetzt musste er den Schrank auswaschen, dazu konnte er keine weißen Baumwollhandschuhe tragen.

Er begriff nicht, woher der Staub im Glasschrank kam, der Schrank war doch fast luftdicht abgeschlossen. Es war ein hellgrauer, puderfeiner Staub. Die Lampen oben und unten im Schrank machten ihn auf jedes kleinste Staubkorn aufmerksam, auf die Striche, die der Putzlappen hinterlassen hatte. Er putzte alle fünf Fächer von oben nach unten, mischte sich zwischendurch einen neuen Drink und ersetzte U2 durch Chopin. Er geriet immer in feierliche Stimmung, wenn er sich in der letzten Phase den Figuren direkt widmete. Der Schrank musste doch jedes Mal neu komponiert werden. Und jetzt war Weihnachten, und der Weihnachtsschmuck gehörte ins oberste Fach, an den Prunkplatz.

Sicherheitshalber nahm er sich eine neue Zigarette und rauchte sie zu Ende, ehe er die Handschuhe anzog und seinen Blick über die Schätze auf dem Esstisch wandern ließ. Den tiefblauen Spiegel wollte er oben ganz rechts hinstellen. Ja. Zusammen mit der drei Zentimeter hohen Figur eines Weihnachtsgeschenks, mit Schleife und allem. Der Geschenkkarton war ein massiver Kristallwürfel mit vier Ecken im Facettenschliff, was Licht ins Zentrum des Würfels fallen ließ. Die Kristallschleife oben schickte ihr Licht in alle Richtungen, eben auch auf den Spiegel. Er hielt die Figur zwischen Daumen und Zeigefinger, säuberte sie sorgfältig mit dem Marderhaarpinsel und stellte sie in den Schrank. Danach putzte er die Sterne und arrangierte sie um das Geschenk herum.

Das Atmen wurde ihm schwer. Er trat viele Schritte zurück und betrachtete den Beginn des neuen Schrankes. Tränen schossen ihm in die Augen. Er liebte seine Swarovski-Sammlung, wie andere wohl Kinder oder Haustiere lieben, aber wahrscheinlich war seine Liebe größer, reiner, ohne Vorbehalte. Dabei hatte er noch kaum angefangen. Er hatte noch viele Regalfächer zu füllen. Er war jetzt Künstler, auch wenn er die Figuren nicht selbst hergestellt hatte. Es kam schließlich auf die Präsentation an! Sogar Brahms und Chopin würden heute als törichte Trottel dastehen, wenn die Interpreten, die Musiker, es nicht geschafft hätten, ihre Noten pietätvoll und kreativ in Musik umzusetzen. Und Munchs Gemälde in einer engen Sozialwohnung ohne Beleuchtung, das würde die Kraft der Bilder doch weitgehend zerstören. Trotzdem glaubten so viele, die schöne Darstellung komme von selbst. Sie begriffen nicht, dass tief empfundene Liebe und Erkenntnis dahintersteckten. Man brauchte doch nur an die modernen Maler zu denken, die meinten, die Darstellung komme auf einem silbernen Tablett angeflogen und niemand müsse sich vorher Gedanken darüber machen. Sie verlangten, ohne mit der Wimper zu zucken, vierhundert Quadratmeter Wandfläche und standen da und rümpften die Nase, wenn die Wand nicht groß genug war. Verwöhnte Drecksgören. Und es tat ihm im Herzen weh, wenn er an die vielen Swarovski-Miniaturen dachte, die aus einem Impuls heraus in irgendeinem Flughafenladen gekauft und dann Menschen geschenkt wurden, die sie nicht zu schätzen wussten. Irgendwo in der Welt standen diese Figuren herum, in hässlichen Holzregalen, allein in der Dunkelheit, neben schnödem Nippes oder irgendeiner schrill gerahmten Fotografie einer kitschigen Familienszene, sie standen dort klein und unansehnlich und staubten in ihrer lieblosen Umgebung ein. Sie wurden nicht gesehen, sie waren nicht in ihrem eigenen Reich. Krumme hatte vor langer Zeit einmal über die Aufklärung mit ihm gesprochen, er konnte sich an kein Wort erinnern, denn das Einzige, woran er während des ganzen Gesprächs gedacht hatte, waren die vielen Swarovski-Figuren bei all diesen unaufgeklärten Menschen, die nicht wussten, dass solche Figuren Aufklärung durch die Glasplatten brauchten, auf denen sie stehen sollten.

Die Tiere und die Vögel sollten wie immer ihr eigenes Fach haben, aber die Flakons und die Schatullen mussten nach ganz oben. Und die vier Zentimeter hohe Champagnerflasche mit den beiden nur etwas über einen Zentimeter großen Gläsern. Und der Korkenzieher, ein Wunder in Kristall, nicht länger als ein halber Nagel vom kleinen Finger. Er brauchte mehr zu trinken. Er ging sofort aufs Klo und entdeckte auf dem Rückweg ins Wohnzimmer, dass der Anrufbeantworter blinkte. Sicher Freunde, die über das Fest reden wollten, sollten sie etwas mitbringen, Kuchen oder Getränke oder Musik, bestimmt wollten sie auch sagen, wie sehr sie sich freuten. Sie würden zu sechzehnt am Tisch sitzen, es würde wie immer hoch hergehen, zum Glück hatten sie die Getränke schon gekauft und in großen Kartons im Schlafzimmer verstaut, aber noch immer war viel zu tun. Krumme übernahm das Grobe und das Hauptgericht, er selbst sollte dem Ganzen die Krone aufsetzen. Dekoration, Dessert, das alles brauchte Zeit und hob die Mahlzeit von einer schlichten Bewirtung in eine höhere Sphäre. Im Eisfach hatte er mehrere Platten Eiswürfel, in jeden Würfel war ein Minzblatt eingefroren, er benutzte gekochtes, abgekühltes Wasser, das wurde klarer. Die Eiswürfel waren für das Empfangsgetränk gedacht, eine Variation von Dry Martini, denn in Martini gehören doch keine Eiswürfel, und um das Getränk zu etwas Besonderem zu machen, bekam jedes Glas ein paar Tropfen blauen Curaçao. Eisblau und grün. Vielleicht auch ein wenig Silber, dachte er plötzlich, wie wäre es, den Stiel jedes Glases mit einem Stück Alufolie zu umwickeln? Leicht, lässig, ein wenig Pop-Art? Er stürzte in die Küche, riss einen Streifen Folie ab und wand ihn um das erstbeste langstielige Glas. Obwohl das Glas leer war, war die Wirkung perfekt. Einen Schritt näher zu einem gelungenen Abend. Er atmete ganz tief durch, ging ins Wohnzimmer, nahm das Glas in die Hand und vertiefte sich in den Anblick des Baumes auf der Terrasse. Es schneite zaghaft, in der Ferne konnte er die Flugzeuge im An- und Abflug über Kastrup sehen, ihre blinkenden roten und grünen Lichter. Es waren Minusgrade angesagt, etwas, worauf er kaum zu hoffen gewagt hatte. Schnee und Weihnachten gehörten zusammen, aber er fand immer, man könne das hier nicht erwarten, in dieser Stadt, in diesem Land. Und im übrigen Jahr fehlte der Schnee ihm auch nicht. Aber der Weihnachtsschnee, diese Sehnsucht ließ ihn nie los. Die perfekte Weihnachtszutat. Die überdecken und verstecken konnte, die selbst den Mangel an Weihnachtsstimmung unwichtig machte, die einfach, weil es sie gab, symbolisch und richtig und wichtig war, obwohl nur gefrorenes Wasser, wie Krumme immer sagte. Sterngefrorenes, korrigierte Erlend ihn dann. Es war kein Zufall, dass das Wasser zu symmetrischen Sternen gefror, die Natur wollte den Menschen eine Freude machen. Sogar das Wasser wollte schöner werden als eine schnöde Kugel und strebte die Tropfenform an. Ach, Krumme im Matrixmantel, er konnte es kaum erwarten, wie sollte er die Erwartung dieses Anblicks noch tagelang ertragen?

Er drehte Chopin mitten im Walzer Nr. 7 die Luft ab und legte ein Klavierkonzert von Mozart auf, um ein wenig mehr Drama und Konzentration zu erzielen. Jetzt sollte der Schrank gefüllt werden. Alles musste gebürstet werden und weihnachtssauber funkeln. Der Schrank sollte zu einer strahlenden Lichtfontäne werden, geschaffen von einem Mann mit weißen Handschuhen und Glück im Blut. Er war gerade mit dem Fach für die Tiere beschäftigt und wollte das Einhorn hineinstellen, als es ihm aus der Hand rutschte und auf den

Boden fiel. Mit einem Schrei ging er in die Hocke und hob es auf. Das Horn auf der Stirn war verschwunden, ansonsten war das Tier unversehrt. Es war unversehrt, sah aber aus wie ein Pferd. Sein magischer Teil lag auf dem Parkett. Erlend nahm das winzige gewundene Horn und gab den Gedanken, es mit einem Tropfen Alleskleber zu versuchen, gleich auf. Das wäre Pfusch. Er spürte, wie ihm die Tränen kamen. Von allen Figuren ausgerechnet diese. Es war die erste gewesen, die Krumme ihm geschenkt hatte, und er wusste noch alles, was Krumme ihm über das Einhorn erzählt hatte, das Fabeltier, das ein Symbol für die Jungfräulichkeit war und das nur gefangen werden konnte, wenn es im Schoß einer Jungfrau ruhte. Und jetzt war es zu einem Pferd geworden, einem einfachen Pferd, das nur für schnöde und vulgäre Männlichkeit stand. Im Schlafzimmer hatten sie ein riesiges, halb surrealistisches Gemälde von einem Einhorn hängen. Krumme nannte es das »Wundertier«.

Er stellte das zerstörte Einhorn ganz nach hinten, hinter die übrigen Tiere. Er legte das Horn vorsichtig daneben, er brachte es nicht über sich, es wegzuwerfen, denn wohin wirft man so etwas? Von der Terrasse oder in einen Mülleimer, undenkbar.

Alles stand im Schrank, als Krumme nach Hause kam, und Erlend lag schlafend, noch mit den Handschuhen an den Fingern, auf dem Sofa. Krumme zog sie ihm vorsichtig aus, indem er die Spitze jedes Fingers fasste. Er faltete sie zusammen, legte Lappen, Handschuhe und Pinsel zurück in den Schrank, bewunderte den Schrank für einen kurzen Moment, sah keinen besonderen Unterschied, außer vielleicht im obersten Fach, wo auf einem blauen Spiegel die Weihnachtssterne versammelt waren, die meisten Figuren hatte er gekauft, als Geschenk. Er holte sich aus dem Kühlschrank eine Flasche Wasser, schloss die Tür zum Wohnzimmer, hörte sich alle Nachrichten auf dem Anrufbeantworter an und speicherte sie, sie stammten von Gästen, die wissen wollten, ob sie Kuchen oder Getränke mitbringen sollten, und die sich ja so sehr freuten. Er speicherte sie, damit Erlend sich morgen darum kümmern könnte. Erlend war für die Details zuständig, er pflegte die Infrastruktur des Netzwerks von Freunden. Krumme wäre auch glücklich, wenn er ganz allein mit diesem Kind von einem Mann leben könnte, mit diesem Talisman der Lebensfreude, ohne einem anderen Menschen zu begegnen, außer bei der Arbeit, wo er ohnehin nicht Krumme war. Dort war er Carl Thomsen, der Chef. Dass Erlend in seiner Freude darüber, dass Brotkrümel auf Dänisch *Krumme* heißt, ihm diesen Namen gegeben hatte, war der Beginn ihrer Liebe gewesen, einer Liebe, die niemals enden würde, denn wenn sie enden könnte, dann wäre sie schon vor langer Zeit zu Ende gewesen, jetzt war er sich seiner Sache sicher, sie waren zusammen. Er fürchtete sich vor nichts, nicht mehr.

Es war spät, er hatte Hunger. Er hatte keine weiteren Informationen über die Jacke auf dem Stuhl im Hintergrund, er würde sich eine Geschichte ausdenken müssen. Er ging ins Badezimmer, löschte alle Lampen und zog einen traumverwirrten Erlend mit sich, der über das Swarovski-Schachspiel mit den Kristallfiguren redete, das er sich so verzweifelt wünschte und das Krumme bereits gekauft hatte, es hatte an die zwölftausend Kronen gekostet, aber es war jede Krone wert, wenn er nur Erlends Ekstase beim Auspacken sehen dürfte. Er zog ihn aus und steckte ihn unter die Dusche, dann schmiegte er sich an ihn und legte die Nase an seine Schulter, sie war warm und glatt und gehörte ihm.

Erlend erwachte am nächsten Morgen gegen sechs. Sein Körper war schwer, als trüge er etwas Schlimmes in sich, an das er sich nicht erinnern konnte. Das Licht, das durch den Vorhangspalt fiel, war grau und ließ keinen Schnee erwarten. Er wusste genau, wie Vorhanglicht auszusehen hatte, wenn draußen Schnee lag. Und dann fiel ihm ein, wie er sich schlafend gestellt hatte, als Krumme nach Hause gekommen war, und wie er sich zum soundsovielten Mal über dieses Schachspiel verbreitet hatte, nur um Krumme nichts von dem Einhorn erzählen zu müssen.

Er wollte zu den Tieren, der Boden war eiskalt, da er Krumme die norwegische Gewohnheit aufgezwungen hatte, bei offenem Fenster zu schlafen, und er rettete sich auf den warmen Gang.

Der Glasschrank stand ohne Licht da, er schaltete es nicht ein. Aber der Baum auf der Terrasse leuchtete.

Es regnete still und schnurgerade herab, aus stahlgrauen Wolken. Der Schnee in den Kurven lag wie aus künstlichem Trotz da. Erlend ging nackt durch das Wohnzimmer, durch die Küche, ins Badezimmer. Er spürte, wie seine Fußsohlen gleichmäßig und rhythmisch auf den Boden klatschten. Parkett. Terracottafliesen. Schiefer. Im Badezimmer blieb er vor dem einen Spiegel stehen und betrachtete sein Gesicht. Bald ein alter Mann, in drei Monaten vierzig. Was hätte er gemacht, wenn er Krumme nicht begegnet wäre. Schon mit dreißig wurde ein alleinstehender Schwuler leicht zu einem jämmerlichen Schwulen, es lag also schon lange zurück, dass er für immer und ewig zu einem jämmerlichen Schwulen hätte werden können. Dem Himmel sei Dank, dass er Krumme mit Ende zwanzig kennengelernt hatte. Aber auch, wenn er Krumme hatte, war die Vorstellung, vierzig zu sein, nicht gerade schön. Es war absolut an der Zeit, sich ein anderes Alter anzudichten. Das bedeutete allerdings, dass er auf ein wildes Geburtstagsgelage verzichten müsste, und er hatte schon angefangen, das Fest zu planen. Natürlich könnte er danach bei vierzig bleiben.

Er bekam jetzt auch ein Bäuchlein und streichelte es. Es war weich wie Brotteig. Auch die Haut an seinen Oberarmen war schon schlaff geworden. Konnte er glauben, was er im-

73

mer wieder hörte, dass er einen wunderbaren Körper hatte? Warum war die Liebe abhängig von wiederholten Lügen?

Er ging zurück zu den Schiebetüren der Terrasse und musterte wieder den Baum, an diesem Anblick musste er festhalten, nicht an den anderen Gefühlen, die über ihn hereinbrachen, die Götter mochten wissen, woher. Aber er konnte sie nicht aufhalten, es war unmöglich, sie in dieser flachen und zeitlosen Stunde zwischen Nacht und Tag anzuhalten, er müsste mit Krumme darüber reden, ihn vielleicht wecken, um sich trösten zu lassen, ohne zu erklären, weshalb. Stattdessen öffnete er die Glastüren und trat hinaus auf die nassen und kalten Terrassenfliesen. Die Kälte unter seinen Fußsohlen und die Regentropfen auf seinen Schultern ließen ihn aufwachen, holten ihn ein bisschen auf sicheren Boden zurück, zu Normalität und Freude. Krumme würde ihm ein neues Einhorn schenken, wenn er ihm von dem Malheur erzählte, aber er wollte es nicht erzählen. Er wusste nicht, warum, wusste nur, dass es ihm einfach unvorstellbar vorkam. Er würde das neue selbst kaufen und in den Schrank setzen und danach vergessen müssen, wie viel das alte für ihn bedeutet hatte. Obwohl das Bild im Schlafzimmer ihn immer wieder daran erinnern würde.

Nicht einmal eine Sirene war zu hören. Eine schlafende Stadt. Er hätte wenigstens eine Sirene hören müssen, um diese Tageszeit starben die Leute doch wie die Fliegen. Der jütische Idiot hatte Angst vor dem Verschimmeln, es war nicht mehr witzig, daran zu denken. Dieser ganze Stress, dem Schwule sich jetzt zwangsläufig aussetzen mussten, Fett absaugen und Liften und ewiges Solarium, ihm konnte vor Angst und Erleichterung schwindlig werden, wenn er sich das alles klarmachte. Das Aussehen war für Schwule in dieser Stadt alles, während er und Krumme mehr als genug einfach mit Glücklichsein beschäftigt waren. Sie brauchten ihre Wohnung nicht nach den angesagten Feng-Shui-Prinzipien einzurichten und in einem Trendgefängnis zu wohnen, sie kauften und richte-

ten nach dem Lustprinzip ein, und auf eine wunderbar unge-
plante Weise passte immer alles zueinander.

Weshalb also war er so unruhig, es konnte doch nicht daran
liegen, dass er zum Besitzer eines weiteren Kristallpferdes
geworden war. Er wollte zurück in seine Weihnachtsfreude!
Das hier war nicht auszuhalten. Er war an das Glücklichsein
doch gewöhnt! Er war mit Glück ganz einfach verdammt verwöhnt!

Er sprang zurück ins Wohnzimmer, zog die Terrassentür zu,
schaltete alle Lampen in Küche und Wohnzimmer an, holte
Morgenrock und Pantoffeln und versetzte dem Karton mit der
Weihnachtskrippe einen Tritt, als er in der Diele daran vorbei-
ging, dann schloss er die Zwischentüren, um Krumme nicht
zu stören, legte eine Weihnachts-CD ein und holte sich Mehl
und Hefe und eine Backschüssel. Dean Martin sang fröhlich
über Rudolph the Rednosed Reindeer, als Erlend die Schüssel mit Roggen- und Weizenmehl füllte, mit Kräutersalz und
einer Prise Nelken, Sonnenblumenkernen und Leinsamen.
Die Hefe verrührte er in lauwarmem Wasser mit gebranntem
Zucker, das würde dem Brot einen saftig dunkelbraunen Farbton geben. Mit Latexhandschuhen knetete er den Teig, bis ihm
der Schweiß ausbrach, sein Morgenrock öffnete sich bei dieser Anstrengung, und sein Schwanz schwang munter im Takt
seiner Arme mit.

»Oh Weihnachtsfest, du Freudentag«, rief er laut durch die
Küche. Es war fast halb sechs. Aber irgendwo auf der Erde
war jetzt Abend, und da waren Prickel unbedingt angesagt. Er
bedeckte die Backschüssel mit Plastikfolie, riss sich die Handschuhe ab und öffnete eine Flasche eiskalten Bollinger. Gerade sang Jim Reeves »Jingle Bells«. Erlend machte sich nicht
die Mühe, ein Glas zu holen, er hob die Flasche an den Mund
und trank lange und ausgiebig, bis die Kohlensäure seinen
Gaumen und seine Gurgel zu zerfetzen drohte und seine Tränen nur so strömten. Jetzt fing es an zu helfen, das hier war

wahrlich Morgenstund mit Gold im Mund. Er durchsuchte drei Schränke, dann hatte er die Kuchenförmchen gefunden und zerkrümelte Butter im Mehl, gab kaltes Wasser dazu und knetete einen geschmeidigen Teig, wie es in den Rezepten immer hieß. Danach sollte der Teig ein wenig *gehen*, im Kühlschrank, auch das stand im Rezept. Er kicherte. Gehen, vor dem Krafteinsatz, wenn der Teig in kleine Stücke geschnitten und in die Förmchen gepresst wurde. Er pinselte sie sorgfältig aus, alle Rillen bis zum Rand. Eartha Kitt sang »Santa Baby«, er summte dazu und nippte an der Flasche. Santa Baby, das bin ich, dachte er. Eine Zigarette vielleicht? Nein, lieber nicht übertreiben. Darum ging er auch nicht ins Wohnzimmer und sah sich das kleine Einhorn an, nur um mit Sekt noch ein wenig mehr zu trauern. Hier sollte für Weihnachten gebacken und gesotten werden! Und die Idee mit der Folie um die Gläser war einfach genial!

Als es fast sieben war und er die Brote fast fertig gebacken hatte, war er dermaßen zum Umfallen müde, dass er ernsthaft mit dem Gedanken spielte, Krumme zu wecken, damit der während der letzten Viertelstunde über die Brote wachte. Diese Idee gab er aber auf, Krumme musste ausschlafen dürfen, er musste zur Arbeit, er hatte feste Arbeit, er verdiente wahnsinnig viel, er war ja kein Künstler, er war nur er selbst, ein hart arbeitender Zeitungsmann. Aber die kleinen Kuchen brauchten glücklicherweise noch nicht gebacken zu werden, sie konnten warten, bis sie mit Apfelscheiben und einem Baiserdeckel gefüllt wurden, während die Gäste das Hauptgericht genossen. Jetzt standen sie auf einem Tablett unten im Kühlschrank, fix und fertig und geschmeidig. Die Flasche war fast leer, die Stadt erwacht, die Zeitung würde vor der Tür liegen, wenn er es über sich brächte nachzusehen. Er hatte das Gefühl, sich einen winzig kleinen Extratag zwischen gestern und heute gestohlen zu haben, eine Zeitnische, die er mit Weihnachtsfreude und Bäckerei gefüllt hatte. Trotz der bleischweren Müdigkeit, die ihn einfach einhüllte, war er überaus zufrieden mit sich. Krumme würde zum Frühstück frisch-gebackenes Brot bekommen, Erlend glaubte nicht, dass er in absehbarer Zeit zum alleinstehenden Schwulen werden würde, wenn er in aller Herrgottsfrühe solche Köstlichkeiten auftischte.

Er holte die Brote aus dem Ofen, leerte die Flasche, schlich ins Schlafzimmer und war eingeschlafen, sowie er den Kopf auf das Kissen gelegt hatte.

Er wurde davon geweckt, dass Krumme sich über ihn beugte, mit dem Telefon in der Hand, es war ziemlich hell im Zimmer.

»Erlend, du musst aufwachen. Bist du wach?«

»Weiß nicht.«

Krumme fand seine linke Hand, schloss seine Finger um den Telefonhörer und flüsterte: »Da ist ein Norweger. Er behauptet, dein Bruder zu sein. Ich wusste ja nicht einmal, dass du einen Bruder hast.«

Anderthalb Tage, ehe er sich wirklich dem Gedanken stellen musste, dass sie nicht ewig leben würde, lief er auf dem Hofplatz hin und her und hörte, wie sein Magen knurrte. Er hörte die Glocken der Kirche von Byneset, die zum Sonntagsgottesdienst riefen. Für ihn bedeuteten die Glocken Frühstück, mit dem Wort des Herrn hatten sie wenig zu tun. Blaues Dezemberlicht lag über den schneebedeckten Bergen und dem schwarzen Fjord, das Wetter war klar, einzelne Sterne waren zu sehen. Es hätte keine Rolle gespielt, wenn es geschneit hätte, er saß gerne auf dem Traktor und zog reine weiße Linien, mit scharf abgesetzten Schneekanten auf jeder Seite der Ahornallee. Die Bäume streckten sich wie schwarze Hände gen Himmel, sorgfältig in gleichem Abstand gepflanzt, vor so langer Zeit, dass es möglich gewesen war, mit der Auffahrt nach Neshov zu *prunken* und Wohlstand und Gastfreundschaft zu signalisieren. Er fand die Allee peinlich pompös und verlogen, er hätte gern jeden einzelnen Baum abgesägt, aber das hatte nicht er zu bestimmen.

Er hatte schon einige Stunden im Schweinestall verbracht, und jetzt wollte er wie immer essen, ehe er wieder hinging. Eine seiner Sauen konnte jederzeit werfen. Aber dann sah er, dass die Schlafzimmervorhänge bei seiner Mutter im ersten Stock vorgezogen waren.

Sie stand sonst immer auf, wenn er um sieben in den Stall ging, um bei seiner Rückkehr das Frühstück bereitzuhaben.

Im Gang roch es nicht nach Kaffee. Die Küche war leer und kalt, als er die Tür öffnete. Trotzdem zog er sie sofort wieder zu, wie um eine schlimmere Kälte auszusperren.

Im alten Herd brannte kein Feuer, das Radio hinten auf der Anrichte, unter dem Coop-Kalender, war stumm. Der Tisch war nicht gedeckt, mit Eierbechern und Teelöffeln, wie sonst am Sonntag, und mit einem Stück zusammengefalteten Toilettenpapiers neben der Untertasse des Vaters, der sich immer Dotter in die Bartstoppeln schmierte. Die Küche war plötzlich ein Raum, den er nie zuvor gesehen zu haben schien, die Glühbirne unter dem Dunstabzug war die einzige Lichtquelle, ein kleines leuchtendes Dreieck, bestimmt für Kochplatten und Töpfe und Kaffeekessel und Arbeitsplatz. Sein Herz schlug jetzt schneller. Er blieb unschlüssig stehen, starrte den Herd an und versuchte, sich irgendeinen Reim auf die Situation zu machen. Er stellte fest, dass seine Hände zitterten, als er Wasser auf den alten Kaffeesatz im Kessel gab und sich eine Scheibe Brot abschnitt, die er mit Margarine und ein paar Käsestücken belegte. Den Käse wickelte er sorgfältig wieder ein. Als er die Plastikhülle mehrmals eingeschlagen hatte, nahm er ein Gummi von dem Nagel, an dem der Kalender hing, und band es um die Hülle herum, ehe er sie wieder in den Kühlschrank legte. Er wartete, bis der Kaffee kochte, und versuchte, nicht so viel nachzudenken, während er dem anschwellenden Rauschen des Kessels lauschte. Er goss Kaffee in eine wahllos aus dem Schrank gezogene Tasse, es war nicht seine übliche, sondern eine, die sie fast niemals benutzten, mit einer rosa Blume in einer Art kariertem Aufdruck. Der Satz war nicht gesunken, schwarze Placken schwammen im Kaffee, aber er nahm trotzdem einen Schluck und ging davon aus, dass sich das Ganze noch setzte. Er spürte, wie die Wärme der Tasse in seine Handfläche strömte. Er aß sein Käsebrot im Stehen, während er durch das Fenster der Blaumeise zusah, die sich an einem der unteren Zweige des Hofbaums an einem baumelnden Stück Speck abarbeitete. Der Speck hing schon lange dort. Er drehte sich immer wieder um sich selber, während die Meise kopfüber und im wütenden Tempo kleiner Vögel darauf einhackte. Ein Stückchen höher war ein Brett am Stamm festgenagelt. Drei Spatzen landeten dort und pickten auf der leeren Platte herum. Sie war schon lange leer. Er horchte zum ersten Stock hoch, konnte aber nichts hören. Er konnte rein gar nichts hören. Das Thermometer draußen vor dem Küchenfenster zeigte zehn Grad minus. Am Vortag waren es noch zwei über null gewesen. Opa Tallak hatte sechzig Jahre lang Buch über das Wetter geführt, abends hatte er immer am Küchentisch gesessen und sich Notizen gemacht, und danach hatte er die Jungen über das Wetter in anderen Jahren ausgefragt oder mit lauter Stimme das Wetter in den Kriegsjahren verkündet und die heißen Frühlinge und Sommer, die sich eingestellt hatten, nachdem die Deutschen wie Köter aus dem Land gejagt worden waren.

Eigentlich hatte er selbst weitermachen wollen, als Opa Tallak das nicht mehr gekonnt hatte. Aber als der Großvater nicht mehr da gewesen war, hatte sich sein glücklicher jungenhafter Eifer für alles, was mit dieser etwas überflüssigen Information zu tun hatte, verflüchtigt. Und es war ein bisschen spät, jetzt noch mit der Wetterbuchführung zu beginnen.

Diesen Gedanken dachte er übrigens schon seit Jahren: dass es jetzt zu spät war. Jetzt hatte er ihn abermals gedacht, und nun mischte der Gedanke an die Wetterbuchführung sich mit jenem an die Mutter und die Vorhänge, die Mutter konnte ja nicht wissen, wie das Wetter war, so hinter geschlossenen Vorhängen.

Er spülte das Brot mit Kaffee hinunter, der Kaffee war bitter und ranzig, er schmeckte so, wie kochender Teer riecht. Es war kein Sonntag. Es war kein Sonntag, wenn er in der Küche stand und irgendetwas hinunterschlang und zugleich in der

Ferne die Kirchenglocken hörte. Er spülte die Tasse aus, ging auf steifen Beinen zu dem elektrischen Adventsleuchter auf der Fensterbank und drehte eine mittlere und die oberste Birne nach rechts. Der Leuchter brannte sonst nie, solcher Zierkram konnte Feuer verursachen, es war lächerlich, dass er überhaupt hier stand, aber das geschah wohl vor allem für die Nachbarhöfe, die sollten sich einbilden, dass auf Neshov Adventsstimmung herrschte.

Als er den Leuchter eingeschaltet hatte, gewann der Tag an Zuverlässigkeit. Am Vortag war es ihr doch noch gutgegangen. Sie hatte nur ein wenig über Kopfschmerzen geklagt und über die übliche Gicht in den Knien, mit der sie einfach nicht zur Ärztin gehen wollte. Er trat wieder hinaus auf den Hofplatz, blieb stehen und schaute lange zu den Vorhängen hoch. Die hingen gerade nach unten, bewegten sich nicht, sie waren blau. Die des Vaters waren ebenfalls geschlossen, aber das ging niemanden etwas an. Was dieser Mann so trieb, war einfach uninteressant, aber Tor wollte trotzdem lieber wissen, wo er sich gerade aufhielt, damit er ihm nicht zu oft begegnete. Es war mehr als genug, bei den Mahlzeiten zusammen mit ihm am Tisch sitzen zu müssen. Aber der Mann musste ja etwas essen, wie die Mutter immer sagte. Musste er wirklich? Wenn sie einfach aufhörte, für ihn mitzudecken, würde er vielleicht verschwinden.

Ihr Fenster war ebenfalls geschlossen, das war sonst nie der Fall, sie wollte Luft. Hatte sie es geschlossen, weil sie gefroren hatte? Sie fror sonst auch nicht, sie sagte, Leute aus Trøndelag frören nicht, mit Ausnahme von Hurenbälgern aus dem Flachland im Süden. Sollte er zu ihr hochgehen? Zu ihrem Zimmer, die Tür öffnen? Wäre das möglich? Er musste zuerst nach der Sau sehen. Sara. Es war ihr erster Wurf.

Ein Rettungshubschrauber flog in niedriger Höhe schräg über den Fjord. Sofort war er dankbar für den Lärm, alles war besser als Kirchenglocken. Als er entdeckte, dass der Hubschrauber direkt auf den Hof zuflog, wurde er trotzdem etwas nervös. Vielleicht war das eine Art Omen. Nein, das war Unfug, jetzt musste er sich aber wirklich zusammenreißen. Nur, weil ihre Vorhänge geschlossen waren und die Küche nicht von Kaffeeduft erfüllt war und die Eierbecher nicht standen, wo sie stehen müssten. So durfte er nicht denken. Auch mit ihren achtzig Jahren war sie doch so gesund und tatkräftig wie immer, sicher war sie nur ein bisschen erkältet. Er wandte sich abrupt und entschlossen von den Fenstern ab, rutschte in seiner Wollsocke im Holzschuh aus und stolperte und wäre fast gestürzt. Adrenalin schoss ihm heiß in den Magen.

»Verdammt«, sagte er und hörte seine eigene Stimme, belegt und keuchend.

Der Hubschrauber kam immer näher, und sein pochender Lärm wurde zu einem Gebrüll, er flog tief über Haus und Scheune in Richtung St.-Olavs-Krankenhaus auf der anderen Seite des Gebirges. Es war zu viel Geräusch, zu plötzlich. Der Rumpf des Hubschraubers hing wie eine leuchtende Kugel unter dem schwirrenden Teller aus rotierenden Flügeln. Irgendwelche Kranken lagen hinter diesem Metall, mitten in all dem Geräusch, vermutlich war drinnen Weinen und Jammern zu hören, und es gab Plastikschläuche und Sauerstoffmasken und hektische Handbewegungen, genau wie im Fernsehen. Er sah es deutlich vor sich, während er sorgfältig die Tür hinter sich schloss und den vertrauten, scharfen Geruch des Schweinestalls in sich einsog. Jetzt galt es nur, alles, was hinter dieser Tür lag, zu vergessen, er beschloss, es zu vergessen, auch wenn er es sonst ganz automatisch vergaß, ohne sich Mühe geben zu müssen. Er nickte einige Male vor sich hin, sie war einfach nur erkältet, natürlich musste sie im Bett liegen, bis sie sich erholt hatte, mehr brauchte er darüber nicht nachzudenken, heute verlangten andere Gedanken seine Aufmerksamkeit.

Er ging in die Waschküche, streifte die Holzschuhe ab und

stieg in seinen Overall, dann schob er die Füße in die Gummistiefel. Seine Gedanken glitten ziellos hin und her, blieben jetzt aber vor der Innenseite der Tür, hielten sich hier drinnen, wo Gerüche und Geräusche nur ihm und niemandem sonst gehörten. Hier, wo sich das Allerwichtigste abspielte, wo es nur ihn und die Tiere gab, die dafür sorgten, dass die Zeit und die Tage immer weiter dahinrollten. Er hatte gerade erst in der Zeitung *Nationen* gelesen, dass ein Bauer in Hardanger keinen Schweinestall bauen durfte, weil die Nachbarn den Geruch nicht ertragen konnten. Der eine Nachbar war Obstbauer und hatte Angst, der Geruch könne an den Früchten haften bleiben. Und Angst, der andere könne mit Schweinemist düngen und die Apfelidylle ruinieren.

Er konnte den Apfelbauern verstehen. Apfelduft war etwas ganz anderes als der Gestank von Schweinemist. Obwohl er sich jeden Tag beim Aufwachen auf den warmen Geruch im Schweinestall freute. Er mochte wohl Gerüche, überlegte er, und er wusste, dass Gerüche immer mehr bedeuteten, als nur die Nase zu füllen und den Geschmack im Mund zu prägen. Er freute sich darauf, sich in den Geruch des Schweinestalls einzuschließen, dort zu sein und wichtig zu sein, der Einzige zu sein für diese Tiere, vor denen er solchen Respekt hatte.

Er hatte seine Milchkühe nicht vergessen. Aber es war trotzdem unglaublich, wie rasch er vom Milchbauern zum Schweinezüchter geworden war, als sie vor fünf Jahren beschlossen hatten, die Milchquote von Neshov zu verkaufen. Die Mutter hatte in *Nationen* und in der Zeitung des Bauernverbandes über Schweinezucht gelesen, und bald hatte sie alles zu diesem Thema verschlungen, was sie überhaupt nur hatte finden können, und ihn nach und nach davon überzeugt, dass Schweine weniger Arbeit machten. Sie hatte ihn daran erinnert, dass er allein im Stall war, sie konnte ihm nicht mehr helfen, und Schweine waren besser für einen alleinstehenden Bauern als Milchkühe. Außerdem war er ziemlich wütend und frustriert über sein Dasein als Milchbauer gewesen, da die Meiereifirma Tine mit dem Leben der Leute schaltete und waltete, wie sie wollte, und bis auf den Liter genau vorschrieb, wie viel Milch jede Kuh zu geben hatte. Auch in dieser Hinsicht waren er und die Mutter einer Meinung. Es tat weh und war sinnlos, finanziell bestraft zu werden, weil die Kühe mehr Milch gaben als erwartet, als wäre die gute Milch etwas, das sie aus purer Bosheit aus sich herausströmen ließen.

Inzwischen war er ziemlich beeindruckt von sich selber, davon, wie elegant er den Übergang geschafft hatte, dass er jetzt zum Schweinebengel geworden war, wie es in dem alten Lied von Prøysen hieß, das ihn schon getröstet hatte, ehe er überhaupt in die Schweinezucht eingestiegen war. Und für das Geld, das sie für die Milchquote bekommen hatten, war der Stall umgebaut und Zuchttiere und gebrauchte Geräte angeschafft worden. Aber wieso fehlten ihm dann die Milchkühe? Sie fehlten ihm durchaus, aber nicht so sehr, dass er sich seinen alten Alltag zurückgewünscht hätte. Es fehlte ihm zum Beispiel nicht, sich jeden Morgen und jeden Abend mit Grobfutter abmühen zu müssen. In den Silo zu klettern und den Greifer zu lenken, den Hammer zu heben und die Silokrallen in die dichtgepackte Masse aus gegorenem Heu zu wuchten, alles hochzuhieven, wieder aus dem Silo zu klettern und die Hebevorrichtung über die Schienen zu dem Loch im Heuboden zu manövrieren, wo zwei Etagen tiefer der Futterverteiler wartete. Morgens und abends, sommers wie winters, selbst, wenn er im Sommer die Morgenfütterung überspringen konnte, denn dann waren die Kühe ja auf der Weide und brauchten nur vor dem Melken ein wenig Kraftfutter.

Schneidende Kälte oder schweißtreibende Hitze. Stockfinstere Nacht oder Sonne, die in Streifen durch die kleinen Fenster fiel. Morgens und abends, jeden einzelnen Tag, werktags und sonntags, Nationalfeiertag und Heiliger Abend, die Kühe standen da und standen da, egal, was passierte auf der Welt, die sich drehte und drehte, sie standen da, egal, ob der Mensch, dem sie preisgegeben waren, überhaupt zu ihnen kommen wollte, was er aber immer musste. Sie standen da und warteten. Die Kühe hatten mit unerschütterlichem Vertrauen darauf gewartet, dass durch ein Loch in der Decke die Ladung Grobfutter fiel und im Futterverteiler landete, wo die, die am nächsten standen, den Hals reckten und ein Maulvoll an sich rissen. Danach musste er unter den Schienen den Boden kehren. Sich daraufhin in den Stall nach unten begeben und das Heu verteilen und zwischen den gierigen Mäulern, die sich nach der Mahlzeit ausstreckten, hin und her laufen. Sicher war der Futterverteiler ein arbeitssparendes Gerät, das er schon zu Anfang gehabt hatte, als junger Bauer; er hatte sich darüber gefreut, nachdem er jahrelang die Schubkarre hin und her gefahren hatte, aber diese Anstrengung, das Grobfutter aus dem Silo zu holen… anfangs, nachdem die Milchkühe geschlachtet worden waren, in einem einzigen großen und schmerzhaften Transport zum Schlachthof Eidsmo, war das Fehlen dieser Mühe etwas gewesen, woran er sich festgehalten hatte, als Trost. Schweine brauchten nur Kraftfutter und Stroh, um darin herumzuwühlen, und jeden Morgen und Abend einige Handvoll rotbraunen Torfmull. Die Silos waren jetzt leer. Er hätte sie gern an einen der Nachbarhöfe vermietet, um andere die Kapazitäten nutzen zu lassen und selbst einige Kronen zu verdienen, aber die Mutter wollte sich diese Scherereien ersparen.

Was ihm auch nicht fehlte, war das Melken. Nicht so sehr das Melken an sich, der Anblick, wie die frische Milch aus jeder einzelnen Kuh durch die Plastikrohre an der Decke spritzte, aber die ganze Arbeit, die Wäsche und Sauberhalten verursachten. Ein verdammter Nervkram. Und die Firma Tine Meierier saß einfach da und zählte per Hand die Bakterien, jedenfalls hatte er sich das bisweilen so vorgestellt. *Sieh an, der Bauer auf Neshov hat heute Abend beim Auswaschen geschlampt. Sieh an, der Bauer auf Neshov hat eine Kuh mit Euterentzündung und bildet sich ein, er könne uns ihre Milch unterjubeln, ehe sie die Penizillinkur hinter sich hat…*

Er konnte ja verstehen, dass die Leute saubere Milch wollten, das erwartete er selbst, wenn er einen Karton öffnete.
Aber diese ganze verdammte Anstrengung. Er mochte keine
Euter waschen, das hatte er noch nie gemocht. Das steckte
ihm in den Knochen, es war Frauenzimmerarbeit, auch wenn
er schon Euter gewaschen hatte, weil er als kleiner Junge seiner Mutter hatte helfen müssen, und damals hatte er erfahren,
dass so eine kleine fünfte Zitze, wie manche Kühe sie hatten
und die keine Milch gab, Marienzitze hieß. Die Mutter wusste
nicht, warum, sie konnte ihm keine Erklärung liefern. Ein
Mädchen in seiner Klasse hieß Mari, und oft sah er sie heimlich an, als ob sie es ihm sagen könnte, wenn er sie nur fragte.

Aber es gab vieles an den Kühen, was er vermisste. Nicht
zuletzt, zu ihnen in den Stall zu kommen wie jetzt zu den
Schweinen. Zu den Gerüchen und Geräuschen der Kühe. Zu
den polternden Kehllauten der Bullenkälber, dem ungeduldig
schrillen Muhen, den warmen Kälbermündern, die sich an
seinen Fingern festsaugten, vertrauensvoll und gierig. Und zu
den Augen der ältesten Milchkühe, es gefiel ihm, wie sie ihn
empfingen, weit offen und blankbraun unter den Stirnhaaren,
darunter die Wangen waren warm und rau, immer drehte er
nach dem Melken eine Runde und begrüßte alle, ehe er mit
der Arbeit in der Waschküche begann. Er hatte das Gefühl,
dass er ihnen etwas zurückgeben sollte, wo er so viel von ihnen bekam. Sie standen da und wussten von keinem anderen
Dasein, sie standen da und gaben auf irgendeine Weise von
ihrem stupiden Überschuss, auch wenn er sie nicht für dumm
hielt. Ab und zu kam es vor, dass einzelne Kühe auf der Som-
merweide zu den Kälbern wollten, um ihr eigenes zu suchen.
Die Kühe waren angesichts des Elektrozauns außer sich vor
Angst, aber trotzdem nahmen sie Anlauf und stürzten los,
drängten sich durch den Zaun, dass Pfosten und Leitungen zu
Boden gingen. Es beeindruckte ihn, dass die Kühe ihre eigene
Angst so sehr überwinden konnten, dass die Mutterinstinkte
so stark wurden, dass sie bereit waren, durch Feuer und Was-

ser zu gehen. Hätte seine eigene Mutter, als er noch klein war, das auch getan, wenn jemand versucht hätte, ihn ihr wegzunehmen? Doch, das hätte sie sicher, nur war es niemals nötig gewesen. Und jetzt hatte sie ihn, die ganze Zeit... Viele würden wohl behaupten, Instinkte seien keine Gefühle, aber dennoch. Es berührte ihn auf seltsame Weise, auch wenn es ihm einen Haufen Arbeit bescherte, die Kuh zurückzuholen und den Zaun zu reparieren. Eine solche zielstrebige Furchtlosigkeit musste ihm wider Willen imponieren, und deshalb brachte er es nicht über sich, Kühe für wirklich dumme Tiere zu halten.

Es gab übrigens noch etwas, das ihm fehlte, nämlich, sie im Sommer auf der Weide zu sehen. Die großen, ebenmäßigen Leiber, die auf eine so seltsame Weise in sich ruhten. Die kleinen langbeinigen Kälber mit ihrem zerzausten Fell, die quadratischen und glänzenden Färsen, die Mäuler und Zungen, die sich am Boden entlangarbeiteten, die Hinterteile, die im ewigen Versuch, die Fliegen zu vertreiben, den Schwanz hin und her schlugen, die langsame Wanderung zu grüneren und längeren Grashalmen.

Jetzt kam er nie mehr in einen Kuhstall. Er besuchte die Nachbarhöfe nicht, kannte dort niemanden gut genug, um einfach auf einen Schwatz vorbeizuschauen. Er wäre gerne an Futtertrögen mit Kuhköpfen zu beiden Seiten entlanggegangen, hätte ihnen ein wenig Silage hingeschoben, hätte zugesehen, wie sie fraßen und von einem Bein auf das andere traten, hätte gesehen, wie sie mit großem Wohlbehagen tranken und die Zunge von einem Mundwinkel in den anderen schleuderten, hätte einfach nur die Nähe eines anderen Geschöpfs wahrgenommen. Er hätte sie berührt und mit ihnen gesprochen. Das hätte er.

Aber die ganze Arbeit mit ihnen wollte er sich nicht mehr machen.

Schweine waren etwas anderes als Kühe. Schweine waren

auf eine ganz andere Weise klug als Kühe, das musste er einfach zugeben. Manche Schweine waren klüger als andere. Aber keins war dumm. Ganz einfach keins. Er hatte diese Tiere, die in jeder Hinsicht so anders waren als Kühe, liebgewonnen. Und er sah keinen Widerspruch darin, sie zu lieben und sie dennoch zu schlachten. Früher hatte jeder Hof ein Schwein gehabt, das zu Weihnachten geschlachtet wurde. Und die Mutter hatte erzählt, dass manche Nachbarn Schweine getauscht hatten, weil sie nur eines hatten und dieses eine immer so unendlich liebten. Um also dieses Schwein nicht essen zu müssen, wetteiferten sie darum, wer das fetteste Schwein heranzüchtete, damit die Nachbarn nicht behaupten konnten, es mangele auf dem Hof, von dem man das Schwein hatte, an Futter. In den letzten Wochen, ehe der Schlachter kam, wurden die Schweine mit Haferbrötchen und anderen Leckerbissen vollgestopft.

Das war damals gewesen, als Schweine noch fett sein sollten. Jetzt wollten die Leute beim Einkaufen rotes Fleisch sehen und verlangten Schweine, die pure Bodybuilder waren. Der Fleischanteil wurde im Schlachthof sorgfältig gemessen. Und wenn er zu gering war, fiel der Preis wie das Wasser von Gaulosen bei Ebbe.

Er ging in den Stall und weiter zu Saras Wurfkoben. Für einen kurzen Moment blieb er dort stehen, mit hängenden Armen und einem Gefühl im Hals, das er vage als Heranschwellen eines Weinens erkannte. Stroh und Wurfkoben waren mit Blut verschmiert. Drei lebende Junge lagen auf Saras Rücken und versuchten, an ihre Zitzen zu gelangen, vier tote Junge lagen vor ihr, drei mit aufgerissenem Bauch, das vierte mit zerfetztem Nacken. Rote Innereien quollen heraus. Ein neues Junges glitt aus ihr hervor.

Er rannte den Weg zurück, den er gekommen war, schaltete das Deckenlicht ein und schnappte sich einen Spaten. Die Sau war jetzt lebensgefährlich. Die Angst verwandelte sie in ein Raubtier, ein blitzschnelles Raubtier, das keinerlei Hilfe annehmen würde, es war unmöglich, sich in den Wurfkoben zu wagen, egal, wie gut sie ihn kannte. Im Halbdunkel konnte er mit Hilfe des Spatens die lebenden Ferkel zu sich holen und in den Wurfkasten tragen, das musste blitzschnell geschehen, zugleich aber vorsichtig, um sie nicht zu verletzen. Er wiederholte das Manöver mit dem neuen Ferkel und drehte die Wärmelampe über dem zappelnden kleinen Haufen aus Neugeborenen an. Und jetzt, da die Deckenbeleuchtung brannte, gab es für die Sau weniger Grund, sich zu fürchten, weniger Bewegungen, weniger Bedrohungen.

Er konnte die toten Jungen zu sich heranholen und in den Futtergang werfen. Die Sau wand sich, grunzte.

»Aber, aber, das hast du gut gemacht, Sara. Ganz ruhig jetzt. Aber, aber ... das machst du so gut!«

Noch ein Junges glitt heraus, die dünnen Beine wanden sich aus der Fruchtblase, das Ferkel riss das Maul auf und schloss es wieder, kniff im roten Licht der Wärmelampe die Augen zusammen. Er packte es und legte es zu den anderen. Er wartete eine Weile, aber jetzt war Sara fertig. Fünf lebende Ferkel. Aber es hätten neun sein können, was für einen ersten Wurf gut gewesen wäre. Es hätten neun sein können, wenn er etwas früher gekommen wäre, statt wie ein Trottel Vorhänge anzustarren. Und wenn der Hubschrauber nicht fast die Hausdächer gestreift hätte.

Sara atmete schwer, und in ihren blauen, kugelrunden Augen leuchtete etwas, das alle als Verzweiflung bezeichnen würden, wenn diese Augen die Augen eines Menschen wären. Er nannte es trotzdem Verzweiflung. Und vielleicht Ohnmacht. Als hätte etwas anderes und Fremdes in ihr Wohnung genommen, und als könnte sie das selbst nicht verstehen. Es war doch ihr erster Wurf. Sie war immer schon ein wenig nervös gewesen, er hätte seinem ersten Impuls folgen und sie nicht zur Zucht einsetzen sollen. Aber sie war ansonsten ein so wunderbares Tier und hatte einen so guten Stammbaum. In sicherer Entfernung von dem riesigen Kopf beugte er sich über den Rand des Kobens und rieb hart ihre Zitzen, immer hin und her, wie so oft in den vergangenen Tagen, um die Milchproduktion in Gang zu bringen, um Körper und Instinkte daran zu erinnern, was jetzt ihre Aufgabe war. Er ließ ihren Kopf nicht aus den Augen und lauschte auf alle Geräusche, alle seine Sinne waren wachsam, während er ihre Zitzen rieb. Nach einer Weile richtete er sich auf und schaute die Sau im Nachbarkoben an, die sich gerade ausruhte. Er begegnete im Halbdunkel ihrem Blick, ihre Augen funkelten. Sie hieß Siri, und er flüsterte ihren Namen.

»Siri … ach, Siri. Aber bleib du nur liegen. Das kommt alles in Ordnung.«

Siri war die klügste der neun Zuchtsauen, die er derzeit hatte. Sie trug ihren dritten Wurf. Er hatte ihr allerlei beigebracht, mit Hilfe von Leckerbissen und freundlichen Worten. Sie hob den Rüssel zu ihm auf und witterte.

»Ja. Vier tote Junge. Das wäre dir nicht passiert, Siri. Und wenn der Hubschrauber hier auf dem Dach gelandet wäre. Du bist tüchtig. Fein und tüchtig. Das bist du. Fein und tüchtig. Und jetzt bringe ich sie raus. So was soll hier ja nicht einfach rumliegen.«

Er holte einen leeren Ferkelfuttersack und steckte die kleinen Kadaver hinein. Perfekte kleine Ferkel, silbrig rosa und sauber, mit winzigen feuchtblanken Rüsseln. Verdammt, er hätte sich vielleicht doch an die Milchkühe halten sollen, statt Schweinezüchter zu werden. Lieber Euter waschen und sich früh und spät mit den Silogeräten abmühen, als so etwas zu erleben. Etwas so verdammt Scheußliches.

Die schlaffen und blutigen Ferkel wogen fast nichts in seinen Händen.

Er richtete sich auf und schaute zu Sara hinab. Sie saß mitten in dem leeren Koben, mit hängendem Kopf und zitternden Ohren, mit Blut an Maul und Hals. Was für eine Vorstellung, dermaßen von liebevoller Angst vor den Gefahren für ihre

Jungen erfüllt zu sein, dass sie das lieber gleich selber erledigte.

»Du hast Angst bekommen. Das habe ich auch. Man könnte fast glauben, es sei Krieg, so, wie diese Hubschrauber hier herumlärmen!«

Er lief mit den Kadavern hinaus, holte den Besen, beugte sich in den Koben und konnte das blutige Stroh einigermaßen entfernen. Danach holte er frisches Stroh und einen Eimer Sägemehl und verstreute alles im Koben. Das Sägemehl würde Feuchtigkeit und Geruch binden. Er schob die Hand in den aus einer alten Sprengstoffkiste selbstgezimmerten Brutkasten. Ja, es war warm genug, auch wenn die Wärme nur von oben kam. Fußbodenheizung konnte er sich nicht leisten. Der Umbau des Stalls hatte vor allem darin bestanden, die Boxen einzureißen und Koben zu bauen.

Die frischgeborenen Ferkel schmiegten sich aneinander, suchten mit jammernden kleinen Kehllauten nach den Zitzen der Sau. Er musste ihnen Futter besorgen. Und er musste die Sau dazubringen. Aber er konnte nicht den Tierarzt anrufen, niemand durfte jetzt herkommen, da nichts auf der anderen Seite der Stalltür seine Richtigkeit hatte und er den Tierarzt nicht einmal auf eine Tasse Kaffee ins Haus bitten konnte. Er trug den Futtersack in die Waschküche und ließ ihn in eine Ecke fallen. Im Koben war es feucht gewesen, und jetzt sickerte die Feuchtigkeit durch das graue Packpapier unten im Sack. Er spülte die Stiefel unter kaltem Wasser ab, zog die Füße heraus und stieg in seine Holzschuhe, nahm sich aber nicht die Zeit, seinen Overall auszuziehen. Wenn sie unten war und merkte, dass er in Stallkleidung das Haus betrat, musste er eben den Mund halten oder sagen, ein Ferkel habe sich ein wenig aufgeschrammt und er müsse Desinfektionsmittel holen.

Im Süden wurde der Himmel ein wenig heller. Die Vorhänge waren noch immer geschlossen. Er ging ins Haus und hörte den Vater oben auf dem Gang husten, seine Schritte waren auf dem Weg die Treppe herunter. Das Husten klang wie üblich gehetzt und unsicher, er schien zu husten, um sein Kommen anzukündigen.

Tor ging in die Küche, die war leer, aber jetzt war er darauf vorbereitet. Er ging zum untersten Regal des Speiseschranks, denn er glaubte, dass dort eine alte Flasche stand, er tastete hinter Thermoskannen und Blumenvasen herum und schloss die Finger um allerlei Flaschen, hob sie hoch, um festzustellen, ob sie gefüllt waren. Die Mutter warf niemals leere Flaschen weg, sie konnte sie ja irgendwann beim Saftkochen verwenden. Sie entsorgte überhaupt keinerlei Verpackungsmaterial, das noch benutzt werden konnte, in den Schränken wimmelte es nur so von Sahnebechern und Plastikdosen und gespülten Konservenbüchsen, von denen das Papier entfernt worden war, sie umwickelte sie mit Alufolie und Wollfäden und zog darin Ableger ihrer Topfblumen.

Da war etwas. Er zog eine kleine Sherryflasche hervor, die noch einen üppigen Rest enthielt. Der Korken steckte fest, und Streifen von gelbem Zuckerzeug klebten am Flaschenmund. Er musste daran riechen, sich davon überzeugen, dass sie wirklich Sherry enthielt, einmal hatte er im Schrank eine mit Motoröl gefüllte Likörflasche gefunden. Er hielt die Flaschenöffnung einen Moment lang unter heißes Wasser und drehte noch einmal am Korken, diesmal ging es, und er roch den Sherry, ein starker, würziger Schwall kam ihm entgegen und warf ihn fast um. Er schloss für einen kurzen Moment die Augen, spürte den Sherrygeschmack an seinem Gaumen. Ihm lief das Wasser im Mund zusammen, dann wurde hinter ihm die Tür geöffnet. Er schob den Korken wieder in die Flasche, drehte sich zur Tür und ging darauf zu. Sogar durch seinen Stallgeruch hindurch nahm er den Gestank seines Vaters wahr: ungewaschener Körper, fettige Haare, süßlicher Gebissatem. Er gab sich nicht die Mühe, die Flasche hinter seinem Rücken zu verbergen.

»Deine Mutter«, sagte der Vater und trat zur Seite.

»Ja?«

Tor blieb einen Moment stehen, ohne den Mann anzusehen.

»Sie liegt«, sagte der Vater.

»Hast du ... sie gehört?«

»Ja. Hab sie ein bisschen husten hören.«

Sara saß noch immer auf ihrem Hinterteil, Blut und Nachgeburt waren herausgerutscht und klebten an ihren Hinterbacken. Stroh setzte sich daran fest. Ihre Ohren hingen schlaff herunter, ihr Blick war unverändert, blau und hilflos. Sie wirkte müde und verwirrt. Er empfand plötzlich tiefes Mitleid mit ihr, mit ihrer Hilflosigkeit, ihrer Niederlage.

»Deine Jungen brauchen Futter, du musst dich jetzt beruhigen und dich hinlegen«, flüsterte er.

Er holte eine Kelle voll Kraftfutter, goss Sherry hinein, rührte alles mit den Fingern um und hielt es Sara hin. Die schnupperte, ehe sie zu fressen anfing, zuerst langsam, dann immer schneller.

»Das schmeckt. Das schmeckt, was, stell ich mir vor. Ganz ruhig jetzt, du musst dich beruhigen, dann geht es vorbei, es sind feine Junge, verstehst du, feine Junge, sei jetzt ganz ruhig. Aber mehr Junge wirst du wohl nicht kriegen, nein, mehr wohl nicht ...«

Er lief weiter zu den Ferkeln, während ihre Augen schwerer wurden und sie tief und zitternd Atem holte. In seiner Brusttasche steckte die kleine Kneifzange.

Er hob das erste Ferkel hoch, hielt es zwischen seinen Knien fest und öffnete sein Maul, ehe er rasch die acht schwarzen Zähne entfernte. Sie waren nadelspitz, nie im Leben würde Sara solche Folterinstrumente an ihren Zitzen dulden, nicht einmal, wenn er ihr eine ganze Flasche Sherry einflößte. Er legte das Ferkel wieder hin, hob das nächste aus dem Kasten und wiederholte das Manöver. Es war zum Glück nur ein

Eber dabei, da konnte er einige Kronen für das Kastrieren sparen.

Er streckte den Arm aus und rieb wieder ihre Zitzen, langsam legte sie sich hin, drehte sich ein wenig auf die Seite, verwirrt und benommen, aber jetzt endlich, als der Sherry einen Schleier über ihre Angst breitete, meldeten sich ihre Instinkte.

Er brachte die Jungen zu ihr. Sara blieb liegen und starrte vor sich hin, ohne den Kopf zu heben. Es gab Zitzen genug, sie hatte neun übrig. Die Ferkel stupsten sich gegenseitig an, es kam an den ersten Tagen immer zu allerhand Schubsereien, bis die Rangordnung festlag und jedes seine eigene Zitze hatte, die kein anderes berühren durfte.

Alle lagen richtig, das sah er, die Milch strömte, und zehn Sekunden lang saugte jedes Junge aus Leibeskräften, wie es sich gehörte, danach versiegte die Milch. Er stieß Luft aus, obwohl er gar nicht gewusst hatte, dass sich Luft in seiner Kehle angestaut hatte. Er brachte die Ferkel wieder in den Brutkasten, ehe sie anfingen, um ihren Kopf herumzutappen. Er würde beim nächsten Mal eben sehen müssen, was passierte und ob die Instinkte endlich richtig wach wurden. Jetzt, da sie so klein waren, brauchten die Jungen einmal pro Stunde Futter, es würde eine Höllenarbeit werden, wenn er jedes Mal zu solchen Tricks greifen musste, und er wusste nicht einmal, ob sie im Küchenschrank noch mehr Sherry hatten. Er konnte nur hoffen, dass dem Rettungshubschrauber ruhige Tage bevorstanden, jedenfalls, was die Route betraf, die über Neshov führte. Wenn die Sau nur die nächsten Stunden überstand, ohne wieder aggressiv zu werden, würden die Jungen überleben. Der Stichtag für Schweine war der erste Januar, aber es war nicht daran zu denken, eine Sau so kurz nach dem Werfen zur Notschlachtung zu schicken.

Es war ein Segen zuzusehen, wie die Jungen unter dem warmen roten Licht zur Ruhe kamen. Er stieg hinüber in den Fut-

tergang, hob die leere Flasche auf, berührte mit der Zungenspitze den Korken, den er in der Brusttasche gehabt hatte.
Der Stall war jetzt ruhig, Geräusche und Gerüche und Bewegungen fügten sich einträchtig zu einer wohlvertrauten Stille,
in die er sich sinken ließ, für einige billige Sekunden voller
Sherrygeschmack.

Er ging zu Siri hinüber. Sie lag, grunzte aber auf ihre leicht
gurgelnde Weise, als er vor ihr in die Hocke ging. Er kraulte
ihre starren Stoppeln, es war seltsam gewesen, sich an diese
Tiere zu gewöhnen. Die weichen Kühe, und jetzt diese nackte
Haut mit den spärlichen weißen Stoppeln.

»Hab heute nichts Leckeres für dich. Hatte andere Sorgen.«

Sie stupste seinen Overall mit der Schnauze an. Aber er
hatte noch immer die Flasche in der Hand, zog den Korken
heraus und ließ sie daran riechen.

»Sherry. So was brauchst du nicht.«

Ihre flache feuchte Schnauze war so groß wie eine Untertasse. Sie verdrehte sie und schnupperte, dann wollte sie plötzlich den Korken fressen.

Er musste doch ein wenig lächeln und zog ihn zurück.
»Nein. Der gehört nicht in deinen Magen. Lieber kriegst du
nächstes Mal was Leckeres von mir. Jetzt muss ich wieder ins
Haus. Hilft alles nichts. Ich muss wissen, was da los ist.«

Ihr Körper war ein riesiger Berg, der vor ihm aufragte, der
sich immer steiler auftürmte. Wenn er nur hier sitzen bleiben
könnte. Er legte den Arm über ihren Leib. Unter dem Bauch-
fell war Leben zu spüren. In zwei Tagen war sie an der Reihe.
Sie hatte schon angefangen, Stroh zu einem Nest zusammen-
zuschieben. Wenn die Schweine in ihren Koben herumlaufen
und machen konnten, was sie wollten, erwachten ihre Instinkte zum Leben. Mit dem zusätzlichen Stroh, das er ihnen
vor dem Werfen immer gab, arbeiteten sie eifrig an ihrem
Nest. Das faszinierte und beeindruckte ihn. Und das Nest war

an der Stelle am höchsten, wo ihr Hinterteil zu liegen kam. Der Grund war vermutlich, dass auf diese Weise alles besser abfloss. Alles drehte sich doch ums Überleben und darum, dem Nachwuchs das Überleben zu sichern. Bei ihrem zweiten Wurf hatte sie fünfzehn Junge gehabt, und alle hatten überlebt. Sie war wirklich ein tüchtiges Mädchen. Er schob ihre Schnauze von seinen Taschen fort und fischte bei dieser Gelegenheit einige Strohhalme aus ihren Nasenlöchern. Sie machte keinen besonders nervösen Eindruck, also würde sie heute wohl noch nicht werfen, glaubte er. Außerdem entleerten sie, ehe es so weit war, aufs Heftigste ihre Blase, das hatte sie auch noch nicht getan. Der Koben wurde dabei so nass, dass er in aller Eile putzen und trockenes Stroh holen musste, ehe die Jungen kamen. Die Arbeit eines Schweinezüchters ließ sich eben nicht zwischen Morgen- und Abendnachrichten abwickeln. Er lieferte pro Jahr zweihundert Schlachtschweine und musste alle Arbeit hier im Stall allein erledigen, außerdem musste er rund um die Uhr an seine Tiere denken. Sie mussten es gut haben, besser als gut, nur mit tiefem Abscheu las er in der Zeitung über Bauern, die die Stallarbeit vernachlässigten. Es war ihm absolut schnurz, ob sie Nervenprobleme oder anderen Unfug als Entschuldigung anführten, er hasste den Ausdruck *persönliche Tragödie*, sie sollten machen, dass sie zu ihren Tieren kamen, dann konnten sie ihren Nervenzusammenbruch zwischen Mitternacht und sieben Uhr morgens hinter sich bringen.

Aber er musste sich jetzt zusammenreißen und seine Tiere vorübergehend vergessen, das musste er eben. Er lehnte den Hinterkopf an das Stahlrohr und schloss die Augen, horchte auf ihren Atem. Er hatte Hunger, ihm war schlecht, er hätte so gern ein gekochtes Ei gegessen, dem Ei den Kopf abgeschlagen und sich im Radio auf voller Lautstärke den Gottesdienst angehört, wie sie das immer machten, um den Mangel an Gesprächen zu übertönen, wenn der Vater bei ihnen saß und sich mit dem Toilettenpapier die Bartstoppeln abwischte.

96

Alles wäre besser als diese Vorhänge. Wann war er zuletzt in diesem Zimmer gewesen? Sicher damals, als sie noch die Milchkühe gehabt hatten und eine Lampe auf ihrem Zimmer einen Kurzschluss verursacht hatte und ein Elektriker sich die Leitungen hatte ansehen müssen. Das große Ausziehbett, ihr Oberbett mit der dunklen Tagesdecke, das Kopfkissen, das darunter hervorlugte, zerknittert, da so viele Nächte ein Kopf darauf gelegen hatte, der kleine Nachttisch mit dem Häkeldeckchen, einem leeren Brillenetui und einem Glas, in dem vermutlich ihr Gebiss gelegen hatte, die Kommode mit der Zierdecke und dem Kerzenleuchter, darüber der Spiegel. Der Elektriker hatte mit Werkzeug und einer Art Messgerät geklirrt, und er selbst hatte dort gestanden und leeres Gerede von sich gegeben und alle Einzelheiten dieses Zimmers, das er nie betrat, in sich aufgenommen. Er war als kleiner Junge zuletzt hier gewesen. Der Kleiderschrank mit einem winzigkleinen Messingschlüssel. Gefüllt mit Kleidern und Kittelschürzen, von denen er jede Farbe kannte, jedes Muster. Aber die Kommodenschubladen, was mochten die enthalten? Unterwäsche vermutlich, er hatte schließlich ihre Unterhosen auf der Wäscheleine gesehen, geräumig und weiß waren die. Er hatte auch gesehen, wie sie abends in der Küche neues Gummi einzog, hatte sie darüber klagen hören, dass die Hosengummis heutzutage so schnell ausleierten, nach nur zweimaliger Wäsche. Sie befestigte immer eine Sicherheitsnadel am Gummi, dann schob sie die Nadel durch den Saum am Hosenbund.

Ein Flickenteppich auf dem Boden, doch, auch mit dem rechnete er. Er glaubte, dass der rot und grau war und Streifen hatte. Er würde sich von nichts überraschen lassen, wenn er nach oben müsste. War sie denn jemals krank gewesen? Er öffnete die Augen und überlegte. Siri stupste und stupste.

»Hab nichts. Sei jetzt ruhig.«

Nein. Erkältet, das schon, aber doch nicht krank. Er hatte in der Zeitung gelesen, dass Mütter mit vielen Kindern viel seltener krank wurden als alleinstehende Frauen. Wenn man musste, dann musste man eben. Und obwohl seine Mutter ja keine kleinen Kinder mehr hatte, war ihre Einstellung zu Pflicht und Arbeit unverändert. Man musste sich zusammen- reißen, durfte sich nicht verzärteln. Die Mutter verzärtelte sich nie. Sie war, die Nase in ein Taschentuch vergraben, hin und her gelaufen und hatte ihre Pflicht getan, hatte Lungen- haschee gebraten und Kartoffeln gekocht, hatte Fisch aus- genommen, Marmelade gemacht, Handtücher gebügelt, die Böden geputzt, den Tisch abgewischt, den Kaffeekessel aus- gespült, hatte sich durch das Haus bewegt, auch wenn Augen und Nase trieften. Sie hatte sich nie ins Bett gelegt. Einmal hatte sie eine Magengrippe gehabt, aber da hatte sie sich im Badezimmer aufgehalten und sich ebenfalls nicht ins Bett ge- legt. Er und der Vater hatten einige Tage lang das alte Plumps- klo benutzen und sich in der Küche waschen müssen. Das Einzige, was ihm einfiel, war damals, als Opa Tallak gestor- ben war, da hatte sie sich zwei Tage lang in ihrem Schlafzim- mer eingeschlossen, aber das war zwanzig Jahre her.

Er richtete sich auf. Siri ließ ihn nicht aus den Augen. Er beugte sich zu ihr und nahm ihr Ohr zwischen die Finger. Im Nachbarkoben schnarchte Sara. Die neugeborenen Jun- gen mussten bald gefüttert werden, er musste ins Haus, nach oben.

Der Vater saß am Küchentisch. Er schaute aus dem Fenster, als Tor hereinkam. Vor ihm stand eine Kaffeetasse, aber nichts zu essen. Er konnte sich nicht einmal wie jeder andere Mensch eine Scheibe Brot abschneiden, er würde vor dem Brotkasten verhungern, wenn niemand ihm etwas vorsetzte. Feuer hatte er auch nicht gemacht, er saß nur hier und glotzte und war- tete. Tor ging vor dem Holzofen in die Hocke und öffnete die Tür. Drinnen lag alles bereit. Die Mutter hatte das Holz schon am Vorabend aufgeschichtet, zusammen mit Reisig und Bir- kenrinde, darauf eine leere Klorolle und zusammengedrehtes

Zeitungspapier. Zwei große Holzscheite überkreuz hoch oben. Der Anblick des sorgfältig geplanten Haufens aus Holz und Papier erregte in ihm einen heftigen Zorn, aber er konnte sich nicht aufrichten, er wandte nicht einmal das Gesicht ab, sagte auch nichts, sondern ließ sich einfach in die vertraute Vorstellung sinken, die Hände um den dreckigen alten Hals zu legen und zuzudrücken. Er würde es bestimmt über sich bringen, diese Haut zu berühren, wenn danach die Befreiung auf ihn wartete. Oder er könnte nachts ein Kissen nehmen. Dann würde er ihn nicht einmal anfassen müssen. Er sah sich, wie er oben beim Kopfende stehen würde, fast an die Wand gepresst, damit die fuchtelnden Arme und Hände des Vaters ihn nicht erreichen konnten. Er hielt ein Streichholz an das Reisig, schloss die Ofentür und öffnete die Lüftungsklappe. Dann goss er sich Kaffee in eine saubere Tasse. Im Kaffee war zu viel Satz, der Kessel war fast leer und dampfte nicht mehr, aber daran ließ sich nichts ändern, er brauchte eine Tasse, an der er sich festhalten konnte.

Das Zimmer roch ein wenig nach Körper und Atem, es waren vertraute Gerüche. Es war eiskalt hier drinnen.

»Ich mach dir die Vorhänge auf«, sagte er und stellte die Kaffeetasse auf die Kommode. »Und ich habe dir Kaffee mitgebracht.«

Das Licht, das von draußen kam, war trübe und unbrauchbar, es drang wie alter Brei in das Zimmer und versickerte.

»Mutter...«, er ging näher an das Bett heran. »Möchtest du Kaffee?«

»Bisschen komisch heute.«

»Soll ich die Ärztin rufen?«

»Unsinn.«

»Draußen ist es neun Grad minus. Klares Wetter.«

Sie gab keine Antwort. Er schob die Leselampe über ihrem Bett ein wenig zur Seite, ehe er sie einschaltete, das Licht sollte ihren Augen doch nicht wehtun.

Nur ihr Kopf ragte unter den Decken hervor, Arme und Hände waren versteckt. Sie hatte die Augen geschlossen. Er konnte sich nicht erinnern, sie jemals so gesehen zu haben, liegend. Es war seltsam. Plötzlich kam sie ihm so klein vor. Und ihre grauen Haare waren unbedeckt, sonst trug sie immer ein im Nacken geknotetes Kopftuch, entweder ein braunes mit roten Streifen oder ein dunkelgrünes. Ihre Haare waren so dünn, dass er deutlich ihre Kopfhaut sehen konnte, sie war blank und gelblich.

»Hast du ... Fieber?«

Eine solche Frage hatte er der Mutter noch nie gestellt, solche Fragen waren von ihr gekommen, als er klein gewesen und an Masern und Röteln erkrankt war. Er hatte damals nie gewusst, was er antworten sollte, es war doch ihre Aufgabe, ihm das in Vaseline getunkte Thermometer in den Po zu schieben und es dann abzulesen. Wenn sie gesagt hatte, dass das Thermometer mehr als siebenunddreißig fünf zeige, hatte er geantwortet: »Da hab ich ja wohl Fieber.« Aber vorher hatte er nie gewusst, ob er welches hatte. Die Wirklichkeit wurde einfach eine andere, man nahm es sofort hin und hatte bereits vergessen, wie es war, kein Fieber zu haben. Als Junge hatte er gern Fieber gehabt, als Erwachsener war das kaum je vorgekommen, aber er konnte sich erinnern, wie frei und gleichgültig er sich gefühlt hatte und dass die Träume auch dann gekommen waren, wenn er die Augen offen gehabt hatte.

Sie öffnete die Augen. Begegnete seinem Blick. Zu seiner gewaltigen Erleichterung entdeckte er keine Krankheit darin, auch keine Angst vor Krankheit oder Schmerz. Und kein Fieber, denn dann wären die Augen blank gewesen, das wusste er von den Tieren. Er sah nur Alltäglichkeit in ihrem Blick und vielleicht einen Hauch von fragender Verwunderung. Sie schloss die Augen wieder. Ansonsten rührte sie sich nicht. Die geäderten blauen Augenlider waren das Einzige, was sich bewegte, er hätte sie gern geschüttelt. Aber er konnte sie nicht anfassen, konnte nicht einfach so mit der Hand über ihre Wange streicheln.

»Hast du irgendwo Schmerzen?«

»Nein«, antwortete sie, wie er es erwartet hatte. Aber ihre Stimme gefiel ihm nicht, wirklich nicht, sie hatte etwas Flaches, Tonloses.

»Willst du nicht … willst du nicht aufstehen, Mutter?«

»Nein. Später vielleicht. Bin müde.«

»Grippe vielleicht.«

Sie gab keine Antwort, öffnete die Augen auch nicht mehr. Er stellte die Kaffeetasse auf den Nachttisch. Vielleicht war sie ja schon wieder eingeschlafen.

»Sara hat geworfen. Neun Junge«, flüsterte er, knipste die Leselampe aus und zog leise die Zimmertür hinter sich zu. Vor der Tür blieb er lange stehen. Die Wände knackten leise, das kam von der Kälte, die sich um das Haus schloss und die Plusgrade des Vortags aus dem Holz vertrieb, ansonsten war alles still. Dritter Advent, dachte er, und es war ein seltener Gedanke, den er sofort überrascht festhielt, als hätte Weihnachten eine Bedeutung, am Heiligen Abend aßen sie immer Schweineripppe, am ersten Weihnachtstag gekochten Lachs, am zweiten Reste, auf dem Tisch stand eine rote Kerze, es gab rote Papierservietten, er und der Vater bekamen zum Essen jeder ein Glas Bier, das war alles. Ein Schauspiel, das sie aufführten. Im vergangenen Jahr hatte er Arne von Trønderkorn gebeten, ihm eine halbe Flasche Aquavit zu kaufen. Diese Flasche hatte er im Stall aufbewahrt und zusammen mit kaltem Wasser aus dem Hahn in der Waschküche getrunken. Er hatte eine kränkelnde Sau als Vorwand genommen, um nach dem Essen wieder in den Stall gehen zu können, die Mutter war schon zu Bett gegangen, als er ins Haus zurückgekommen war, und hatte nichts gemerkt, es hatte gutgetan, mit den Tieren und dem Rausch zusammen zu sein, einem heftigen Rausch, er hatte geweint und geweint, daran dachte er plötzlich, wie er hier so stand, dass dritter Advent war und er so entsetzlich geweint hatte, ohne zu wissen, warum, und jedenfalls würde er am nächsten Morgen Arne anrufen und dieselbe Bitte noch einmal äußern, er musste ihn ja ohnehin anrufen, der Futtersilo war fast leer.

Der Vater saß noch immer an derselben Stelle. Seine Ellbogen ragten als dünne Spitzen durch die Strickjacke auf die Tischkante, er hatte offenbar vor, dort sitzen zu bleiben und darauf zu warten, dass das Frühstück vor seiner Nase vom Himmel fiel. Sonntags hackte er kein Holz und beschäftigte sich auch nicht in der Scheune. Deshalb heizten sie sonntags schon morgens im Wohnzimmer ein, wo der Fernseher stand, dort konnte der Vater mit seinen Zeitungen und seinen Büchern über den Krieg sitzen, ohne sie zu stören. Er und die Mutter setzten sich in die Küche und redeten, oder er brütete im Arbeitszimmer über seinen Papieren, um die Buchführung zu aktualisieren und sich den verdammten komplizierten Formularen der landwirtschaftlichen Qualitätskontrolle zu widmen.

Er wusste, dass der Vater jetzt neugierig war, er hatte gehört, dass er oben gewesen war. Tor holte Brot und Margarine, schnitt zwei Scheiben ab, nahm den Käse aus dem Kühlschrank und entfernte das Gummi, schabte ein wenig Käse ab, legte die Brote auf einen Teller und knallte den Teller vor dem Vater auf den Tisch. Dann ging er ins Wohnzimmer und machte Feuer. Wenn er aus dem Stall zurückkam, würde der Vater hoffentlich dort sitzen, und dann hätte Tor hier draußen seine Ruhe.

Sara schlief noch immer. Die Jungen waren unruhig. Er sah bei jedem Einzelnen nach, ob es atmete und reagierte, ob alle Glieder normal waren. Einige hatten noch Reste von der Fruchtblase auf der Haut kleben, die sahen aus wie getrockneter Alleskleber, er zog sie vorsichtig weg. Im Brutkasten war es schön warm, und die Jungen waren vollkommen, fünf vollkommene Junge, daran musste er denken und an den Aquavit, auf den er sich freuen konnte, und morgen würde die Mutter wieder auf den Beinen sein, vielleicht sogar schon heute Abend. Sie musste doch aufs Klo, das musste sie, und dann würde sie feststellen, dass sie gar nicht krank war, sondern nur ein bisschen unwohl.

Er beugte sich in den Koben und fing an, hart und energisch Saras Zitzen zu reiben. Sie kniff die Augen zusammen. Weiße Streifen über Blau.

»Jetzt bist du wieder gefragt. Musst deine Arbeit tun. Deine Jungen haben Hunger, verstehst du. Kannst nicht einfach den ganzen Tag hier herumliegen.«

Er ging hinüber zu den Ferkeln und hob sie hoch. Die Sau atmete sofort schwerer, als das erste Junge eine Zitze packte, aber sie blieb liegen. Er konnte sehen, wie ihr Blick durch das Halbdunkel irrte, als ob sie nach bedrohlichen Bewegungen Ausschau hielt.

Er lachte kurz. »Hattest du vergessen, dass du Junge hast? Ja, ja, der Suff. Hoffentlich bleibst du brav liegen, bis es dir wieder einfällt.«

Die Jungen schubsten und drückten und schoben sich gegenseitig in die richtige Lage. Wie blanke rosa Würstchen blieben sie nebeneinander vor dem schmutziggrauen Bauch liegen und zogen und zerrten an den Zitzen. Dann kam die Milch, und alle fünf saugten wie besessen, zehn hektische Minuten lang schienen sie mit dem ganzen Leib zu nuckeln. Wieder empfand er Erleichterung. Noch eine Mahlzeit, noch eine Portion lebensspendender Nahrung, die sie alle einen Schritt weiter von der Katastrophe wegholte. Die Sau hob den Kopf, und er ließ sie gewähren. Sie wollte die Jungen sehen, mochte sich aber nicht aufrichten. Er hob vier Junge in den Brutkasten und hielt ihr das fünfte hin. Er stand bereit und wusste, dass er das Leben des Jungen aufs Spiel setzte, aber sie schnüffelte nur eifrig zwei Sekunden, dann ließ sie gleichsam ohnmächtig den Kopf wieder sinken.

»Tüchtig, Sara«, flüsterte er. »Du bist so tüchtig, du. Feine Junge hast du da. Fein, ja, die sind ja so fein, und du bist tüchtig.«

Er legte das Junge zu den vier anderen, es war satt und träge in seinen Händen und schmiegte sich unter der roten Wärmelampe an seine Geschwister. Er ließ die Sau schlafen, wo sie lag.

Jetzt hatte er für Siri eine Scheibe Brot und zwei gekochte Kartoffeln aus dem Kühlschrank mitgebracht. Ein Schwein, das nur Kraftfutter bekam, ging durch Feuer und Wasser, um den Geschmack von Brot und Kartoffeln in den Mund zu bekommen. Er hatte ihr beigebracht, brav sitzen zu bleiben und mit dem rechten Fuß auf den Boden zu klopfen, ehe sie etwas bekam, aber das verlangte er jetzt natürlich nicht, wo sie doch zum Bersten trächtig war. Sie wollte am liebsten liegen, deshalb gab er ihr die Leckereien, sowie er den Koben betreten hatte. Sie grunzte vor Wohlbehagen, sie beherrschte jede Menge Laute, von denen er jeden präzise deuten konnte. Er kraulte sie ein wenig hinterm Ohr, dann ging er in die Waschküche, legte Overall und Stiefel ab und ging wieder ins Haus.

Der Vater saß jetzt im Wohnzimmer, er wusste, was um des lieben Friedens willen von ihm erwartet wurde. Aber was hieß schon lieber Friede. Friede bedeutete nicht unbedingt einfach nur, dass niemand miteinander redete. Er hätte gern mit der Mutter gesprochen, hätte sie vor sich gehabt. Er müsste ihr etwas zu essen bringen, etwas Warmes, sie fragen, was sie wollte, ob sie Lust auf irgendetwas hatte, eine Suppe vielleicht, er müsste doch eine Tütensuppe finden und die Anleitung auf der Rückseite befolgen können. Er klopfte nicht an. Das hatte er vorhin getan, aber sie hatte ja doch nicht geantwortet. Er schlich hinein, im Zimmer war es jetzt etwas weniger trübe, nicht hell, aber er konnte sehen, dass sie noch genauso dalag wie vorhin. Sie öffnete die Augen.

»Geht's dir besser?«, fragte er.

Sie lächelte vage, er lächelte strahlend zurück.

»Das sieht dir überhaupt nicht ähnlich«, sagte er und wollte scherzen.

»Schlimm«, sagte sie. »Bin einfach so schlapp.«

»Soll ich nicht doch die Ärztin anrufen? Die macht Hausbesuche, wenn man…«

»Nein. Das gibt sich schon.«

»Willst du nicht… soll ich dir helfen…«

»Nein.«

»Ich mach ein wenig die Heizung an. Damit du nicht erfrierst. Und dann gehe ich nach unten und mach dir einen Teller Suppe.«

Sie gab keine Antwort, aber er nahm das als ein Ja.

Das Pulver sollte in einen Liter Wasser eingerührt werden. Schwedische Erbsensuppe stand auf der Tüte. Er hätte gern gewusst, was daran schwedisch war. Er drehte die Platte voll auf. Der Topf war ein bisschen klein, er musste vorsichtig rühren. Er hatte die Tür zum Wohnzimmer geschlossen. Es wurde eine dünne, gelbe Plörre. Er drehte das Radio an, während er wartete, dass die Suppe aufkochte und danach köchelte, wie es auf der Tüte stand. Er schmeckte mit einem Teelöffel ab, die Suppe schmeckte nach nichts, bestimmt war das das Schwedische daran. Er salzte kräftig, schnitt kleine Scheiben Hammelwurst hinein und kostete dann wieder. Jetzt war es besser.

Sie wollte nichts. Er hielt ihr die Schale mit der dampfenden Suppe und den Löffel hin.

»Nein«, sagte sie noch einmal.

»Du kannst doch mal meine Kochkünste testen.«

»Nein. Will schlafen.«

Das Zimmer stank nach altem Heizkörper, so, wie das ganze Haus im Herbst roch, wenn sie nach einem langen Sommer den kleinen Heizkörper im Badezimmer wieder andrehten. Staub, der bei hoher Temperatur verbrannte.

Als es Abend war und er seine übliche Arbeit im Stall verrichtete, kam Sara ihm um einiges ruhiger vor. Hunger schien sie an diesen ersten Tagen eigentlich nicht zu haben, aber sie trank gierig vom Wasser. Er stellte ihr noch einen zusätzlichen Eimer hin.

»Verkatert?«, fragte er.

Erst als nach der Fütterung und der Reinigung der Koben Ruhe im Stall eingekehrt war, legte er die Jungen wieder zu ihr. Er hatte ihnen einen flüssigen Eisenzusatz gegeben, weil er glaubte, dass alles gutgehen würde, und da konnten sie auch gleich die kleine Dosis bekommen, die sie brauchten. Die Jungen schrien und jammerten, weil er sie so festhielt. Kein anderes Wesen konnte so kreischen wie Schweine, als koste jedes noch so kleine Unwohlsein das Leben.

Er setzte sich so in die Küche, dass er durch die Wohnzimmertür den Fernseher sehen konnte. Der Vater ging meistens gegen neun ins Bett, fast immer rechtzeitig vor den Neunuhrnachrichten. Das machte er auch an diesem Abend, und Tor zog ins Wohnzimmer um. Der Geruch des Vaters hing noch in der Luft. Tor schnüffelte herum, dann ging ihm plötzlich auf, dass der Vater am Vorabend nicht geduscht und sich umgezogen hatte. Er merkte, wie sein Herz sofort wieder loshämmerte, denn das bedeutete, dass es der Mutter schon abends schlecht gegangen war. Jeden Samstag legte sie im Badezimmer saubere Kleidung und ein Handtuch zurecht. Vermutlich vor allem ihretwegen, um sich seinen Geruch beim Essen zu ersparen. Das hatte sie diesmal also nicht gemacht.

Er ging in die Küche und sah den leeren Kochtopf. Der Vater hatte die Erbsensuppe gegessen, der schmutzige Topf stand noch immer auf dem Herd, der Suppenteller mit dem Löffel auf dem Küchentisch. Die Suppenreste waren zu einer

Art gelbem Schaum eingetrocknet. Er stellte den schmutzigen Topf ins Spülbecken, ließ kaltes Wasser hineinlaufen und spülte die Teller ab. Das alles tat er für die Mutter, überlegte er, nicht für den Vater, es war ihm wichtig, das klarzustellen. Er selbst hatte seit dem Frühstück nichts mehr gegessen, er hatte keinen Hunger, und dabei war er doch sonst immer hungrig und hatte nie das Gefühl, satt zu sein. Er machte Milch warm und suchte Honig, konnte aber keinen finden. Er gab einen Löffel Sirup in die Milch und rührte um.

Es war kalt oben im Haus, aber die Wärme aus ihrem Zimmer strömte ihm entgegen, als er die Tür öffnete. Und ein Geruch, ein schwacher süßlicher Geruch, den er zu ignorieren beschloss. Er schaltete die Leselampe ein und stellte die Milch auf den Nachttisch, zog die Vorhänge zu und drehte den Heizkörper ein wenig nach unten. Sie sah ihn an, als er auf sie zukam über den Flickenteppich, der genau die Farben hatte, an die er sich zu erinnern glaubte.

»Wie geht es dir?«

»Besser.«

»Dann musst du das beweisen und einen Schluck warme Milch trinken.«

Er hatte keine Ahnung, wie er auf ein so energisches Auftreten verfallen war, so redete er sonst nicht mit ihr, sagte ihr nie, was sie zu tun hatte.

»Na gut«, sagte sie.

Ihr Kopf lag zu flach, und diesmal hatte er keinen Löffel mitgebracht. Sie schien sich auch nicht im Bett aufsetzen oder die Arme heben zu wollen. Die lagen wie morgens unter der Decke. Einige verwirrte Sekunden lang hielt er die Tasse über ihrem Gesicht in der Luft, dann ging ihm auf, dass er mit der einen Hand ihren Kopf würde anheben müssen.

Ihr Schädel fühlte sich an wie eine perfekte Kugel, mit warmem und etwas feuchtem Haar, das seine Hand leicht rutschen ließ. Ihre Haare waren auf der Rückseite ganz flach in seiner Hand, sie lugten zwischen seinen Fingern hervor. Sie war so klein, diese Kugel, er hielt sie überrascht in der Hand und betrachtete ihren Mund, der sich spitzte und Schlürflaute hervorbrachte. Ihre Nackenmuskeln zitterten. Nach zwei kleinen Schlucken wurde die Kugel schwer und ruhig in seiner Hand, und er ließ sie vorsichtig los.

»So«, flüsterte sie.

»Nicht mehr?«

»Nein.«

Er lag lange wach, als er ins Bett gegangen war, nachdem er den fünf Jungen abermals Milch verschafft hatte. Er war todmüde, aber trotzdem starrte er in der Dunkelheit nach oben und ging den Tag durch. Dass er aufgestanden war, schien eine Woche her zu sein. Er musste die Ärztin anrufen, egal, was die Mutter dazu sagte. Und als er diesen Entschluss gefasst hatte, schlief er ein.

Er schaute bei ihr herein, ehe er in den Stall ging. Er öffnete das Fenster und lüftete ein wenig. Der Himmel war bewölkt, und es war nicht mehr so kalt. An diesem Tag würde es schneien.

»Bist du es?«

Er machte Licht. »Ja.«

»Du rufst die Ärztin nicht an.«

»Doch.«

»Geht mir heute besser.«

»Wirst du aufstehen?«

»Noch nicht. Aber du rufst nicht an.«

»Du bist krank.«

»Nicht so krank.«

»Möchtest du etwas?«

»Später. Schluck Kaffee. Wenn du aus dem Stall kommst.«

Er schloss das Fenster, ging hinunter in die Küche und heizte ein. Der Vater lag noch im Bett, wie üblich. Kein Grund, warum er aufstehen sollte.

Die Erleichterung darüber, dass die Mutter Kaffee wollte, brachte ihn zu dem Entschluss, Sara zu vertrauen. Nachdem er ihre Zitzen hart gerieben hatte, öffnete er ganz unten den Brutkasten. Das Licht brannte, sie konnte die Jungen sehen. Von nun an war die Bahn für Mutter und Kinder frei. Sie machte einige stolpernde Schritte auf den Kasten zu, war ein riesiger Rumpf auf vier kurzen Beinen, und dabei machte sie die typischen Geräusche, mit denen eine Sau zum Essen ruft. Sie knickte mit den Vorderbeinen ein. Die Jungen fingen an zu zappeln und zu fiepen, sie kletterten übereinander, um der Mutter entgegenzukommen. Sie ließ ihren Hinterleib sinken und drehte dann die Zitzen nach vorn. Er hielt den Spaten bereit und verfolgte jede ihrer Bewegungen, horchte auf jeden Laut, der darauf hinweisen könnte, dass sie wieder wütend wurde. Das sollte sie nur versuchen, dann würde sie schon sehen, wer hier der Stärkere war. Sie hob den Rüssel in den Schwarm aus rosa Ferkelkörpern und grunzte laut und heftig. Dann lagen die Jungen an den Zitzen, schubsten und stupsten und einigten sich irgendwie.

Als sie satt waren, wuselten sie ein wenig um den Kopf der Sau herum. Sie ließ sie nicht aus den Augen, aber nichts wies darauf hin, dass sie ihnen etwas tun würde. Sie inspizierte jedes gründlich, stupste es um und schnupperte daran herum, bis es zappelnd wieder auf die Beine kam. Er ließ sie liegen und ging weiter zu Siri.

»Entwarnung«, sagte er. »Und wie geht es dir? Bist du auch bald so weit? Damit ich hier im Stall etwas zu tun habe, wenn Weihnachten kommt? Sonst wird es doch langweilig.«

Sie grunzte zufrieden, und er gab ihr eine Brotkruste, die in seiner Tasche gelegen hatte.

Die restliche Runde brachte er schneller als sonst hinter sich und war großzügig mit Stroh und Torf und Futter. Er kraulte jede Zuchtsau hinter den Ohren, auch Sura, die an diesem Tag noch übellauniger war als sonst und ihn aus wasserblauen, misstrauischen Augen anstarrte. Aber sie lieferte große Würfe, auch noch nach dem fünften, und an ihren Füßen war auch noch nichts auszusetzen, es gab keinen Grund, sie jetzt schon zu Salami werden zu lassen. Und er fand es immer witzig, bei den abgestillten Ferkeln sauberzumachen, wenn sie an seinem Overall zupften und sich gegenseitig knufften wie die Hundebabys, lebensfroh und ausgelassen, auch wenn sie nur von Stahlrohren und Beton umgeben waren. Er würde mit seiner Kaffeetasse nach oben gehen, dachte er, und mit ein paar Broten, und mit ihr zusammen frühstücken. Er musste auch zum Supermarkt nach Spongdal fahren und ein wenig einkaufen. Honig, Milch und etwas zum Mittagessen. Er wollte selbst entscheiden, was es geben sollte und was er zubereiten konnte. Wollte sie überraschen. Natürlich konnte sie ein paar Tage im Bett liegen, wenn das nötig war, deswegen würde der Himmel nicht einstürzen, er schaffte es zur Not auch allein. Sie war ja nicht mehr die Jüngste und musste ein seltenes Mal die Verantwortung an andere übertragen.

Es war nicht mehr viel Brot da, er nahm ein neues aus der Tiefkühltruhe auf dem Gang und legte es auf die Anrichte. Das alte lieferte noch vier kleine Scheiben und den Knust. Der Vater musste warten, bis das neue aufgetaut war, er konnte ihn oben auf dem Klo hören. Er kochte Kaffee und schaltete das Radio ein. Dort wurde von Weihnachtskost geredet. Davon hatte er den Stall voll. Er hatte Anfang Dezember dreißig Schlachtschweine geliefert, und von diesem Fleisch war hier die Rede, das ewige Gejammer darüber, wie man eine knusprige Schwarte hinbekommt, als ob das ein Problem wäre. Die Herausforderung lag darin, diese Schwarte heranzuzüchten, über der Fettschicht, die nicht zu dick sein durfte. Nicht darin, sie knusprig zu bekommen! Er hatte in seinem ganzen Leben noch keine zähe Schwarte gegessen, und seine Mutter geriet nie in Panik vor Angst, sie nicht knusprig zu bekommen. Hoffnungslose Stadtleute. Gasflamme, davon war jetzt die Rede, es war nicht zu fassen. Die Mutter äußerte sich jedes Jahr zu Weihnachten über diese neumodischen Grillen und behauptete, man brauche die Rippe mit der Schwarte nur zwei Tage vor Weihnachten in den Kühlschrank zu legen, sie unter Folie im vorgeheizten Ofen zu dämpfen, danach die Folie wegzunehmen und ganz normal zu backen. Er zog ein Tablett aus dem gehäkelten Behälter an der Wand und stellte Tassen und Untertassen darauf. Draußen im Gang begegnete ihm der Vater. Der Vater starrte eine Sekunde lang das Tablett an, dann stolperte er weiter in die Küche.

»Geh dich waschen, du stinkst«, sagte Tor, ehe er wütend die Küchentür hinter sich zutrat.

»Willst du dich nicht aufsetzen?«

»Glaub nicht.«

»Guter Kaffee, Mutter. Das wird dir schmecken.«

»Nicht zu heiß?«

»Der ist ganz frisch.«

»Bisschen kaltes Wasser rein.«

Er ging mit der Tasse ins Badezimmer, und sofort fielen ihm die Samstag nicht herausgelegten Kleider ein. Er wollte das der Mutter gegenüber nicht erwähnen, wollte ihn überhaupt nicht erwähnen. Wollte auch nicht an den süßlichen Geruch in ihrem Zimmer denken, wollte nicht fragen. Sie hatte seit Samstagabend, als sie schlafen gegangen war, das Bett nicht mehr verlassen, jetzt war Montag. Er hielt die Zeigefingerspitze in den Kaffee, um die Temperatur zu überprüfen, aber die harte Haut schloss Kälte und Wärme gleichermaßen aus. Also probierte er es mit der Zungenspitze. Doch, der Kaffee war trinkbar.

»So«, sagte er.

Er hob den kugelrunden Schädel an, und sie trank einen Schluck.

»Gut.«

»Und ein Stückchen Brot.«

»Ich glaube nicht …«

»Doch. Sonst hol ich die Ärztin!«, sagte er und lachte ein wenig. Er hätte ihr gern von Sara erzählt, wie gut alles gegangen war, aber das war jetzt zu spät, wenn er nicht auch über die Niederlage sprechen wollte, auf der dieser Sieg beruhte.

Sie aß drei Bissen von dem Brot, das er ihr in den Mund hielt, er hatte so etwas noch nie bei einem Menschen getan. Er hatte selbstgekochten Streichkäse daraufgeschmiert, er wusste, dass sie den gern aß, mit extra viel Zimt darüber.

»Morgens nicht so viel Hunger«, sagte sie und schloss die Augen.

Er musterte ihren Kehlkopf zwischen den vielen Falten, der wippte beim Schlucken auf und ab, er lächelte, ohne dass sie das sah, er lächelte darüber, wie der Kehlkopf wippte und dass ihm das nie aufgefallen war; er hatte noch nie die Gelegenheit gehabt, ihn unauffällig zu beobachten. Er lächelte, obwohl sie nichts zu seinem sorgfältig ausgesuchten Brotaufstrich gesagt hatte.

Übrig war eine Schnitte mit Hammelwurst. Er steckte sie in die Tasche. Lieber für Sara als für den Vater.

»Was möchtest du zu Mittag essen?«, fragte er.

»Ach … Mittag.«

»Mein Mehlsilo ist langsam leer, ich muss in den nächsten Tagen mal vorbeikommen«, sagte er ins Telefon und bog mit der rechten Hand eine Büroklammer gerade. Ihm grauste ein wenig vor der Sache mit dem Aquavit, er wollte nicht, dass darüber geredet wurde, aber Arne war in Ordnung, und natürlich wollte der vor Weihnachten noch in den Alkoholladen. Er fragte, ob eine halbe Flasche denn reiche.

»Das ist mehr als genug«, sagte Tor. »Und Ferkelfutter brauche ich auch.«

Er wollte das Futter selbst holen, gönnte ihnen den Frachtzuschuss nicht, der gleich blieb, egal, wie weit sie mit einer Fuhre unterwegs waren.

Er fuhr mit dem Traktor zum Laden. Diesel konnte er von der Steuer absetzen. Der alte weiße Volvokombi wurde nur selten benutzt, er stand in der Scheune, vollgetankt, damit er kein Geld für Kondensentferner aus dem Fenster zu werfen brauchte. Der Tank beschlug sonst von innen zu rasch, wenn das Wetter zwischen Tauwetter und Kälte hin und her pendelte.

Er blieb unschlüssig zwischen den Regalen stehen und dachte an das nächste Essen. Lange starrte er in die Fleischtruhe. Er wusste nur wenig darüber, was die Tiefkühltruhe zu Hause enthielt, er sah nur die Brote, wenn die Mutter ihn bat, ein neues zu holen. Und er kannte die Tage, an denen sie buk, immer drei Brote auf einmal, gute Tage mit guten Gerüchen. Er legte eine Blutwurst in seinen Einkaufskorb. Sirup hatten sie reichlich, Kartoffeln auch. Zu Blutwurst schmeckten Bratkartoffeln am besten, aber die mussten vorher wohl gekocht werden. Er hatte keine Ahnung, wie lange Kartoffeln kochten, er würde im Wohnzimmer sofort Feuer machen, sowie er nach Hause kam. Er musste in der Küche allein sein, um das alles zu schaffen.

Auf dem Weg zur Kasse ging er an den Stapeln Weihnachtsbierkästen vorbei und hatte, ehe er sich's versah, zwei Flaschen herausgenommen. Und als er hinter einigen Jugendlichen an der Kasse Schlange stand, landeten auch noch eine Schachtel Datteln und ein Marzipanschwein in seinem Korb. Er hätte über seine Extravaganz fast lachen können, als er die Brieftasche aus der Hosentasche zog und Britt, die an der Kasse saß, seine Kundenkarte und einen Zweihunderter reichte. Aber er lachte nicht, er plauderte nur kurz mit ihr über Wind und Wetter und den zu erwartenden Schnee. Denn das hier war Unsinn, was sollte er mit teuren Datteln und mit Marzipan? Die Mutter würde doch zu den Abendnachrichten wieder auf den Beinen sein.

Er hielt vor dem Briefkasten unten an der Allee und zog die Zeitung und einen großen weißen Briefumschlag ohne Fenster heraus. Er öffnete ihn sofort, als er wieder im Führerhaus saß. Eine Weihnachtskarte von der Fleischverwertungsfirma Gilde Bøndernes, mit einem echten kleinen Bild drauf, es sah aus wie handgezeichnet, und signiert war es auch, auch wenn die Signatur unleserlich war. Dieses Bild war sicher ein paar Kronen wert, kein schlechtes Weihnachtsgeschenk, und dabei lieferte er sein Schlachtvieh ausschließlich an Eidsmo. Aber sicherheitshalber war er auch Mitglied bei Gilde Bøndernes. Von Eidsmo hatte er eine Schachtel Pralinen bekommen, Marke Kong Haakon, nicht die größte, aber immerhin. Vom Schweinezüchterverband Norsvin gab es in diesem Jahr Holzbrettchen für die Küche. Mit einem ins Holz eingebrannten Schwein. Seine Mutter hatte die Brettchen schon in Gebrauch genommen und tiefe Kerben und Streifen hinterlassen, es war schlechtes, weiches Holz, Kiefer, es hatte keinen Sinn, auf Kiefer zu schneiden, Kiefer war nur zur Zier. Aber wer mochte sein Haus schon mit Kiefernbrettchen schmücken?

Vom Führerhaus aus versuchte er, den Vater hinter dem Küchenfenster zu entdecken, aber das Fenster spiegelte zu sehr. Sicherheitshalber versteckte er Datteln und Marzipan und Bierflaschen tief in seinem Parka, ehe er in den Stall und dann direkt weiter in die Waschküche ging, um dort alles auf den Tisch zu stellen. Im Stall herrschte Totenstille. Er wusste, wie die Schweine jetzt aufrecht standen, lauschten und warteten. Sie würden noch ein wenig warten müssen. Die Stille war immerhin ein gutes Zeichen, auch wenn sie von Erwartung erfüllt war. Trotzdem öffnete er die Tür einen Spaltbreit, ohne sich zu zeigen, nur um einen Blick auf Siri zu werfen. Sie lag ruhig in ihrem Strohnest, mit halbgeschlossenen Augen. Plötzlich kam ihm der Gedanke, dass es noch einmal passieren könnte, auch bei Siri, sogar bei Siri. Er musste Sherry im Haus haben, vielleicht hatte auch die Mutter Lust darauf, es könnte eine Art Geschenk sein, wenn er ihn nicht im Stall brauchte, auch wenn sie natürlich keine

Weihnachtsgeschenke austauschten, sie waren doch erwachsene Menschen.

Er holte die Tüte mit Honig und Blutwurst, Zeitung und Weihnachtskarte aus dem Führerhäuschen und ging ins Haus. Bald würde es schneien. Er hoffte auf sehr viel Schnee. Er wollte gern räumen. Der Vater saß am Küchentisch, vor dem Fenster. Das halb aufgetaute Brot auf der Anrichte war nicht angerührt worden, die Plastiktüte war nicht einmal geöffnet.

Nachdem er die Tür zu seinem Arbeitszimmer sorgfältig geschlossen hatte, rief er noch einmal Arne bei Trønderkorn an.

»Übrigens«, sagte er, »brauche ich auch Sherry. Gern zwei halbe Flaschen, aber von der billigsten Sorte, braucht nicht so kackfein zu sein.«

Arne sagte, alles klar, und fragte, ob er es schon gehört habe.

»Was denn gehört?«

Lars Kotums Sohn habe sich aufgehängt, am Vortag. Yngve. Sie hatten es gerade erfahren.

»Oh verdammt. Das ist ja schrecklich.«

Der einzige Sohn, sagte Arne, aber glücklicherweise gebe es da noch eine Tochter, sie besuchte die Landwirtschaftsschule.

»Und noch dazu so kurz vor Weihnachten«, sagte er und hörte selber, was das für ein Klischee war, als würden die Schattenseiten des Lebens gerade jetzt unsichtbar, in dieser allgemeinen Gefühlsduselei.

Da sei irgendetwas mit einem Mädchen gewesen, sagte Arne, aber mehr wisse niemand. Und dann fügte er hinzu: »Ich glaube, dein Bruder macht das.«

»Macht was?«

»Die Beerdigung. Und alles, was organisiert werden muss. Bestimmt macht das dein Bruder.«

»Ach ja. Wenn du meinst.«

Er heizte im Wohnzimmer ein und ging dann in den Stall. Er hatte in der Waschküche keinen Flaschenöffner, so weit war er nie gekommen, er benutzte ein Fahrtenmesser. Zwischen der ersten und der zweiten Flasche zog er seinen Overall und die Stiefel an. Das Bier war warm. Er nahm einen leeren Futtersack und das Marzipanschwein und ging zu Siri, nachdem er bei Sara die pure Familienidylle registriert hatte. Bei Siri legte er den Sack auf den Boden und setzte sich darauf. Siri stupste müde mit der Schnauze seine Schulter an. Ein dermaßen riesiges Tier, das Maul voller rasierklingenscharfer Zähne, könnte ihn jederzeit umbringen, deshalb empfand er eine tiefe und kindliche Geborgenheit in der Tatsache, dass er sich auf sie verlassen konnte.

»Moment noch«, sagte er und leerte die Flasche. Sie schnupperte an seinem Mund, als er ausgiebig rülpste, einmal lang, danach immer wieder kurz. Er öffnete die rote Pappschachtel und brach dem Schwein den Kopf ab, reichte ihn ihr. Sie verschlang ihn mit triefnassem lauten Kauen. Man brauchte immerhin Mut, um sich umzubringen, besonders, um sich aufzuhängen. Nicht atmen zu können. Oder vielleicht war das eine gute Methode, was wusste denn er? Aber wenn man sich schon entschlossen und dann noch ein zuverlässiges Seil gefunden hatte. Leichter waren wohl Tabletten, ein Tod im Rausch. Er hatte ihn einige Male gesehen, auf dem Rad unterwegs nach Gaulosen, das Fernglas um den Hals und eine Art von zusammenklappbarem Stativ auf dem Gepäckträger. Sicher um das Fernglas daraufzulegen, damit es nicht wackelte. Im Supermarkt war ja die Rede davon gewesen, dass Kotums Sohn nicht auf dem Hof arbeiten wolle, dass er nicht zupacken möge, sondern lieber mit dem Fernglas Spatzen beglotze. Eigentlich seltsam, dass Britt nichts von seinem Selbstmord wusste, als er vorhin dort eingekauft hatte. Aber es war sicher eine Frage von Minuten gewesen. Bis der Strichcode unwichtig geworden und die Kaffeemaschine mit neuem Wasser und Filterkaffee gefüllt worden war. Sicher öffneten sie jetzt eine

Schachtel Pfeffernüsse und suhlten sich in Weihnachtsstimmung und Tod und plapperndem Mitgefühl.

»Aber seine Tochter geht auf die Landwirtschaftsschule«, sagte er laut. »Das ist doch immerhin etwas. Denn das ist wichtig, verstehst du, meine Siri, dass irgendwer sich um den Hof kümmert und nicht alles in den Teich geht.«

Er gab ihr beide Vorderbeine und probierte auch ein wenig. Das Bier steckte wie dickflüssige Hitze in seinen Fingern, er musste sie gründlich mustern, um sich davon zu überzeugen, dass sie noch festsaßen. Aber das würde nicht lange dauern. Es war ein plötzlicher und kurzer Bierrausch. Der letzte war schon eine Weile her. Beim letzten Mal hatte er die leeren Flaschen ins Plumpsklo geworfen, das würde er jetzt auch tun müssen, obwohl niemand je den Stall betrat. Er gab ihr das restliche Schwein in einem Stück und kraulte sie ausgiebig hinter den Ohren.

»Mein braves Mädchen«, flüsterte er. »Prachtschwein. Besser als alles Marzipan auf der Welt.«

Er sperrte den Vater mit Hilfe der Tür aus, der Mann hatte noch immer nichts gegessen. Er würde wohl Kartoffeln und Blutwurst bekommen müssen, zwei Kranke auf dem Hof könnte er nicht ertragen; es dauerte zu lange, bis ein Mensch verhungert war. Er schälte die Kartoffeln und legte sie ins Wasser, ließ das Wasser kochen, hob immer wieder den Deckel hoch und stach mit einer Gabel in die Kartoffeln, hörte P 1 und ein Magazin, wo es die ganze Zeit um Dinge ging, die mit Glück zu tun hatten. Sein Rausch war schon fast wieder verflogen, und er überlegte, wie wohl die Stimmung auf Kotum war. Sicher hatten sie auch dort gekocht, essen war immer ein guter Trost, kochen und verzehren. Es schneite jetzt, breite fette Flocken, die direkt nach unten fielen. Sie würden noch eine Weile rieseln dürfen, ehe er die Schneefräse an den Traktor koppelte. Und er würde seiner Mutter erst von dem Jungen erzählen, wenn sie wieder auf den Beinen war und alles erfahren musste. Aber Margido würde er nicht erwähnen, und wenn sie sich auf den Kopf stellte.

Die Kartoffeln waren in der Mitte noch hart, als sie am Rand bereits auseinanderfielen und das Kochwasser trübten. Er goss das Wasser ab, teilte jede Kartoffel in zwei Teile und gab reichlich Margarine in die Bratpfanne. Die Blutwurst schnitt er in Scheiben, die er auf der Anrichte bereitlegte, dann holte er den Sirup. Er merkte, dass er hungrig war. Er wollte zuerst selbst essen, dann zur Mutter nach oben gehen und dem Vater die Reste überlassen. Der nahm jetzt sicher den Geruch wahr und hörte das Klappern auf dem Herd.

In der Blutwurst waren Rosinen.

»Das wird dir ganz bestimmt schmecken. Blutwurst mit Sirup und Bratkartoffeln. Und in der Blutwurst sind Rosinen!«

»Hast du …«

»Aber sicher.«

»… die gekauft?«

»Ja.«

»Aber wir haben doch …«

»Kann doch nicht die ganze Tiefkühltruhe durchwühlen. Da bist du die Chefin. Also wird es gekauftes Essen geben, bis du wieder auf den Beinen bist. Wird einiges kosten, das sag ich dir.«

»Ach.«

»Reg dich nicht auf, das sollte nur ein Witz sein. Willst du dich nicht aufsetzen? Und selber die Gabel halten?«

»Nein.«

Sie war jetzt blasser als am Morgen, als sie nach seiner Stallrunde zusammen Kaffee getrunken hatten. Blasser und mit dunklen, eingesunkenen Ringen unter den Augen. Sie sah alt aus. In seinen Augen war sie eigentlich nie alt gewesen. Sie aß zwei Gabeln Blutwurst und drei Stücke Bratkartoffeln, Sirup klebte an ihrem Kinn, und er musste Toilettenpapier holen. Als er sie abwischte, war sie bereits eingeschlafen. Er hatte auch Saft mitgebracht, aber den konnte sie nicht mehr trinken.

»Mach du nur ein kleines Mittagsschläfchen«, flüsterte er.

Der Vater hatte das restliche Essen verzehrt. Er hätte doch wenigstens fragen können. Ob es für ihn bestimmt gewesen war. Tor sah weder einen schmutzigen Teller noch benutztes Besteck, der Mann hatte offenbar mit den Fingern zugelangt, direkt aus der Bratpfanne. Er saß jetzt wieder im Wohnzimmer und hatte die Tür angelehnt, Tor hörte ein leises Räuspern, ein Räuspern, das eher dazu bestimmt war, ein Geräusch zu verursachen, als den Hals zu reinigen. Er knallte mit der Tür und machte sich dann an den Abwasch. Vom Spülen wurden seine Hände immer so sauber. Die ewigschwarzen Trauerränder wurden grau, und harte Haut wurde weich. Es tat außerdem gut, die Hände ins warme Wasser zu halten. Wann hatte er wohl zuletzt gebadet? Sie stellten sich einfach an das eine Ende der Wanne und duschten. Er könnte sich an diesem Tag wohl ein Bad gönnen. Auch, wenn dabei schrecklich viel heißes Wasser verbraucht wurde. Und dazu kam noch der hohe Strompreis!

Ehe er wieder in den Stall ging, schnitt er den Knust und eine Scheibe vom Brot ab und zerkrümelte beides auf dem Vogelbrett. Der Stamm hatte direkt darüber einen Knick, das Brot würde also nicht einschneien.

Siri war unruhig. Sie trampelte in ihrem Koben hin und her und schwitzte, biss in die Metallrohre und kam ihm nicht wie sonst entgegen.

»Ach, du ...«

Er holte den Besen und fegte das nasse Stroh zusammen, holte neues. Danach gab er Sara mehr Futter. Alle fünf Jungen schliefen unter dem roten Licht. Sie leuchteten, kleine glänzende Schlafhügel. Anfangs hatte er sich an seinen Ferkeln

119

nicht sattsehen können, hatte sie immer wieder aufgehoben und sich mit ihnen beschäftigt. Er konnte Menschen, die sich ein Schwein als Haustier hielten, gut verstehen, es gab ja Schweine, die klein und lebhaft waren, die nicht wuchsen, bis ihre Füße brachen. Sogar einzelne Schweinezüchter hatten so ein Hausschwein, einen Eber, der die Sauen in Brunst bringen sollte. Er selbst nahm Eberspray, das war viel einfacher. Außerdem steckten die Sauen sich gegenseitig mit der Brunst an. Vermutlich aus purem Neid.

Es konnte noch eine ganze Weile dauern, bis es bei Siri losging. Er räumte auf und fegte im Vorraum, machte neue Säcke bereit. Den Sherry würde er erst bekommen, wenn Siri geworfen hatte. Aber er würde schon noch Verwendung dafür finden, er konnte also auch hier draußen stehen und nicht im Haus. Dann konnte er es sich noch einmal überlegen, ob er die eine Flasche als Weihnachtsgeschenk nehmen wollte. Er könnte sie ihr geben, wenn der Vater im Bett lag. Man könnte mit Schweinerippe am Küchentisch sitzen und mit Sherry anstoßen und auf den Weihnachtsschnee hinausschauen, und die Mutter könnte von alten Tagen auf Byneset erzählen, von Kätnerleben und Hochzeitsbräuchen und Aberglauben. Und sie wurde es nie satt, über die Kriegsjahre zu reden, über die gigantischen Pläne der Deutschen, auf Øysand den größten Kriegshafen der Welt anzulegen, mit dreihunderttausend Einwohnern, die in Terrassenhäusern in Gaulosen und Byneslandet wohnen sollten. Die Mutter stellte sich gern vor, wie es heute hier aussehen würde, wenn die Deutschen den Krieg gewonnen hätten. Sie hatten einen Flugplatz bauen wollen und eine vierspurige Autobahn von Øysand nach Berlin, die Mutter schüttelte sich immer vor Lachen, wenn sie an diese größenwahnsinnigen Pläne dachte. Und dann war sie so fasziniert von den Bäumen, die die Deutschen gepflanzt hatten. Davon, dass die noch immer lebten, so dicht unter dem Polarkreis. Dass sie dort Wurzeln geschlagen hatten, wo die Deutschen geschlagen worden waren.

Er räumte gründlich und lange Schnee, obwohl es noch immer schneite. Es machte ihm nichts aus, dass er die Arbeit bald würde wiederholen müssen. Es war ein leichter und luftiger Schnee, der rasch in die Höhe wuchs. Er fragte sich, wer wohl auf Kotum räumte. Sicher einer der nächsten Nachbarn, Lars Kotum würde das an diesem Tag wohl nicht über sich bringen. Er würde sich am nächsten Morgen die Lokalzeitung kaufen und nachsehen, ob es schon eine Todesanzeige gab.

Nachdem er den Traktor abgestellt hatte, ging er hoch, um nach ihr zu sehen. Sie schlief noch immer, sicher wollte sie keinen Kaffee. Er versuchte nicht, sie zu wecken, sie schlief so tief. Er saß eine Weile am Küchenfenster und hörte Radio, ehe er zu Siri ging, bei der noch immer nichts passiert war. Sie war außerdem nicht auf ihn angewiesen, sie wusste, was sie zu tun hatte, deshalb ging er wieder ins Haus. Die Vögel hatten das Brot entdeckt, und graue Spatzen saßen auf dem Brett, noch als es bereits dunkel geworden war. Die Lampe über der Tür brannte. Er setzte sich eine Weile an den Schreibtisch. Ging die Ordner durch und notierte sich, was alles zu tun war. Bald begann ein neues Betriebsjahr. Also musste er Bilanz für das alte ziehen. Entscheiden, welche Zuchtsauen nach dem Stichtag in die Schlachtung sollten. Die Fleischpreise für Säue lagen nur einige Kronen unter denen für Schlachttiere, deshalb hatte es keinen Sinn, sich mit ihnen abzumühen, wenn die Würfe kleiner wurden.

Er sah durch die offene Tür die Fernsehnachrichten, dann ging er zur Abendschicht in den Stall. Die Mutter schlief immer noch. Das gefiel ihm nicht. Siri lag in ihrem Nest. Jetzt konnte es nicht mehr lange dauern. Als er seine Runde beendet hatte, blieb er lange vor ihr hocken und redete ihr gut zu.

»Dieser Sherry wird überschätzt. Ich glaube, du hältst dich besser an die Naturmethode und wirst noch nicht zur Fleischfresserin.«

Sie hielt seinen Blick fest. Er versuchte, in ihren Augen zu lesen. Was dachte sie wohl über das, was ihr jetzt bevorstand? Was dachte sie, wer sie war? Wusste sie, dass sie ein Schwein war? Träumte sie, wenn sie schlief? Wovon? In Siris Blick lag niemals eine Antwort, nur Erwartung und ab und zu ein scharfes Erstaunen. Ich weiß eigentlich nichts über sie, dachte er, weiß nicht, wer sie ist, was sie ist. Und trotzdem konnte er sich auf sie verlassen. Es gab ein Band. Einen Kanal. Zwischen ihnen. Er wusste nicht, woher dieses Band stammte. Er fand sie nicht hässlich. Alle anderen hätten sie als hässlich bezeichnet. Leute aus der Stadt hätten sie ein Monstrum genannt. Aber sie war eine perfekte Sau. So und nicht anders hatte eine Sau auszusehen. Ab und zu kam ihm der Gedanke, dass es nicht richtig sei, diese Tiere hier in diesem Stall einzusperren, weil sie lebten und einen Anspruch darauf hatten zu leben, aber das war, wenn er getrunken hatte und sich mit ihnen identifizierte.

»Du musst auf deine Füße aufpassen, auf dass du lange lebest auf Erden«, sagte er. »Jetzt muss ich wieder ins Haus. Ich schau nachher noch mal rein.«

Jetzt würde er sie wecken müssen.

Sie ließ sich nicht wecken. Er schüttelte sie. Richtete die Leselampe direkt auf ihr Gesicht auf dem Kissen. Er zog ihren Arm unter der Decke hervor. Der war bedeckt von Exkrementen. Er ließ ihn los und wich vom Bett zurück. Sie bewegte sich, öffnete die Augen, starrte ihn an.

»Ga... ga...«

»Was sagst du? Mutter!«

Bekam sie etwa keine Luft mehr? Ihr rechter Mundwinkel hing plötzlich nach unten, ihr ganzes Gesicht war schief.

»Sag etwas! Sag etwas, Mutter!«

Sie öffnete den Mund. Kein Geräusch kam heraus. Der Mund war ein blankes Loch, in das er starrte und das sich mit Wörtern füllen sollte, aber es blieb leer.

Der Volvo sprang bei der ersten Umdrehung an. Er fuhr vor den Schuppen und drehte die Heizung voll auf. Er rannte durch die Küche ins Wohnzimmer und riss die beiden Sofadecken an sich.

»Deine Mutter?«, fragte der Vater und presste im Sessel seine spitzen Knie aneinander, hob das Kinn. »Ist sie krank?«

»Ja! Du musst mir helfen, sie die Treppe herunterzuholen. Sie muss ins Krankenhaus. Aber nur... warte noch, ich ruf dich.«

Die eine Decke breitete er über den Rücksitz.

Er hielt ein Handtuch unter den Hahn im Badezimmer. Das hier wollte er nicht.

Er zog ihr Decke und Tagesdecke weg. Sie lag von der Mitte bis zu den Knien in Exkrementen. Er dachte, dass er die Matratze mit Benzin übergießen und hinter der Scheune verbrennen würde, damit sie nicht mehr daran denken müsste, wenn sie aus dem Krankenhaus nach Hause kam. Er konnte ihr Nachthemd und Unterhose nicht ausziehen, das konnte er einfach nicht. Er wusste nicht, wo er waschen sollte, er kam nicht an die Stellen heran, am Ende rieb er ein wenig an ihren Kleidern herum. Er wusch ihr Hände und Arme, sie waren schwer und ohne Muskeln, ohne Willen. Ihre Augen quollen glasig aus ihrem Schädel hervor, und ihr schiefer Mund öffnete und schloss sich ununterbrochen. Er musste sie in die Decke wickeln, ohne die Decke zu besudeln.

»Komm!«, brüllte er, obwohl der Vater das hier doch nicht sehen oder erfahren sollte.

Er hielt sie unter den Armen fest, und sie konnten sie aus dem Bett und auf den Boden ziehen. Der Vater wickelte sie in die Decke. Sie hing wie ein totes Tier in seinen Händen, sie hob nicht einmal den Kopf, der hing zur Seite hinab. Ihre platten Haare im Nacken. Sie sabberte. Der Vater nahm ihre Füße und ging rückwärts die Treppe hinunter, eigentlich schaffte er das gar nicht, seine Gelenke waren steif, aber sie konnten sie nach unten bringen. Es war schwieriger, sie ins Auto zu legen. Tor musste an der anderen Seite hineinkriechen und an ihr ziehen. Als er ihren Kopf auf den Sitz sinken ließ, jammerte sie.

»Was? Tut es weh?«, fragte er.

Er hob ihren Kopf. Sie wurde ruhiger. Der Vater ging um das Auto herum.

»Ich kann hier sitzen«, sagte er. »Ihren Kopf halten.«

Er dachte noch daran, die Haustür zu schließen, ehe sie fuhren.

Das Gesicht des Vaters im Spiegel. Dort war es noch nie gewesen. Der Vater mit dem Kopf der Mutter auf dem Schoß, das war einfach falsch, er hätte sich übergeben mögen. Im Auto stank es.

Es war fast kein Verkehr. Sie fuhren durch Flakk. Im Krankenhaus war er verwirrt von den vielen Bauarbeiten, sah aber das Wort Notaufnahme auf einem Schild und fuhr auf eine grell beleuchtete Rampe zu. Er sprang aus dem Wagen und auf die Rampe und rief in das Licht, jemand müsse ihnen zu Hilfe kommen. Sie kamen. Angerannt, mit einer Trage auf Rädern. Er versuchte, ihnen zu erklären, dass sie sich besudelt hatte, aber sie fanden es wohl nicht wichtig, sich das anzuhören. Sie sahen in ihr Gesicht und redeten mit ihm. Und sie schienen alles zu begreifen, alles zu wissen. Er begriff es wohl auch, aber er hatte gelesen, dass man so etwas überleben konnte. Wenn man nur schnell genug behandelt wurde. Und ansonsten war sie doch ganz gesund. Das sagte er ihnen auch: »Sonst ist sie ganz gesund.«

Das Licht der Neonröhren war das gleiche wie in seinem Stall, nur die Farben waren anders. Hier war alles weiß und grün. Der Vater saß auf einem Holzstuhl. Auf dem Tisch lag ein Stapel Illustrierte mit zerfledderten Ecken, die nach oben ragten. Neben ihnen standen ein roter Christstern und ein Messingleuchter mit einer roten Kerze. Der Christstern hatte schon einige Blätter verloren. Eine Frau in weißer Schwesterntracht brachte ihnen Kaffee in Plastikbechern, ohne Zucker. Der Vater fragte:

»War sie so ... ganz plötzlich?«

»Ja.«

Es roch nicht gut hier. Es war ein Geruch, der versteckte und log. Viel zu sauber, es war zu sauber hier. Unbegreiflich sauber. Sinnlos. Leute konnten krank werden, wenn es so sauber war, sie verloren dann ihre Abwehrkräfte. Es war nicht natürlich.

Der Arzt kam nach einem Zeitraum, den er nicht einschätzen konnte.

»Sie hatte einen Schlaganfall«, sagte der Arzt.

»Wird sie überleben?«

»Jetzt warten wir erst mal diese erste Nacht ab, die wird sie sicher überstehen, und dann sehen wir weiter. Sie ist jetzt sauber und versorgt, Sie können also zu ihr, aber sie ist nicht bei Bewusstsein. Und wenn noch weitere Angehörige informiert werden müssen, dann gibt es hier ein Telefon.«

»Sollte ich das tun? So krank ist sie also?«

»Ja, das ist sie. Und sie ist alt, wissen Sie.«

Nein, wollte er sagen, das ist sie nicht, das weiß ich nicht, aber er nickte nur zur Antwort und war dankbar, weil sie gewaschen hatten.

Nachdem er mit Margido gesprochen hatte, brauchte er lange, um einen Beschluss zu fassen. Dann wählte er die Nummer der Auskunft, er rief sie so selten an, konnte sich unmöglich an ihre Nummer erinnern, sie stand am Rand der Schreibunterlage in seinem Arbeitszimmer. Ihre Mobilnummer, sie hatte keinen Festnetzanschluss, sie behauptete, nicht oft genug zu Hause zu sein, dass sich das lohnen würde.

»Ich hätte gern die Nummer von Torunn... Breiseth.«

Es tat weh, dass sie so hieß. Noch immer tat es weh. Aber das war verständlich.

Die mechanische Frauenstimme bot ihm an, ihn an die Teilnehmerin durchzustellen, und er drückte die Eins. Sie meldete sich nach dem ersten Klingeln, mit fröhlicher Stimme, meldete sich mit ihrem Namen.

»Ich bin's. Ich wollte nur sagen, dass Mutter... nein, deine Großmutter... einen Schlaganfall hatte. Es steht nicht fest, ob sie überlebt, sagen die Ärzte. Ich dachte vielleicht... dass du sie sehen willst. Das musst du selbst entscheiden. Ich wollte dir nur Bescheid sagen.«

Zweiter Teil

In fünfundzwanzig Minuten würde sie ihren letzten Vortrag vor Weihnachten beendet haben. Die Armbanduhr lag oben auf dem schrägen Pult, die kleine Lampe war voll auf die mit Stichworten übersäten Papiere gerichtet. Eigentlich brauchte sie keinen einzigen dieser Zettel, den Vortrag konnte sie auswendig. Trotzdem bedeutete es eine Sicherheit, dass sie dort lagen, außerdem halfen sie ihr, die Zeit im Blick zu behalten.

»In dieser Hinsicht gibt es viele Missverständnisse«, sagte sie jetzt. »Viele glauben, dass Schimpfen hilft, wenn man seinen Hund zum Gehorsam erziehen will. Jetzt rede ich natürlich von frischgebackenen Hundebesitzern und von Schäferhündlern, nicht von Leuten wie Ihnen, die es besser wissen.«

Sie lächelte die sechsundfünfzig Mitglieder des Retrieverclubs von Asker und Bærum an. Die lachten laut, für sie und füreinander. Die Schäferhündler waren berüchtigt. Bei Dressur und Gebrauchshundetraining brüllten sie den Hund aus voller Kehle an, auch wenn der nur zwei Meter von ihnen entfernt stand.

»Ein Hund will nur eins, und zwar seinen Platz in der Herde finden, am besten den richtigen, den, wo er hinpasst. Dann fühlt er sich sicher. Und ein sicherer Hund lernt schneller als ein ängstlicher Hund. Angst führt nur dazu, dass er ... dass sich in seinem Kopf alles verklemmt. Dass alle Motivation schwindet. Auch Dinge, die er gelernt hat und beherrscht,

129

verschwinden, wenn der Hund Angst hat, wenn er angebrüllt wird, weil er dies oder jenes tun soll. Das gilt sogar für Hunde, die am Anfang genau das tun wollen, was von ihnen erwartet wird. In freier Wildbahn und in der Wolfsmeute ist jeder Hund ungeheuer berechenbar. Ein einzelner Hund in der Gruppe wird die anderen niemals auf irgendeine Weise überraschen. Jeder Hund in der Meute kennt das Verhalten jedes anderen Hundes in der Gruppe. Und dass jeder seinen Platz in der Rangleiter kennt, sorgt dafür, dass die Einzelindividuen als Gruppe überleben. Sich denen zu unterwerfen, die über ihnen stehen, wird zu einer Frage von Leben und Tod. Nehmen Sie zum Beispiel einen Hund, der in eine neue Familie kommt, sagen wir, er ist acht Wochen alt. Er will sich einfügen, möchte verstehen, wo er in der Hierarchie dieser neuen Gruppe steht. Aber der Hund ist kein Hellseher! Er braucht einfach Infos! Und diese Infos müssen die Menschen ihm geben, er kann sie sich nicht selbst besorgen. Ich habe eben erst mit einer Familie gearbeitet, wo ein Welpe den jüngsten Sohn im Haus anknurrte. Der Hund wollte immer wieder auf den Schoß des Jungen, um dort zu schlafen, und wenn der Junge auch nur die geringste Bewegung machte, nachdem der Hund sich dorthin gelegt hatte, dann knurrte er. Die Familie hatte noch einen älteren Hund, aber der Welpe passte sich dem alten Hund sofort an und war lieb zu dem anderen Sohn und zur Frau und zum Mann. Sie waren ziemlich verzweifelt. Es war ein Boxerrüde, es würde ein sehr großer Hund werden, und da konnten sie dieses Verhalten nicht hinnehmen, auch wenn der Hund jetzt noch klein war.«

Sie trank einen Schluck Wasser, es war lauwarm. Und sie hielt die Blicke der fünf Menschen fest, mit denen sie gezielt Blickkontakt suchte. Sie waren überall im Raum verteilt. Diesen Trick hatte sie mal gelernt. Er erzeugte Nähe und machte die Zuhörer glauben, dass sie so engagiert sprach, weil sie sich zum ersten Mal dermaßen mitreißen ließ, weil sie ein einzigartiges Publikum vor sich hatte, weil sie das alles erstmals erzählte.

Und jetzt saßen sie wie auf Nadeln da und warteten, wie es weiterging. Ein Welpe, der ein Kind anknurrte, das war ein Problem, das sie sich allesamt lebhaft vorstellen konnten. Sie kam zur Pointe: »Eine Familie, die noch nie einen Hund hatte... Sie ahnen schon, wie das hätte enden können.«

Alle nickten ernsthaft.

»Hysterische Mutter, die Angst um ihren Kleinsten hat, der Vater fängt an, den Welpen anzuschreien, der Welpe hat Angst und knurrt immer öfter, nach einigen Monaten beißt er, und dann warten die Spritze und die ewigen Jagdgründe. Und das bei einem Hund, der vermutlich die besten Anlagen hatte, einem ganz hervorragenden Hund. Nur weil niemand ihm auf Hundeweise klargemacht hatte, wo sein Platz in der Herde war. Er begriff nie, was er falsch gemacht hatte. Und dafür musste er mit dem Leben bezahlen.«

Auf den Gesichtern des Publikums zeichneten sich wie auf Kommando Resignation und Verzweiflung ab.

»Aber dieser Boxerrüde... die Familie wendete sich an unsere Klinik und fragte, was sie falsch gemacht habe. Ich sagte, ihr macht nichts falsch, es gibt nur eine ganz wesentliche Tatsache, die der kleine vierbeinige Wicht nicht mitgekriegt hat, und die müssen wir ihm klarmachen. Dass er absolut auf dem Schoß des Jüngsten schlafen wollte, war schon ein Hinweis. In freier Wildbahn entspannen Hunde sich am besten mit Gruppenmitgliedern, die im Rang unter ihnen stehen, denn dann brauchen sie nicht immer darauf zu achten, dass sie sich hinreichend unterwerfen. Besonders harte Individuen gehen gern zum Leithund, wenn der sich ausruht, aber das ist die Ausnahme. Dieser Welpe hatte sich also ziemlich weit unten eingeordnet. Unter dem alten Hund, aber über dem jüngsten Sohn. Er glaubte, dass auch der alte Hund in der Hierarchie über dem jüngsten Sohn stand. Also habe ich der Familie ein ganz einfaches Vierzehntageprogramm aufgestellt. Die Mutter hatte ihr Büro zu Hause und war fast immer da, deshalb wurde dem Vater die Rolle des großen bösen Wolfs übertragen.«

Jemand lachte.

»Das ist vielleicht nicht so ungewöhnlich. Auch bei Leuten, die keinen Hund haben. Jedenfalls, jeden Tag, wenn der große böse Wolf von der Arbeit nach Hause kam, jagte der Welpe ihm außer sich vor Glück entgegen. Das tat er auch jetzt. Aber der große Wolf ignorierte ihn ganz einfach. Er begrüßte seine Herde in der Reihenfolge der Hierarchie. Erst seine Frau, übertrieben überschwänglich und mit gewaltigen Gesten. Dann den älteren Sohn, dann den jüngeren Sohn und dann den alten Hund. Zu diesem Zeitpunkt war der Welpe total verzweifelt, und als der große Wolf ihn endlich zur Kenntnis nahm, war er so froh und zugleich so unterwürfig, dass er sich vor Erleichterung bepisste. So machten sie es jeden Tag, und schon nach wenigen Tagen wurde der Kleine ruhiger und wartete darauf, dass er beim Wiedersehen an die Reihe kam. Parallel dazu wurde er vom Schoß des jüngeren Sohnes verbannt. Das war sicher das Schwierigste. Aber wir erklärten dem Jungen, dass danach alles in Ordnung sein würde, dann könne der Hund wieder auf seinen Schoß kommen und werde nicht mehr knurren. Und so war es auch. Der Welpe verstand die Botschaft. In der Wolfsmeute wird nach Rang begrüßt, jedes einzelne Begrüßungsritual bestätigt die Reihenfolge, und sogar bei einer Rasse wie den Boxern, die doch jedenfalls im Aussehen dem Wolf ziemlich fernsteht, funktioniert die Kommunikation noch immer ungefähr auf diese Weise.«

Nach einer langen Fragerunde starrten zwei Frauen sie von der Küchentür her mit gehobenen Augenbrauen an. Die eine hielt zwei Topflappen in der Hand.

»Und dann glaube ich, hier wartet jemand mit dem Weihnachtsessen auf uns, und deshalb sollten wir zum Abschluss kommen. Ich danke für die Aufmerksamkeit und wünsche wunderschöne Weihnachten.«

132

Es folgte starker und herzlicher Applaus. Der Clubvorsitzende kam auf die Bühne und bedankte sich, er brachte den obligatorischen Rotwein, in einer roten Plastiktüte mit Goldsternen.

»Ich glaube, das war für uns alle ungeheuer interessant. Jetzt wissen wir, woran es liegt, wenn unsere Hunde sich nicht anständig benehmen.«

»Wir fangen in der zweiten Januarwoche mit einem neuen Dressurkurs an«, sagte sie.

»Und jetzt wissen wir auch, dass diese Kurse nicht für die Hunde bestimmt sind«, sagte der Vorsitzende und lachte. »Sondern für die Menschen.«

Sie wäre jetzt am liebsten sofort nach Hause gefahren, es war fast halb zehn. Sie war immer leer und ausgebrannt nach einem Vortrag. Sie wollte den Wein auf den Rücksitz werfen, sich eine Zigarette anzünden und mit voll aufgedrehter Musik durch die Dunkelheit fahren. Aber das ging nicht, auch für sie war gedeckt, und sechsundfünfzig Menschen wollten jetzt ihre eigenen einzigartigen Kenntnisse über die Psyche der Hunde von sich geben.

Sie brachen über sie herein, noch ehe sie ihre Papiere zusammengesucht hatte, das war immer so. Vorhersagbar wie gut angepasste Herdentiere. Es gab Dinge, die sie im Plenum nicht hatten sagen mögen. Geständnisse von Niederlagen mit ersten Hunden, Anekdoten über das eigene kluge Verhalten und über vierbeinige Individuen, die überrascht hatten. Ein seltenes Mal erzählten sie auch Geschichten, die sie verwenden konnte, die ihr neue Erkenntnisse brachten, aber das kam nicht oft vor.

»Ich muss vor dem Essen dringend eine rauchen gehen«, sagte sie. Mehrere Zuhörer holten ihre Jacken und kamen mit. Lobten sie und das, was sie ihnen gegeben habe, wie wichtig es sei, das alles zu hören, sie war die reinste Lebensretterin.

Nach einer guten Stunde ließen sie von ihr ab. Sie hatte zwei Bissen von der Rippe und ein wenig Kümmelkohl gegessen. Cissi hatte sie dazu erzogen, nie mit vollem Mund zu sprechen. Und sie hatte sehr viel über die Klinik erzählen können, das war gut, sie war jetzt doch Teilhaberin. Es kam ziemlich selten vor, dass eine schlichte Sprechstundenhilfe zur Teilhaberin einer Kleintierklinik wurde, aber das zusätzliche Angebot, das sie mit ihren Verhaltenskursen und der Beratung für Problemhunde liefern konnte, machte sich natürlich bezahlt. Obwohl sie absolut keine Ausbildung vorweisen konnte. Aber sie hatte es immer in sich gehabt, dieses Verständnis für Hunde. Hatte sich nie vor ihnen gefürchtet, hatte sich von Anfang an ehrlich dafür interessiert, sie zu verstehen, egal, wie sie sich verhielten. Polizei und Feuerwehr riefen sie an, wenn sie es mit einem möglicherweise gefährlichen Hund zu tun hatten, einem, der in einer Wohnung eingesperrt und verlassen worden war oder irgendwo angebunden stand, meistens vergessen von einem betrunkenen oder anderweitig unter Rauscheinfluss stehenden Besitzer, der nicht mehr wusste, wo sein Hund war. So ein Hund wurde wütend, wenn jemand versuchte, sich ihm zu nähern, und das machte noch den größten und kräftigsten Burschen Angst. Ihr nicht. Sie wusste, dass sich der Hund viel mehr fürchtete. Und ein ängstlicher Hund wird immer zum wütenden Hund, wenn er es mit Fremden zu tun hat. Das Verhalten des Hundes als Tatsache hinzunehmen, reichte nicht, man musste verstehen, was ihn zu diesem Verhalten bewog.

Sie glaubte nicht an diese Sache mit dem Geruch, dass Hunde Angst riechen können. Sie verlassen sich auf ihren Blick, registrieren alle kleinen Signale von Augen, Händen und Körper. Wenn sie fast monoton mit ihnen sprach und sie beinahe übersah und ihnen absolut nicht in die Augen schauen mochte, während sie zielstrebig auf sie zuging, dann waren sie so überrascht und verwirrt, dass sie durch das Fenster klettern und einen Napf mit Wasser füllen und in einem fremden Kühlschrank Futter für sie suchen oder sie losbinden konnte, ganze zehn Zentimeter entfernt von einem solide ausstaffierten Maul, das ihrer Umgebung, auch den Macho-männern, vor Angst das Wasser in die Hose trieb. Gleich da-nach, wenn der Hund begriff, dass er nicht mehr wütend und abschreckend auftreten musste, fiel er immer in sich zusam-men, in einer Art ohnmächtigen Ruhe, weil ihm die Verant-wortung dafür genommen war, Ordnung zu schaffen, Herr der Lage zu sein. Ein Hund, der allein war – und sich bedroht fühlte –, war immer der Anführer in seinem eigenen kleinen Universum.

Sie drehte die Heizung voll auf. Wenn sie sich ins Auto setzte, war sie zu Hause, sie verbrachte in wachem Zustand mehr Zeit hier als in ihrer kleinen Zweizimmerwohnung. Das Radio brachte eine Sendung über Janis Joplin.

Als ihr Telefon klingelte, johlte sie gerade mit Janis zusam-men über Bobby McGee. Sie drehte das Radio leiser, ehe sie sich meldete, hörte sich an, was er zu sagen hatte. Sie fuhr auf eine Tankstelle auf der rechten Straßenseite, ließ den Motor laufen, zog die Bremse an.

»Aber ich bin ihr doch nie begegnet.«

Darauf gab er keine Antwort.

»Meinst du denn, sie will mich sehen?«

Das konnte er nicht so genau wissen, und sie war sowieso nicht bei Bewusstsein. Aber sie sei doch das einzige Enkel-kind, sagte er. Seine Stimme war ganz anders. Nicht so träge, wie sie sonst zu Beginn eines Telefongesprächs immer klang. Es war ihm offensichtlich wichtig, zugleich schien er mit den Tränen zu ringen. Seine Stimme schien es eilig zu haben.

»Enkelkind. Bin ich das? Ja, das bin ich wohl. Aber es macht doch sicher keinen Unterschied, wenn ich sie besuche. Jetzt nicht mehr.«

Auch darauf gab er keine Antwort. Atmete nur in ihr Ohr. Und nach einigen Sekunden wiederholte er das anfangs Gesagte, sie müsse selbst entscheiden, er habe ihr nur Bescheid sagen wollen.

»Aber du? Wie geht es dir?«

Nein, sagte er. Das sei nicht so wichtig. Hier gehe es nicht um ihn.

»Ich muss mir das erst überlegen. Kann ich dich morgen anrufen? Bist du zu Hause?«

Davon ging er aus. Und wenn nicht, dann war er im Krankenhaus. Und dann könne sie dort anrufen.

Sie klopfte bei ihrer Nachbarin und ging sofort hinein, ohne auf eine Antwort zu warten. Margrete war mit Nähen beschäftigt. Die Lappen einer Flickendecke lagen vor ihr auf dem Tisch und um die Nähmaschine verstreut.

»Die solltest du noch gar nicht sehen«, sagte Margrete. »Bald ist doch Weihnachten.«

»Meine Großmutter liegt im Sterben. Hier ist Rotwein für dich. Ich nehme gern einen Kaffee und einen Kognak.«

»Deine Großmutter? Ich wusste gar nicht, dass du noch eine hast.«

»Ich bin ihr einziges Enkelkind, sagt mein Vater. Hast du schon mal so etwas Bescheuertes gehört? Jetzt damit anzukommen? Der arme Mann. Was bildet der sich nur ein?«

»Aber willst du denn nicht hin, Torunn? Deinetwegen?«

»Eigentlich nicht. Sie wollte nichts von meiner Mutter wissen, warum sollte sie etwas von mir wissen wollen?«

»Weil du zur Hälfte von ihrem Sohn abstammst.«

»Ich hatte nicht gerade den Eindruck, dass in dieser Familie enge Bindungen bestehen. Er will nicht über seine Brüder reden. Aber jetzt weiß ich jedenfalls, dass sie keine Kinder haben…«

Sie erwachte um drei Uhr und sah ein, dass sie mit ihrer Mutter darüber sprechen musste, mit Cissi, auch wenn sie genau wusste, welche Tiraden das auslösen konnte. Aber eine Freundin war hier nicht die Richtige, nicht einmal eine Freundin, die ihr so nahe stand, dass sie den Heiligen Abend mit ihr verbringen wollte. Sie stand auf, kochte Teewasser und setzte sich ans Fenster. Stovner war still und dunkel, es lag fast kein Schnee. Ein Junge taumelte den Straßenrand entlang, das war die einzige Bewegung. Er war viel zu dünn angezogen. Er rutschte in seinen Schuhen auf dem Eis hin und her.

Enkelkind. Jetzt war sie plötzlich zum Enkelkind geworden, im Alter von siebenunddreißig Jahren. Durch einen Mann, der sich zum ersten Mal bei ihr gemeldet hatte, als sie zehn Jahre alt gewesen war. Er hatte einfach angerufen. Ein Mann, den sie nur ein einziges Mal getroffen hatte, vor mehreren Jahren, als sie in Trondheim einen Vortrag hielt. Er holte sie vor dem Hotel Gildevangen ab, in einem schmutzigen und hässlichen Volvo, der nach Stall stank. Er kam zu spät, hatte lange suchen müssen, fuhr nur selten in der Stadt, sagte er. Der Sicherheitsgurt am Beifahrersitz war abgerissen, vermutlich Altersschwäche. Sie gaben einander die Hand, dann lag seine Hand wieder auf dem Lenkrad. Sie fuhren kreuz und quer durch die Stadt, hielten an einer Tankstelle und kauften sich zwei Becher Kaffee und zwei Heißwecken und gingen damit zurück ins Auto. Er stank dermaßen nach Stall, dass sie sich nicht mit ihm in ein Café setzen wollte, sie log und sagte, sie müsse das Flugzeug erreichen, obwohl sie erst später flog, sie wollte nur weg von diesem Auto und weg von dort, sie dachte an ihre Mutter, an die adrette Cissi, wie war es nur möglich, dass Cissi und dieser wortkarge Mann sie gemacht hatten? Damals, als Cissi eine achtzehnjährige Unschuld vom Lande gewesen war und hinter dem Tresen einer Konditorei gestanden hatte, vor sich fesche Jungs in des Königs Rock, hin und weg von Sahnetörtchen und Bienenstich und ihr. In Tromsø. Tor Neshov diente in Bardufoss und hatte Wochenendurlaub und ein Hotelzimmer.

Cissi hätte ihn an diesem Tag in seinem Volvo sehen sollen. Dunkelblaue verdreckte Daunenjacke, graue Wollsocken in

Holzschuhen. Sie hatte ihn gefragt, ob es überhaupt erlaubt sei, in Holzschuhen Auto zu fahren, und er hatte ein wenig gelächelt. Der Vorschlag zu diesem Treffen war von ihr gekommen. Sie hatte sich einen soliden Bauersmann vorgestellt, wie aus dem Märchen, oder einen Jägertypen in grüner Tracht. Sie war wirklich dermaßen geschockt und angeekelt gewesen, dass mehrere Wochen vergangen waren, bis er ihr endlich hatte leidtun können. Sie hatte Cissi nie von dieser einzigen Begegnung erzählt, nur um diese Begegnung nicht schildern, nicht lügen zu müssen, so, als hätte er sie mit einer Art Schande angesteckt. Aber sie telefonierten vier, fünf Mal im Jahr, sie wusste jetzt alles über den Hof. Über die Schweine, was sie machten und dachten, jedenfalls, was sie seiner Ansicht nach dachten. Sie wusste, wie ungeheuer stolz er auf seine Tiere war. Wenn er von seiner Mutter sprach, dann erzählte er immer nur, was sie gerade gemacht hatte. Was sie gebacken, eingeweckt, gekocht, gestrickt hatte. Niemals, was sie gesagt hatte. Und nie fragte er nach Cissi, er erkundigte sich nur, was in der Kleintierklinik passierte. Er war aufgebracht und sprachlos angesichts von Menschen, die Geld für Kanarienvögel und Schildkröten ausgaben und für Katzen teure Operationen finanzierten. Katzenbälger, so nannte er sie.

Um halb acht fuhr sie zum Haus von Mutter und Stiefvater in Røa. Sie nahm die Weihnachtsgeschenke mit. Die beiden wollten an diesem Abend nach Barbados fliegen, die Mutter bügelte gerade Blusen und Hemden. Ihre Schuhbeutel lagen in Reih und Glied auf dem Esstisch, und frischgeputzte Schuhe standen auf Zeitungen. Das Radio spielte fröhliche Morgenmusik, und aus einer Thermoskanne voll Kaffee quoll Dampf.

»Aber musst du nicht arbeiten?«, fragte Cissi. »Du wolltest doch später hereinkommen und deine Geschenke holen und auf Wiedersehen sagen. Und frohe Weihnachten und so.«

»Mein Vater hat gestern Abend angerufen. Kann ich eine Tasse Kaffee haben?«

»Dein Vater?«

Cissi knallte das Bügeleisen in das Gestell, das am stumpfen Ende des Bügelbretts hervorragte, und machte sich an einem hellblauen Hemd zu schaffen, das sie um das andere Ende des Bügelbretts drapierte, dann sagte sie: »Ja, ich weiß, dass ihr ab und zu miteinander telefoniert, aber ich stelle dir ja keine Fragen. Das ist deine Sache. Für mich sind er und seine ganze Familie ein abgeschlossenes Kapitel.«

»Aber seine Mutter, also meine Großmutter, liegt im Sterben.«

»Na und?«

»Naja, ich weiß nicht. Nichts *und*. Ich weiß nur nicht, was ich machen soll.«

»Du sollst natürlich überhaupt nichts machen. Es ist siebenunddreißig Jahre her, dass diese Leute nichts gemacht haben. Es ist ein bisschen spät, jetzt damit anzufangen.«

»Mama, reg dich nicht auf. Du hast doch gesagt, das sei ein abgeschlossenes Kapitel.«

»Du hast damit angefangen. Und wie die mich behandelt haben! Als wäre ich eine Art... eine Art billiges Flittchen, das sich mit jeder Uniform einlässt. Und dabei war ich nur ein einziges Mal mit Tor zusammen. Und ich hatte auch nur zwei Freunde gehabt, als ich Gunnar kennenlernte.«

»Ich weiß, dass du kein Flittchen warst. Wo ist Gunnar übrigens?«

»Noch nicht aufgestanden. Wir haben heute beide frei, wo wir doch verreisen. Ich meine, ich habe natürlich nicht frei. Eine muss doch für uns beide packen. Der Mann wäre imstande, mit einer Zahnbürste und seiner Visakarte loszufahren.«

»Würde sicher auch gehen...«

»Aber was denkst du denn eigentlich, Torunn? Willst du hinfahren?«

»Vielleicht. Ich weiß nicht. Was meinst du?«

Cissi fing wieder an zu bügeln. »Die Frau ist eine Hexe.

Aber wenn du sie sehen willst, ehe sie ... Sie ist ja deine Großmutter, und vielleicht gibt es was zu erben. Es wäre etwas
anderes, wenn du in deinem Urlaub hinfahren würdest und
sie gesund und munter wäre. Da könntest du dich vielleicht
zu sehr reinziehen lassen.«

»Wieso das denn?«

»Du könntest sie mögen. Dich verpflichtet fühlen. An sie
gebunden. Aber wenn sie ohnehin sterben muss, dann ...«

»Oh verdammt, du hörst dich vielleicht zynisch an!«

»Danke für das Kompliment. Bist du pleite?«

»So ziemlich. Musste doch ein Darlehen aufnehmen, um
mich in die Klinik einzukaufen. Und noch wirft die nicht so
viel ab. Ich habe eigentlich nur mein altes Gehalt.«

»Ich spendiere dir Flug und Hotel. Falls du fliegst, meine
ich. Denn auf dem Hof wirst du nicht übernachten wollen,
das kann ich dir gleich sagen. Er hat eine schöne Aussicht,
aber das ist auch alles.«

»Falls ich fahre.«

»Du musst dich im Laufe des Tages entscheiden. Dann
kannst du das Ticket mit meiner Karte bezahlen. Das Hotel
legst du aus, das Geld kriegst du später zurück. Und vergiss
nicht, dass viele Hotels über Weihnachten geschlossen sind,
du musst also schnell zuschlagen.«

»Falls ich fahre.«

»Ich glaube, du fährst. Sonst würdest du nicht mit mir darüber reden. Du bist vermutlich zu neugierig, um es nicht zu
tun. Und dann triffst du auch deinen Vater. Und die anderen.«

»Die anderen?«

»Familienmitglieder. Er hat zwei Brüder, das musst du doch
wissen. Und einen Vater. Aber ich habe keine Ahnung, ob der
noch lebt. Lebt er noch?«

»Auch keine Ahnung.«

»Ein wortkarger Sonderling. Hat nicht ein einziges Wort zu
mir gesagt. Aber ich war ja auch nur ganz kurz da. Etwas über

eine Stunde hat die Hexe gebraucht, um festzustellen, dass ich nicht die passende Frau für den Anerben bin. Und der Anerbe hat nicht protestiert. Hat seiner Mutter nicht einmal gestanden, dass ich schwanger war. Aber da hab ich mich rächen können, freut mich, dass er für dich blechen musste, bis ich Gunnar kennengelernt habe. Ich kann mir vorstellen, dass er sich einiges anhören musste, der Milchbubi, als sein Geizkragen von Mutter sich mit der Tatsache abfinden musste, dass die kleine Breiseth aus Tromsø jeden Monat Geld verlangen durfte.«

»So lange hat das auch wieder nicht gedauert.«

»Für sie bestimmt, denke ich. Und ich habe Gunnar angebettelt und angefleht, aber der ließ nicht mit sich reden. Wollte selbst für seine Stieftochter sorgen, sagte er. Aber immerhin mussten sie vier lange Jahre zahlen. Das freut mich bis heute.«

»So sehr hasst du ihn?«

»Nein, spinnst du? So einen Versager.«

»Aber du hast mich nach ihm benannt.«

»Anfangs hatte ich immer noch die Hoffnung, dass er kommt. Um mich und dich zu holen. Gott sei Dank, dass das nie gemacht hat. Es wäre mein Tod gewesen, auf diesem Hof eingesperrt zu sein. Und du hast immer getan, was du wolltest. Genau wie ich. Und da muss ich es eben hinnehmen, dass du nicht zur Ruhe kommen willst, keine Kinder willst. Jetzt wird es langsam auch ein bisschen spät. Noch nicht zu spät, aber eben spät.«

»Darüber haben wir doch schon gesprochen. Ich will keine Kinder. Was kann ich einem Kind schon bieten? Eine Zweizimmerwohnung in Stovner und eine Vorliebe für Hunde? Außerdem habe ich keine Zeit für Kinder, das kannst du also vergessen. Du und Gunnar hättet mir Geschwister liefern können, dann hättest du heute sicher jede Menge Enkelkinder.«

»Dazu ist es jedenfalls zu spät, meine Liebe. Aber vergiss

nicht, dass ich dich eingeladen habe. Barbados würde dir gefallen.«

»Vielleicht fahr ich ja.«

Cissi drehte sich mit dem Bügeleisen in der Hand um.

»Nach Barbados?«

»Nein. Nach Trondheim.«

»Meine Karte ist in meiner Brieftasche auf dem Büfett.
Nimm das Telefon im Wohnzimmer, da liegen auch Stift und
Papier.«

Sie bekam einen Platz in einem Nachmittagsflug. Ließ den
Rückflug offen. Es gab ohnehin keine reduzierten Flüge mehr,
und mit offener Rückkehr kostete es dasselbe. Ein Zimmer
gab es im Royal Garden, dem einzigen Hotel, das über Weihnachten geöffnet war, alle anderen schlossen bereits am Freitag. Als ob sie über Weihnachten dort bleiben wollte! Sie
reservierte zwei Übernachtungen, bis Donnerstag.

Das Pausenzimmer in der Tierklinik war ein Blumenmeer.
Gestecke mit Schleifen und Engeln und Kugeln lagen auf
allen freien Tischen. Dankbare Tierbesitzer, die zeigen wollten, dass sie die Fürsorge zu schätzen wussten. Es war kein
Problem, sich freizunehmen, viele von den Aushilfen wollten sich gern etwas dazuverdienen. Eine kleine Telefonrunde,
dann war alles geklärt. Im Wartezimmer saßen schon wieder
mehrere Patienten. Zwei Katzen in Körben starrten ängst-
lich einen jungen keuchenden Riesenschnauzer an, der mitten im Zimmer stand und die Tür nicht aus den Augen ließ,
außerdem wartete ein alter englischer Setter, der auf den
Hinterbeinen kaum noch stehen konnte. Sie kannte den Besitzer und den Setter. Bella litt an starker Hüftgelenksdyspla-
sie und an Verkalkungen im Rücken, sie bekam jetzt schon
seit einem halben Jahr Rimadyl. Torunn ging zu dem Hund
hinüber und hockte sich vor ihn hin. Der Mann, der die
Leine hielt, war starr im Gesicht, seine Wangenmuskeln arbeiteten.

»Es geht wohl nicht so gut«, sagte sie leise.

»Nein. Es ist wohl so weit. Auch wenn Weihnachten ist.«

»Du hättest einen Termin machen können, weißt du. Um hier nicht warten zu müssen.«

»Das geht schon. Ach, das geht.«

Der Besitzer nickte heftig, runzelte die Stirn und starrte zu Boden.

»Hast du dich angemeldet?«

»Nein. Hier ist ja … sozusagen noch nicht geöffnet.«

»Dann komm mit.«

Sie ging mit den beiden in das eine Untersuchungszimmer und schob dem Mann einen Stuhl hin. Bellas Hinterbeine sackten nach diesem kurzen Gang wieder ein. Ihr Blick wirkte trübe, Ausdruck der Benommenheit, die von starken Schmerzen ausgelöst wird. Es war ein schwarzer Blick, blank, in sich geschlossen, unfähig, Einzelheiten aus der Umgebung aufzunehmen.

»Willst du … ich muss fragen, was danach werden soll. Soll sie …«

»Ja. Einäschern. Ich habe sie seit dreizehn Jahren. Sie soll zu unserem Ferienhaus. Ich hab das auch meiner Frau versprochen, sie hat sich im Netz umgesehen. Individuelle Einäscherung, sagt sie. Da scheint's Unterschiede zu geben. Aber die billigste Urne, wir wollen sie ja nicht anglotzen. Wir wollen ihre Asche ausstreuen, da draußen … ja, beim Ferienhaus.«

Er räusperte sich energisch.

Inzwischen war Sigurd gekommen, der Bella behandelt hatte. Er gab dem Setter eine Beruhigungsspritze, eine Dosis Barbiturate vor der letzten und abschließenden Injektion. Torunn ging mit, hielt den Hund fest, saß da und wartete, bis Bella ruhig und schlaff wurde. Sie holte den Rasierapparat und entfernte das Fell an einem Hinterbein, so dass eine Schlagader sichtbar wurde.

»Bella«, flüsterte der Mann und streichelte unentwegt den

glatten Hundekopf. »Meine Bella, jetzt tut es bald nicht mehr weh. Mein schönes Mädchen…«

Er fing an zu schluchzen. Er verließ den Raum, nachdem er den Hund auf den Behandlungstisch gehoben hatte.

Die beiden Katzen mussten geimpft werden, der Schnauzer litt an follikularer Bindehautentzündung. Sigurd gab in den Computer ein, welche Augentropfen er bekommen sollte, Torunn druckte das Rezept aus und ließ es unterschreiben. Danach ging sie die Bestellungen für Trockenfutter und rezeptfreie Medikamente durch, sie bestellte Dressurleinen und rief die Druckerei an, um weitere Ordner mit dem Logo der Klinik zu ordern. Alle Tierärzte waren jetzt gekommen, nach Ende der regulären Sprechstunde standen noch zwei Operationen auf dem Programm. Eine Boxerhündin mit mehreren Knubbeln in der Pfote, und ein Kaiserschnitt bei einer englischen Bulldogge. Außerdem brachte die Feuerwehr eine überfahrene Katze, die noch lebte. Ein Katzenbalg, dachte sie, mein Vater würde sie mit der stumpfen Seite einer Axt totschlagen, würde kurzen Prozess machen.

Sie verließ die Klinik früh und packte eine Tasche mit dem Nötigsten, nachdem sie sich im Netz über das Wetter in Trondheim informiert hatte. Schnee.

Das Flugzeug war pünktlich. Im Buchladen auf dem Flughafen kaufte sie sich einen Krimi. Fragte sich, was sie hier eigentlich machte, warum sie flog. Mit Margrete hatte sie auch noch nicht gesprochen, hatte nur auf ihrem Anrufbeantworter eine Nachricht hinterlassen. Sie hatten an diesem Nachmittag zusammen einkaufen wollen, Lebensmittel und Servietten und Weihnachtsschmuck, es war ja nur noch eine Woche bis zum Heiligen Abend. Sie freute sich darauf. Zwei Frauen, frisch getrennt, sie wollten Truthahn essen und kitschige Weihnachtslieder singen, über ihre Exmänner lästern, sich vollaufen lassen, laut aus Nemi-Comics vorlesen, Trivial

Pursuit spielen. Weihnachten unter Freundinnen. In der Zeitung hatte gestanden, dass immer mehr Menschen im Freundeskreis Weihnachten feierten und nicht mit der Familie. Dass ihnen das lieber sei, es gab weniger Stress und Erwartungsdruck. Es war ganz einfach gemütlicher.

Das Flugzeug lag schwer in der Luft, sie dachte daran, wie sie hier zirkulierte, die Luft, SARS und Tuberkulose und Grippe, sie konzentrierte sich darauf, durch die Nase zu atmen, damit die Flimmerhärchen ihre Arbeit tun konnten, die, die vom Nikotin noch nicht plattgedrückt worden waren. Sie konnte sich nicht auf den Krimi konzentrieren, stattdessen schaute sie sich die anderen Reisenden an, fragte sich, was die wohl vorhatten, wie ihnen zumute war. Plötzlich fiel ihr ein, dass sie vergessen hatte, ihren Vater anzurufen, um ihm zu sagen, dass sie wirklich kam. Aber was spielte das schon für eine Rolle. Sie hatte ja ihr Hotelzimmer.

Trondheim war schön. Dunkelblaues Nachmittagslicht, Weihnachtsdekoration in den Straßen und überall Schnee. Weihnachtsbäume in den Gärten, einige blinkten rhythmisch pulsierend. Der Nidelv spiegelte sich in allen Fenstern, als der Bus über die Bakke-Brücke fuhr, dann hatten sie das Royal Garden erreicht. In der Rezeption stand ein gewaltiges Gesteck mit goldenen Äpfeln und weißen Engeln. Ein kurzer Abstecher ins Krankenhaus, danach würde sie es sich ein wenig gemütlich machen. Noch ein Geschenk für Margrete kaufen und für die Kollegen in der Klinik, ins Kino gehen, Dinge tun, für die sie sich sonst nie die Zeit nahm. Nur musste sie zuerst diese Großmutter sehen und sich von ihr sehen lassen, wenn sie denn nicht im Koma lag und wenn sie denn noch am Leben war. Ja was, wenn sie schon gestorben war? Es war dumm von ihr, nicht angerufen zu haben, um sich zu informieren. Denn nun würde sie vielleicht zur Beerdigung gehen müssen, und es konnte viele Tage dauern, bis die in die Wege geleitet wäre.

Sie checkte ein, brachte ihr Gepäck aufs Zimmer, schaltete den Fernseher an, der Torunn Breiseth willkommen hieß, rauchte eine Zigarette und ließ sich danach von einem Taxi ins Krankenhaus fahren.

Anna Neshov lag auf der Schlaganfallstation, auf A9, sie brauchte bloß den Fahrstuhl nach oben zu nehmen und sich an die Schilder zu halten. Also war sie noch nicht tot. Aber sie musste ihr etwas mitbringen, etwas in den Händen haben. Was bringt man einem alten, vielleicht bewusstlosen Menschen mit? Sie kaufte an einem Kiosk Blumen, einen Strauß knallroter Nelken mit einem goldbesprühten Zweig. Sie merkte, dass sie ein wenig kurzatmig war, aber sie wusste nicht, wovor sie sich grauste, es gab doch keinen Grund, sich zu grausen, was sie hier vorhatte, war sinnlos, sie hätte in diesem großen Krankenhaus genauso gut einen anderen wildfremden Menschen besuchen können. Ein krebskrankes Kind vielleicht, das sich über einen Besuch ungeheuer freuen würde. Es gab hier zahllose Schicksale, sie hatte die freie Auswahl.

Die Zimmertür war geschlossen, viele der anderen Türen standen offen. Sie hatte sich im Stationszimmer vorgestellt, und dort hatte sie erfahren, dass der eine Sohn gerade da war, sie solle einfach hineingehen, Anna Neshov sei wach.

Dort saß ein Mann. Auf einem Stuhl dicht vor dem Bett. Das Bett war sehr hoch, der Oberkörper des Mannes ragte kaum hinter der weißen Bettwäsche hervor. Er starrte sie an, mit einem Blick, der ihr nicht entgegenkam, als hätte sie sich in der Tür geirrt, als störte sie. Sie räusperte sich und ließ ihren Blick zum Gesicht im Bett wandern. Zu ihrer Großmutter. Die schien zu schlafen, jedenfalls hatte sie die Augen geschlossen. Ihr Gesicht war schief, beängstigend, sie schien gleichzeitig zu lachen und zu weinen, ohne ein Geräusch zu machen. Ihre Haare waren grau und dünn und klebten am Schädel.

Hinter ihr schloss sich die Tür mit einem leichten Luftzug, ihre Stiefel machten auf dem Linoleum ein feuchtes Geräusch.

»Hallo. Ich… ich habe das hier mitgebracht. Wie geht es ihr?«, fragte sie.

»Zu wem wollen Sie?«

»Zu Anna Neshov. Ich bin… Torunn.«

Der Mann erhob sich. Ein viereckiger Rumpf im grauen Anzug, weißes Hemd und schwarzer Schlips, feuchte Lippen mit weißem Schaum in den Mundwinkeln, schütteres Haar. Er lächelte ein wenig.

»Ach, du bist Torunn. Weiß Tor, dass du hier bist?«

»Ja. Oder… nein, er weiß nicht, dass ich gekommen bin, aber er hat… ich habe vergessen, ihn anzurufen. Ich habe das hier mitgebracht.«

Sie hielt den Strauß vor der Frau im Bett hoch. Die Frau öffnete plötzlich die Augen, ohne den Kopf zu bewegen, ohne ihren Gesichtsausdruck zu verändern oder auf irgendeine andere Weise zu reagieren. Sollte sie sich jetzt vorstellen, sich zu erkennen geben? Sie beugte sich über das Bett.

»Hallo«, flüsterte sie. »Wie geht es dir?«

Der Blick der Alten bewegte sich nicht, sondern ging einige Sekunden lang starr geradeaus, dann senkten ihre Augenlider sich wieder, und sie stieß eine Art Gurgellaut aus. Als ob sie gleich sterben würde, hier und jetzt. Aber der Mann wirkte ungerührt, und deshalb nahm sie an, dass die alte Frau einfach wieder eingeschlafen war.

»Er hat dich also angerufen«, sagte der Mann. Er schien mit sich selbst zu sprechen.

»Ich hole eine Vase«, sagte sie. »Sie haben sicher eine draußen im…«

»Das kann ich machen«, sagte der Mann rasch und lief um das Bett herum.

»Wir sollten uns wohl miteinander bekannt machen«, sagte sie und streckte die Hand aus.

»Margido«, sagte er. »Nett, dich kennenzulernen.«

»Ich wollte dich gern sehen. Ich habe gehört, dass du krank bist.«

Sie nahm die Hand der alten Frau, darin gab es keine Bewegung, keine Kraft, es war ein totes Glied. Runzlige Finger, an den Spitzen kalt, ein schmaler Trauring hatte sich tief in die Haut eingeschnitten, die Nägel waren blank und ein wenig lila. Und ihre Augen waren jetzt offen, sie starrten vor sich hin, wie schon zuvor. Torunn beugte sich über die Bettdecke, um ins Blickfeld zu kommen. Aber als sie glaubte, der Alten in die Augen zu schauen, lag in diesen Augen eine Leere, die sie an Bilder von neugeborenen, nur wenige Stunden alten Kindern erinnerte, eine Art hellwaches Nichts, in das nur frischgebackene Eltern etwas hineinlesen können. Sie hatte einen Schlaganfall erlitten. Sie begriff vermutlich nicht, was um sie herum geschah. Denn auch, wenn die Gesichtsmuskulatur gelähmt war, konnte doch der Augenausdruck nicht einfach verschwinden? Sie wusste es nicht. Sie wusste nur, dass es unangenehm war. In Oslo war ihr in der U-Bahn einmal der Blick eines Mannes von Mitte dreißig begegnet. Er lächelte vor sich hin, sie hielt seinen Blick zu lange fest, ehe sie sich abwandte, sie war damals nicht älter als fünfzehn oder sechzehn. Sie glaubte, der Mann habe es auf sie abgesehen, sie hatte eine Sterbensangst und beschloss, erst nach ihm auszusteigen, egal, wie weit er auch fuhr, damit er sie nicht verfolgen konnte. Plötzlich erhob er sich und ging zur Tür, ertastete sich seinen Weg mit einem weißen Stock.

»Ich bin Torunn, weißt du. Deine Enkelin. Schade, dass wir uns erst jetzt kennenlernen.«

Sie brach in Tränen aus, ließ die alte Hand los, lief ins angrenzende Badezimmer, fand Papier. Warum flennte sie hier überhaupt? Zusammenreißen sollte sie sich. Sie hörte, wie die

Tür geöffnet und eine Vase auf den Nachttisch gestellt wurde. Wenn er zum Kiosk ging, würde er sehen, wo die Blumen her waren, wie leicht sie sich die Sache gemacht hatte. Sie zog an der Klospülung und putzte sich im Schutz des Rauschens die Nase. Ein Metallkorb an der Wand war mit weißen Latexhandschuhen gefüllt. Im Mülleimer sah sie mehrere aufgerollte Windeln mit dunklen Schatten im Inneren.

Margido hatte sich nicht gesetzt, er stand am Fußende des Bettes und hielt die Stange fest, sein Oberkörper wiegte sich ein wenig hin und her.

»Hast du möglicherweise vor, eine Weile hierzubleiben?«, fragte er.

»Ich weiß nicht. Ich muss ihn wohl anrufen und sagen, dass ich da bin. Meinen... Vater, meine ich.«

»Ich bin seit heute Nacht hier. Tor ist heute Vormittag gekommen, und da konnte ich ein paar Stunden in einem von den Nebenzimmern schlafen.«

»Ich kann gern hier sitzen bleiben. Versteht sie, was man zu ihr sagt? Auch wenn sie mich nicht... sieht?«

»Glaub nicht. Vielleicht.«

»Was sagen die Ärzte?«

»Die wissen noch nichts. Die ersten Tage nach einem Schlaganfall können ziemlich entscheidend sein. Aber sie wirkt stabil, sagen sie. Also braucht hier heute Nacht wohl niemand zu sitzen.«

»Wir sind uns noch nie begegnet. Sie und ich.«

»Nein.«

»Und du und ich auch nicht. Du bist doch mein Onkel. Das ist seltsam.«

»Ja, das ist... seltsam.«

»Was bist du denn von Beruf?«

»Das hat Tor dir doch sicher gesagt.«

»Nein, darüber haben wir nie viel gesprochen.«

»Ich habe ein Bestattungsunternehmen.«

Sie rief ihren Vater an. Er wollte nach der Abendschicht im Stall kommen, so gegen neun. Schön, dass sie gekommen sei, sagte er. Und sie könne nachher mit ihm nach Hause fahren.

»Ich wohne im Royal Garden«, sagte sie.

Er verstummte.

»Das ist doch das Einfachste«, sagte sie. »Wo das Krankenhaus mitten in der Stadt liegt.«

Sie hätten viele Decken. Und Zimmer. Es sei ein großes Haus, sagte er. Altmodischer Trønderhof, immer an den Längsseiten ausgebaut, in mehreren Etappen, über zweihundert Jahre.

»Mal sehen«, sagte sie. »Heute Nacht jedenfalls nicht. Ich habe doch mein Gepäck schon ins Hotel gebracht und eingecheckt, und da muss man sowieso bezahlen.«

Das verstand er. Plötzlich fiel ihr ein, wie sparsam er war. Wenn eine Lüge ihn also beruhigen konnte. Und dass die Mutter für sie bezahlte, wollte sie nicht erwähnen.

»Dann sehen wir uns in ein paar Stunden«, sagte sie.

Die alte Frau schlief gleich darauf ein. Torunn setzte sich auf den Stuhl, auf dem Margido gesessen hatte, nahm vorsichtig die Hand der Alten, diesmal die linke. Darin steckte ein Schlauch, der an einem Tropf befestigt war. Sie legte die Stirn an die Bettkante, schloss die Augen. Die Alte atmete gleichmäßig ein und aus. Vom Gang her waren Stimmen und das Klappern eines Rollwagens zu hören. Die Toilettenspülung rauschte noch immer, vielleicht hatte sie nicht fest genug auf den Abzug gedrückt. Sollte sie jetzt mehr als zwei Stunden hier sitzen und eine fremde Hand halten, worauf hatte sie sich da nur eingelassen. Bestattungsunternehmen. Makaber. Sie könnte doch einfach aufstehen und gehen. Sie könnte anrufen und sagen, dass sie das hier nicht aushielt, sie war ihnen doch nichts schuldig.

Sie legte die Hand auf die Decke und ließ sie los, dann zog sie das Buch aus der Tasche.

Sie wurde davon geweckt, dass er dort stand. Der Krimi lag auf dem Boden. Ihr Nacken schmerzte. Sie nahm den Stallgeruch wahr, obwohl er mehrere Meter von ihr entfernt stand. Er trug jetzt eine andere Jacke als beim vorigen Mal, eine Art Parka, der war alles andere als sauber.

»Hallo«, sagte sie, ohne aufzustehen. »Ich bin offenbar eingeschlafen. Und sie schläft auch.«

»Ach ja. Ja, ach ja.«

Er hielt Ausschau nach einem Stuhl. Unter dem Fenster stand einer, er holte ihn und setzte sich auf die andere Seite des Bettes. Lächelte kurz und warf ihr einen raschen Blick zu.

»Andere Haarfarbe. Und längere Haare. Ansonsten hast du dich nicht verändert«, sagte er und fröstelte in seinem Parka, zog ihn nicht aus, obwohl es hier so warm war. Wenn sie nicht mit ihm sprach, vergaß sie immer wieder seine langsame und umständliche Ausdrucksweise, die so typisch war für Trøndelag.

»Ja. Du auch nicht«, sagte sie. »Ziemlich unverändert.«

»Und alles ist gutgegangen mit… dem Flugzeug und so? Oder bist du mit der Bahn gekommen?«

»Nein, mit dem Flugzeug.«

»Das ist gut. Geht schnell.«

»Ich hatte schon überlegt, ob ich nicht das Auto nehmen soll.«

»Himmel, nein. Jetzt im Dezember ist doch fast kein Licht. Und es ist glatt. Gut, dass du das nicht getan hast.«

»Ich wusste nicht, dass dein Bruder ein Bestattungsunternehmen hat.«

»Nein, wir haben wohl nicht… war er hier?«

»Ja. Er saß hier, als ich gekommen bin. Ich kam mir ganz schön blöd vor. Seltsam, dass wir nie über ihn gesprochen haben. Wenn ich mir das jetzt überlege… immer, wenn ich dich nach solchen Dingen gefragt habe, bist du ausgewichen. Warum eigentlich?«

»Aber wir wollen doch jetzt nicht... wir haben nicht viel Kontakt, er und ich. Er kommt nie nach Neshov. Soll ich uns vielleicht einen Kaffee holen?«

»Nein, das ist nicht nötig. Wie alt ist er?«

»Er... mal überlegen... ja, er ist jetzt wohl zweiundfünfzig. Drei Jahre jünger als ich.«

»Und dein anderer Bruder, was macht der?«

»Nein, was macht der... Margido hat ihn heute Morgen angerufen«, sagte er. »Er wohnt in Kopenhagen. Ist vor zwanzig Jahren dorthin gezogen.«

»Und er ist... wie alt?«

»Er ist erst... fast vierzig, glaube ich.«

»Nur wenige Jahre älter als ich?«

»Ja.«

»Aber warum hast du nie über sie gesprochen?«

»Wir haben doch... über andere Dinge gesprochen.«

»Über Tiere. Vor allem«, sagte sie.

»Tiere sind nicht gerade das schlechteste Gesprächsthema«, sagte er und lächelte kurz.

»Was machen deine Schweine?«

Er setzte sich auf, schaute ihr in die Augen und lächelte strahlend: »Siri hat heute Nacht dreizehn Junge geworfen.«

»Himmel. Wie schön!«

Von Siri hatte sie viel gehört. Diese Sau war offenbar der pure Einstein.

»Und am Sonntag hab ich auch fünf bekommen.«

»Nur fünf? Du hast doch gesagt, wenn die Würfe unter zehn sinken, dann...«

»Vier sind gestorben. Insgesamt neun. Aber es war ihr erster Wurf. Beim ersten gibt es nie so viele.«

»Waren sie krank? Die vier?«

»Die Sau hat sie getötet. Hatte Angst und war wütend. Dann kann das passieren.«

Er warf einen raschen Blick ins Gesicht seiner Mutter. Er hatte ihre Hand nicht genommen.

»Davon hab ich gehört. Die armen Tiere.«

»Ach, die haben nicht viel gemerkt. Wenn sie gerade geboren sind, spüren sie Schmerz nicht so richtig. Aber es war wirklich verflixt. Verflixt! Feine Junge. Verflixt. Und eine Wahnsinnsarbeit, den Lebenden Milch zu verschaffen.«

»Du hast doch den Tierarzt angerufen? Damit die Sau etwas zur Beruhigung kriegt?«

»Nein. Hab ich selbst erledigt. Das ging gut. Ein bisschen Nervkram, dann ging es gut.«

»Kommt übrigens ... Erlend? Hierher?«

Er rutschte auf seinem Stuhl herum, wühlte in einer Tasche, das Licht verschwand aus seinem Gesicht, das Licht, das plötzlich da gewesen war, als er über die Schweine gesprochen hatte, sie bereute ihre Frage, bereute sie heftig. Jede Bewegung seines Körpers schickte neuen Stallgeruch ins Zimmer.

»Weiß nicht. Margido hat nicht viel gesagt. Aber jetzt weiß er es jedenfalls. Dass sie krank ist. Dass sie hier liegt. Aber sie wird ja wieder gesund. Glaube ich. Ansonsten fehlt ihr schließlich nichts.«

»Ich weiß nicht, ob sie etwas mitbekommen hat. Dass ich gekommen bin.«

»Es ist gut, dass du gekommen bist. Auch gut für dich.«

»Für mich? Wieso?«

»Ach. Du ... drehst und wendest alles. Sie ist doch deine Großmutter.«

»Hat sie je nach mir gefragt? Wie es mir geht?«

»Sie weiß, dass wir miteinander telefonieren. Ich habe ihr erzählt, dass du geheiratet hast.«

»Herrgott. Das ist doch tausend Jahre her. Hast du ihr auch von meiner Scheidung erzählt?«

»Das nicht gerade. Aber ein Jahr danach hat sie gefragt, ob du ein Kind hättest. Ich habe gesagt, du willst keins. Dass du das gesagt hättest. Das hat sie nicht weiter gewundert.«

»Warum nicht?«

»Weiß ich nicht. Das hat sie nicht gesagt.«

Sie schwiegen beide. Sie wollte zurück ins Hotel und sagte das auch, sagte, sie sei müde, es sei am Vorabend spät geworden, sie habe nachts schlecht geschlafen und sei von der Arbeit praktisch sofort zum Flughafen gefahren.

»Kommst du morgen mit auf den Hof?«, fragte er und wühlte wieder heftig in seiner Hosentasche.

»Sicher.«

Sie sagte nicht, dass sie nicht dort übernachten wollte.

»Dann kannst du dir die Schweine ansehen«, sagte er.

»Darauf freue ich mich. Du hast doch sicher einen Overall für mich.«

»Aber ja doch. Ohne kommst du mir nicht in den Stall. Ansteckungsschutz. So was ist wichtig. Und außerdem setzt sich der Geruch nicht in den Kleidern fest.«

Vermutlich bemerkte er ihn gar nicht.

»Ich kann morgen Vormittag herkommen. Nach ihr sehen«, sagte sie. »Dann können wir uns hier treffen. Hast du noch dasselbe Auto?«

»Den Volvo? Ja. Der ist Gold wert, der Alte. Wieso fragst du?«

»Einfach so. Hat mich eben interessiert. Dann fahr ich jetzt mal.«

»Ich werde nachher mit dem Arzt sprechen«, sagte er.

»Margido hat gesagt, dass heute Nacht niemand hier sitzen muss.«

»Hat er das gesagt? Jaja. Ich werde trotzdem mit ihm sprechen.«

»Dann sehen wir uns morgen.«

Sie fand in der Bar des Royal Garden einen freien Tisch und bestellte Kaffee und Kognak. Der Gaskamin brannte in schöner Illusion. Sie hatte Lust auf eine Zigarette. Sie merkte, dass ihr wieder die Tränen kamen. So zu sitzen, zwei Menschen, deren Köpfe auf beiden Seiten einer weißen Bettdecke aufragten, mit einem schlafenden, vermutlich sterbenden Menschen zwischen sich. Dieser Mensch war seine Mutter. Er liebte sie, wohnte mit ihr zusammen, hatte sein Leben lang mit ihr zusammengewohnt. Und sie, Torunn, hatte es sich nicht verkneifen können, ihm so zuzusetzen. Vermutlich, weil sie geschlafen hatte, dann jählings geweckt worden war und plötzlich nicht mehr dorthin gehört hatte. Aber wer gehörte schon in ein Krankenhaus, auf die Schlaganfallstation? Er jedenfalls nicht. Und sie hatte einfach losgeredet, typisch elendes Timing, sie hätte ihm diese Fragen schon tausend Mal stellen können. Sie hatte es ja auch getan, nicht tausend Mal, aber einige Male, und er war ausgewichen, jedes einzelne Mal, bis sie nicht mehr gefragt hatte. Sie dachte daran, dass sie einmal gedacht hatte, diese Brüder hassten vermutlich die pure Erinnerung an ihre Existenz, könnten sie nicht ausstehen, und der Vater wolle sie schonen und deshalb nicht über seine Brüder reden.

Sie leerte ihr Kognakglas und bestellte noch eins. Am nächsten Tag wollte sie lieb zu ihm sein.

Mehrere Männer in der Bar schauten zu ihr herüber. Sie saß hier ganz allein, eine einsame Frau an einem Tisch, an einem Dienstagabend, es war leicht, die Gedanken der Männer zu erraten. Sie zog ihren Zimmerschlüssel aus der Tasche und legte ihn vor sich auf den Tisch. Sie wohnte hier, konnte nach Herzenslust alleine hier sitzen, keiner sollte sich etwas einbilden, sie wussten nichts über sie.

Der Flughafenbus spuckte vor den Glastüren eine neue Ladung Menschen aus, mit Koffern und Plastiktüten, die vollgestopft waren mit knallbunten Weihnachtspaketen, der Rezeptionstresen war verstopft von Körpern und Gepäck, draußen schneite es, auf allen Schultern lag Schnee, obwohl der Bus direkt vor der Tür gehalten hatte. Sie war zu Fuß vom Krankenhaus zum Hotel gegangen, ein wunderbarer Spaziergang, dem Krankenzimmer entronnen, über die Brücke auf den wie in einem Weihnachtsmärchen angestrahlten Nidarosdom zu, durch die Stadt, vorbei an der Stadtbrücke, am Fluss entlang, überall Schnee, Schnee in ihren Haaren und an ihrer Wange, sie rief Margrete an und sagte, alles gehe gut, es gehe gut, es werde gutgehen, sie wolle nur ihrer im Koma liegenden Großmutter guten Tag sagen, den Vater auf dem Hof besuchen und sich seine Schweine ansehen, dann nach Hause fliegen. Kein Grund, warum das nicht gutgehen sollte.

Sein erster Gedanke war, dass er sich nichts anmerken lassen durfte. Wenn er auf irgendeine Weise zeigte, dass es ihm naheging, würde Krumme darauf bestehen, dass er nach Norwegen fuhr, nach Trondheim, außerdem würde er mitkommen wollen, und diese Vorstellung war unerträglich, dann würde er alles sehen, würde feststellen, wer er wirklich war, er würde entlarvt sein, Krumme würde sofort aufhören, ihn zu lieben.

Sie würde vermutlich sterben. In Gedanken hatte er sie vor zwanzig Jahren umgebracht, alle vier, und jetzt würde sie tatsächlich sterben, das war nicht gerecht, es passte nicht in seine Pläne, aber er konnte ja einfach vorgeben, dass er hinfuhr. Er könnte stattdessen zwei Tage nach London fliegen, dann zu Krumme heimkehren und sagen, jetzt sei sie tot und begraben, in Byneset würden die Toten immer innerhalb von vierundzwanzig Stunden begraben, das sei ein uralter Brauch, könnte er sagen.

Krumme war wütend. Oder traurig, das war schwer zu entscheiden. Jedenfalls saß er in der Küche vor dem frischgebackenen Brot, er hatte keinen Kaffee gekocht und die Zeitung nicht geöffnet und keinen Bissen Brot gegessen, er saß nur ganz still da, mit den Armen auf dem Tisch, und starrte vor sich hin.

»Ich weiß nichts über dich«, sagte er.

»Fängst du schon wieder an? Wer ist denn ein Mensch?

Nur, weil ich deiner streitsüchtigen Schwester und deinen voreingenommenen, snobistischen Eltern begegnet bin, weiß ich also, wer du bist? Ich bin ich! Der, den du siehst! Nicht mehr und nicht weniger!«

»Du brauchst hier nicht die Dramaqueen zu spielen. Oder mir an die Gurgel zu gehen. Ich bin nicht böse, ich bin nur traurig.«

»Sei das nicht. Bitte!«

»Du hast einen Bruder.«

»Klar doch. Ich hab zwei.«

»Zwei?«

»Und eine Mutter, die im Sterben liegt. Deshalb hat er angerufen. Eine Mutter, auf die ich scheiße.«

»Sie liegt im Sterben? Herrgott!«

»Ja, Herrgott. Wie grausam oder so. Himmel, wie grausam, ich sterbe vor Kummer.«

»Reiß dich zusammen.«

»Ich reiß mich zusammen. Siehst du? Jetzt habe ich mich zusammengerissen. Jetzt habe ich meine Mutter betrauert. Schwupp. Das ging ja wirklich schnell, du.«

»Du fährst also nicht? Dein Bruder hat doch sicher angerufen, weil sie wollen, dass du kommst. Sonst hätte er dich nicht angerufen.«

»Willst du wissen, warum er angerufen hat? Weil ich ihm vor fünf Jahren im Suff eine witzige Postkarte geschickt habe.«

»Hast du?«

»Ja. Eine Karte mit fünf splitternackten Frauen, die um den offenen Sarg von Ayatollah Khomeini tanzen.«

»Warum hast du ihm so eine Karte geschickt? Ist er politisch aktiv?«

»Er hat ein Bestattungsunternehmen.«

»Du bist doch verrückt.«

»Kann schon sein.«

»Du willst also nicht fahren. Nicht ans Totenbett deiner eigenen Mutter.«

»Sag das nicht so. Was findest du denn, was ich tun soll?«

»Dazu kann ich keine Meinung haben, Erlend. Das ist es doch gerade...«

»In dieser Weltgegend wird der Wert eines Menschen daran gemessen, wie viele sich zur Beerdigung einfinden. Eine überfüllte Kirche bedeutet, dass der Mensch innig geliebt wurde. Wenn ich nicht da bin, werde ich also sichtbar...«

»Sie wird aber noch nicht begraben. Oder... ist es eine Frage von Stunden?«

»Keine Ahnung. Aber wenn ich einfach kurz hin- und zurückfliege, haben sie etwas zu bequatschen. Dass sogar ich gekommen bin. Und sie liegt im Krankenhaus. Ich brauche also nicht einmal zu ihnen nach Hause zu fahren.«

»Ich verstehe kein Wort von dem, was du sagst, Schatz. Keinen Zusammenhang. Es gibt so viel, worüber wir nicht gesprochen haben.«

»Es gibt nichts zu besprechen! Iss! Ich habe Brot gebacken. Bald ist Weihnachten. Wir haben morgen Abend ein großes Weihnachtsfest. Und natürlich fahre ich nicht. Ich rufe an und frage, wie es ihr geht. Später. Morgen. Heute fange ich mit dem Tisch an. Und du fährst jetzt in die Redaktion.«

Das mit dem Einhorn war also kein Zufall gewesen. Sondern ein Omen. Ganz einwandfrei ein Omen. Wie das Gefühl von Unruhe, das er nachts gehabt hatte. Nichts war je ein Zufall. Und jetzt musste er dagegen ankämpfen, durfte sich nicht fallen lassen, warum hatte Margido ihn angerufen? Das war eine Gemeinheit. Margido musste doch wissen, dass die Nachricht ihn durchaus nicht dazu veranlassen würde, alles stehen und liegen zu lassen und sofort nach Trondheim zu fliegen, plötzlich, nach zwanzig Jahren. Er hatte sicher nur angerufen, um ein schlechtes Gewissen zu provozieren. Christlicher Trottel, was brauchte der sich schon für Sorgen zu machen, er konnte sich einfach an Gott und Jesus und den heiligen Scheiß anlehnen und Ruhe finden.

Schlag. Ein seltsames Wort. Einen Schlag erlitten. Einfach geschlagen. Zu Boden. Konnte nicht sprechen, hatte Margido gesagt, lag einfach da. Im Abseits. Achtzig war sie inzwischen. Eine alte Frau von achtzig Jahren lag im Regionalkrankenhaus in Trondheim und war seine Mutter. So hieß es übrigens nicht mehr, St.-Olavs-Krankenhaus hatte Margido es genannt. Die Trønder drehten offenbar langsam durch in ihrem Bemühen, aus ihrem Kaff eine Mittelaltermetropole zu machen. Er hatte gefragt, ob er kommen und sie ein letztes Mal sehen wolle. Ein letztes Mal, du meine Güte! Wer war hier eigentlich die Dramaqueen? Er doch wohl nicht. Das Letzte, was er von ihr gesehen hatte, war ihr Rücken gewesen. Sie hatte vor der Anrichte gestanden und sich mit irgendeiner Suppe beschäftigt, die in leere Milchkartons gefüllt und dann eingefroren werden sollte. Sie hatte sich verdammt noch mal nicht einmal umgedreht, als er auf Wiedersehen gesagt hatte. War sauer gewesen, weil er ging, wäre sauer gewesen, wenn er geblieben wäre. Der Jüngste auf Neshov ist ein Männermann, oh Schreck, oh Graus, welche Schande. Der Einzige, der ihn akzeptiert hatte, war der Großvater gewesen. Opa Tallak, der beste Großvater der Welt, der mit ihm aufs Meer gerudert war und ihn das Lachsfischen gelehrt hatte. Wenn Krumme wüsste, dass er Lachse fischen konnte! Aber als Opa Tallak gestorben war, hatte es keinen Grund mehr zum Bleiben gegeben. Und als er gesagt hatte, er wolle in die Stadt ziehen und auf der Berufsschule in Brundalen Design studieren, war alles aus gewesen. Die Mutter war hysterisch geworden und hatte gesagt, auch wenn er anders sei als alle anderen, brauche er deshalb keine solche Ausbildung zu machen und Schande über sie alle zu bringen. Und da war ihm die Entscheidung leichtgefallen. Da Trondheim für den guten Namen und den Leumund der Familie zu nahe lag, musste er eben weiter weggehen. Aber jetzt wollte er alle Erinnerungen verdrängen, er hatte Wichtigeres zu tun. Er duschte, zog sich an und ging in die Stadt. Er summte und versuchte, sich auf den Tisch zu konzentrieren. Aber zuerst musste er den Matrixmantel für Krumme abholen, der sollte heute fertig sein.

Der Mantel war wirklich eine Augenweide, der Lederschneider hatte fantastische Arbeit geleistet. Krumme würde vor Glück sterben und sich einbilden, dass Matrixmäntel wirklich in solch obskuren Größen und Formen hergestellt wurden. Er ließ den Mantel in knallrosa Glanzpapier packen und bezahlte glücklich den Wahnsinnspreis, den die Änderung gekostet hatte. Danach kaufte er für den Tisch ein. Blutroten Satin, Goldtaft, Goldservietten in zwei Größen, goldverzierte Kerzen von einem halben Meter Höhe. Der Satin war leuchtend metallisch und würde die eigentliche Tischdecke sein, während der Taft wie ein Fluss mitten auf dem Tisch liegen sollte. In den Fluss wollte er goldene und silberne Kugeln, Sterne und Glitzer streuen, neben jedes Gedeck kamen winzige Sträuße aus Mistelzweigen und Lorbeerblättern.

Ihr fiel ein, was die Mutter über die Aussicht gesagt hatte. Von der geschäftigen Stadt aus die Landspitze zu umrunden, war, wie in eine andere Welt zu fliegen, eine Welt der Ruhe, des Lichtes und der unendlich langen Linien, was war eigentlich so besonders daran, Wasser zu sehen, am Wasser zu sein, diese Ruhe, die daraus entsprang, dass man auf große Wasserflächen schaute? Der Geruch im Auto war nicht mehr so schlimm, als sie mit offenem Fenster fuhren, weil sie eine Zigarette rauchen wollte. Ihm machte es nichts aus, dass sie im Auto rauchte. Außerdem war der Geruch unwichtig, was sie sah, ließ den Geruch unwichtig werden. Denn Byneset war eine Weihnachtskarte, mit Schnee vor einem Fjord, rauchenden Schornsteinen, einem Dunstschleier über dem Wasser und blauen hohen Bergen am anderen Ufer, es war ein Aquarell, mit viel Wasser und dickem Pinsel gemalt. Die Höfe lagen an den sanften Hängen zum Fjord hin, Wäldchen passten sich als schwarzweiße Büschel der Symmetrie an. Sie sagte laut, wie schön sie das alles fand und dass sie sich ab und zu wünschte, sie sei Fotografin oder Malerin geworden.

»Ich bin so daran gewöhnt. Seh es nicht mehr«, sagte er.

Die lange stattliche Allee hatte sie auf den Hof nicht vorbereitet. Sie fuhren auf den Hofplatz, und sofort sah sie den Verfall. Das war alles, was sie wahrnahm, in diesen ersten Minuten. Eine Armut, die langsam vor ihren Augen wuchs. Mehrere

Fenster im ersten Stock des Wohnhauses waren durch Sperr-holzplatten ersetzt worden. Die weiße Farbe an der Südwand war fast abgeblättert und ließ das graue Holz durchscheinen. Alter Metallschrott quoll unter dem Aufgang zur Scheune hervor, rostig und achtlos weggeworfen. Etwas, das früher einmal ein Vorratshaus gewesen sein musste, war auf einer Seite eingesunken, ein Stapel verrosteter Felgen ohne Reifen lag am Ende des Kuhstalls, neben einem Anhänger, der schief auf der Kopplung hing, er hatte nur ein Rad. Und es lag sehr viel Schnee, wie würde es wohl aussehen, wenn der barmher-zige Schnee geschmolzen wäre und noch mehr Schrott und Abfall zum Vorschein kam?

»Ja, da wären wir.«

Als er den Motor ausdrehte, hörte sie anderen Motoren-lärm.

»Du meine Güte«, sagte er und stieg eilig aus dem Wagen. »Ich habe doch gesagt, dass ich es selber hole. Ich kann es mir wirklich nicht leisten, mir die Paletten bringen zu lassen wie ein Großgrundbesitzer.«

Ein Lastwagen kam auf den Hofplatz gefahren. Er blieb stehen und sah abwechselnd den LKW und Torunn an, als wüsste er nicht so ganz, was er tun sollte.

»Was ist los?«, fragte sie. »Wer kommt denn da?«

»Nein, das ... das ist Kraftfutter, ich hab fast keins mehr. Du kannst so lange in die Küche gehen. In dem Anbau da.«

»Soll ich dir nicht helfen? Hereintragen und so?«

»Nein, das schaffen Arne und ich sehr gut. Das ist Männer-arbeit. Geh du nur in die Küche.«

Er musste wohl irgendwo dort im Haus sitzen, ihr Großvater. Sie klopfte an beide Türen, ehe sie öffnete und die Küche betrat. Hier war niemand, aber aus dem oberen Stock hörte sie Geräusche. Die Küche stank. Sie ging vorsichtig hindurch und klopfte an eine Tür, die tiefer ins Haus führte. Niemand antwortete, und sie ging hinein. Ein Wohnzimmer mit einem

Fernseher, einem Sofa, einigen Sesseln, einem langen, schmalen Couchtisch aus Teakholz. Die Sesselbezüge hingen zerfetzt über den Holzrahmen, in zweien lagen Kissen auf dem Sitz, plattgesessen, niemand hatte sie je aufgeklopft. Das Sofa war grau und fleckig, es gab drei bestickte Sofakissen in hellen Farben, knallgelb auf orange, hellgrün auf rosa. Auf dem Tisch lagen auf einer Decke ein Vergrößerungsglas, einige Zeitungen, ein offenes Brillenetui. Drei leere Kaffeetassen ohne Untertasse standen am einen Ende des Tisches, zusammen mit einem Teller voller Krümel. Auf dem Fernseher stand eine tote Topfblume in einem Gefäß, das aussah wie zusammengewickelte Alufolie. Sie steckte den Finger hinein, die Folie enthielt eine Konservendose, und die Pflanze stand bis zum Dosenrand in Wasser. Auf den beiden Fensterbänken standen ebensolche Arrangements, und bis auf eine waren alle Pflanzen eingegangen. Es war eiskalt im Zimmer, so kalt wie in der Küche. Sie ging dorthin zurück und schaute aus dem Fenster, über eine Nylongardine hinweg, die vor der unteren Fensterhälfte hing, weiß und hellblau, auf der einen Seite war sie bräunlich, dort, wo das Thermometer hing und man die Gardine anhob, um einen Blick darauf zu werfen. Sie trugen Säcke, der Vater und ein anderer Mann trugen Säcke durch die offene Stalltür. Sie holte Atem und sah sich in der Küche um.

Ein Resopaltisch vor dem Fenster, drei Stahlrohrstühle mit roten Kunststoffsitzen, ein gestreifter Flickenteppich aus Plastik auf dem Boden, Anrichte ohne Beleuchtung, ein unglaublich schmutziges Ausgussbecken mit einem türkisen Gummirand und ein hoch oben an der Wand befestigter Boiler. Ein Schrank, der nach unten hin immer schiefer wurde, abgeblättert auf beiden Seiten der Schiebetüren, ein uralter Herd von der Sorte, wo die Kochplatten aus einer Metallplatte lugen, das Metall war aus schwarzer Emaille mit weißen Pünktchen, sie ging hinüber und stellte den Kaffeekessel auf die Anrichte, hob die Metallplatte hoch und starrte auf tiefe Ränder, auf unzählige Schichten Essensreste und Kaffee-satz. Der Kühlschrank war ein uraltes Modell, am Griff war ein Knopf, den man eindrücken musste, um die Tür zu öffnen. Sie öffnete sie nicht, um den Griff herum wimmelte es nur so von mattbraunen Fingerabdrücken.

Auf der Anrichte lag ein Brett mit einem Messer zwischen Brotkrümeln und dunklen Flecken aus eingetrockneter Marmelade, dazu ein Brot in einer schon häufig verwendeten Plastiktüte, sie war mattweiß von den vielen Falten. Auf einem Gestell neben dem Spülbecken hingen zwei Plastiktüten an Wäscheklammern und ein blaukariertes Küchenhandtuch. Sie schaute aus dem Fenster, die beiden schleppten noch immer Säcke. Von oben war kein Laut mehr zu hören.

Sie goss den Satz aus der Kanne in das Ausgussbecken und ließ sauberes Wasser hineinlaufen, legte die Hand auf die Platte, die vermutlich zum linken Schalter gehörte. Die Zahlen um den Schalter herum waren verblichen. Als sie eine leichte Wärme wahrnahm, stellte sie den Kessel darauf. Der Kessel war innen wohl sauber, auch wenn er außen von Fettspritzern bedeckt war.

Neben einem riesigen schwarzen Herd stand eine Zinkbütte mit Holzscheiten und alten Zeitungen. Die Türen im Herd waren winzig klein, hinter der ersten fand sie einen Backofen, der vollgestopft war mit Backformen und Blechen. Der Ofen war eiskalt. Sie ging vor der Herdklappe in die Hocke und hielt zugleich Ausschau nach einem Heizkörper. Sie fand einen unter dem Küchentisch unter dem Fenster, sie ging hinüber und fasste ihn an, er stand auf der untersten Temperatur. Sie drehte ihn nicht höher, sondern machte Feuer im Herd, zerriss Zeitungen, knüllte das Papier fest zusammen und legte es auf den Boden. Das Holz war trocken und fing sofort Feuer. Erst, als sie die Flammen sah und ihre Wärme spürte, fing sie an zu denken. Diese Küche stimmte kaum mit dem überein, was er über seine Mutter erzählt hatte. Er hatte gesagt, sie putze und sorge für Ordnung und koche, hatte sie als geschäftige Frau hingestellt, als echte Bäuerin, die für alles sorgte und an sich und andere hohe Ansprüche stellte. Aber hier war alles nur schmutzig und verkommen, die Küche ließ sie an arme russische Familien denken.

Sie legte Holz nach und ließ die Herdklappe einen Spaltbreit offenstehen, um einen Luftzug zu gewährleisten. Wenn er ihr etwas zu essen anbot, wollte sie ablehnen, obwohl sie ungeheuren Hunger hatte. Sie wusch sich die Hände über dem Ausguss, ohne das vertrocknete Stück Seife mit den schwarzen Rissen zu berühren, das an einem Magnethafter an der Wand hing, lieber nahm sie einen Spritzer Spülmittel aus der Flasche neben dem Spülbecken. Die wurde wohl nicht oft benutzt. Das Handtuch, das neben der Seife hing, rührte sie ebenfalls nicht an, sie schwenkte ihre Hände vor der Herdklappe durch die Luft, bis sie trocken waren. Nun kam er über den Hofplatz auf das Haus zu. Der Mann aus dem Lastwagen war bei ihm. Sie kamen nicht in die Küche, sie hörte, wie draußen auf dem Gang eine Tür geöffnet wurde, und kurz darauf sagte ihr Vater: »Das müsste wohl reichen, auch für deine Mühe. Aber es war nicht richtig, dass du das Futter gebracht hast, wo ich doch nicht ... nur, weil Mutter krank ist. Das war wirklich übertrieben. Aber vielen Dank und fröhliche Weihnachten.«

»Du musst das Futter also bar bezahlen«, sagte sie, als der Lastwagen verschwunden war und der Vater in der Küche stand.

»Kochst du Kaffee, ja. Nein, ich war ihm aus einem anderen Grund Geld schuldig.«

»Ich habe auch Feuer gemacht, hier war es ja eiskalt. Wo steckt übrigens dein Vater?«

»Ach, der macht so allerlei.«

»Ist er denn gesund und munter? Kann er ...«

»Sicher. Kümmert sich um seinen eigenen Kram. Hackt Holz und bringt es herein.«

»Warum ist er nicht im Krankenhaus? Machen du und Margido denn allein ...«

»Er war dabei, als sie hingebracht wurde. Er mag Krankenhäuser nicht so gern.«

»Nein, wer tut das schon. Du musst ihm sagen, dass es Kaffee gibt.«

»Der hat genug Kaffee getrunken. Und Brot hat er auch gegessen, sehe ich. Er macht schrecklich viel Unordnung.«

»Ich würde ihn aber gern kennenlernen. Wo ich schon mal hier bin.«

»Naja, das ist nicht so wichtig. Er ist nicht ganz bei sich. Ich finde, wir sollten jetzt ...«

»Ich darf ihm also nicht guten Tag sagen?«

»Wir wollten doch in den Stall. Wir wollten doch ...«

»Na gut.«

Er setzte sich an den Tisch, sprang aber sofort wieder auf.

»Wir haben Kekse. Mutter hat Kekse gebacken, das weiß ich.«

»Die brauchst du nicht zu suchen, ich möchte keine, ich esse nicht so gern Kekse.«

»Aber ein Brot?«

»Nein danke. Ich habe im Hotel ein Riesenfrühstück bekommen.«

»Aber du hast ja gar kein ... Gepäck bei dir, habe ich gesehen.«

»Nein, mir ist eingefallen ... ich fahre morgen nach Hause. Jetzt habe ich sie ja gesehen. Außerdem kann ich nicht hier wohnen, wenn ich nicht mit deinem Vater sprechen darf.«

»So ist das doch nicht. Dass du nicht ... Er weiß nicht, wer du bist.«

»Genau. Das ist es.«

»Was denn?«

»Dass er keine Ahnung von meiner Existenz hat.«

»Das nun auch wieder nicht.«

»Er weiß nicht, dass es mich gibt. Ich komme mir vor wie eine Idiotin.«

»Aber Torunn...«

»Weiß er es, oder weiß er es nicht?«

»Er braucht überhaupt nichts zu wissen. Der Mann ist nicht ganz bei sich, hab ich doch gesagt.«

»Reg dich ab. Wir brauchen nicht mehr darüber zu reden. Jetzt kocht das Wasser, wo habt ihr den Kaffee?«

Er zeigte auf eine rote Dose mit einem Plastikdeckel. Sie gab reichlich Kaffee in den Kessel und nahm noch einen großzügigen Extralöffel, als sie sah, dass es genug war. Er gab keinen Kommentar dazu ab. Sie ließ den Kaffee noch einmal aufkochen, dann hielt sie den Kessel unter den Kaltwasserhahn und gab einen Schuss kaltes Wasser dazu.

»Das kannst du«, sagte er. »Ich dachte, Leute in der Stadt benutzen nur Kaffeemaschinen.«

Er lächelte, sie lächelte zurück, er kam ihr so armselig vor. Er trug noch immer seinen Parka, saß vor dem Küchenfenster, als ob er hier zu Besuch wäre.

»Du musst Tassen holen«, sagte sie.

Er machte sich nicht die Mühe, Untertassen zu suchen, nahm aber immerhin eine Schale mit Würfelzucker aus dem Schrank. Er schaute in die Schale und lief zum Schrank und kippte aus einer Schachtel weitere Zuckerstücke darauf. Als er aufstand, um im Herd Holz nachzulegen, rieb sie mit ihrem Ärmel die Kaffeetassen von innen aus. Nun konnte sie immerhin ihren Kaffee mit Zucker vollschaufeln, wo der doch direkt aus der Verpackung kam. Sollte er sie ruhig für ein Leckermaul halten.

Er gab ihr einen alten Overall und ein Paar braune Stiefel. Der Overall hatte schon lange keine Waschmaschine mehr von innen gesehen. Sie musste sich im Futterraum umziehen. Dort lagen hohe Stapel von Säcken, und mitten im Raum gab es einen riesigen Trichter aus dickem, grobem Stoff, der unten in einer Metalltülle mit Schiebevorrichtung endete. Auf dem Boden lagen Futterkörner, sicher wurde der Inhalt der Säcke hier eingespeist. Von Automatisierung war hier nicht viel zu sehen. Sie hatte geglaubt, Bauern suhlten sich in Subventionen und wetteiferten um den letzten Schrei an arbeitssparendem Gerät.

Sie zog so viel von ihrer eigenen Kleidung aus, wie sie es nur wagte, ohne Gefahr zu laufen zu erfrieren. Sie würde das, was sie anbehielt, in Plastiktüten stecken müssen, die Gerüche, in die sie bereits eingehüllt war, ließen die im Auto wie einen angenehmen Aperitif wirken. Aber sie freute sich. Freute sich ungeheuer auf diese Tiere, die sein Gesicht zum Leuchten brachten und am Telefon überstürzte Berichte provozierten, ganz im Widerspruch zu seiner umständlichen Redeweise sonst.

»Die sind nicht an Fremde gewöhnt. Die alten Sauen kennen den Tierarzt, aber ansonsten sehen sie nur mich. Sie werden sicher ein bisschen lauter werden«, sagte er, als sie in Overall und Stiefeln vor ihm stand und sich sonderbar gut angezogen vorkam.

Sie hatte noch nie einen Schweinestall betreten und nur zu wenigen Gelegenheiten lebende Schweine gesehen. Es war nichts, worüber man nachdachte, dass man nicht oft lebende Schweine sah. Kühe und Pferde liefen überall in Pferchen herum, aber Schweine waren im Haus, man musste schon einen Schweinezüchter kennen oder in einem Schweinestall etwas zu erledigen haben. In der Klinik in Oslo hatten sie eine Abmachung mit einem Reitstall, näher war sie an Stroh und Koben und Tiere, die größer waren als eine dänische Dogge, bisher nicht herangekommen.

Im Stall war die Hölle los. Gleich darauf wurde es totenstill, als ob alle gespannt lauschten. Danach schrien sie allesamt wieder wie am Spieß.

»Sie haben gehört, dass ich hier bin«, sagte er. »Und es ist nicht meine übliche Zeit. Da wollen sie doch wissen, was los ist. So ist es immer. Wenn eine wirft, muss ich ein und aus rennen. Dann machen die anderen ein Höllenspektakel. Die glauben, jedes Mal, wenn ich komme, ist Weihnachten.«

Nichts hätte sie auf den Anblick der Zuchtsauen vorbereiten können. Es waren monströse Berge aus lebender Masse, mit kurzen dicken Füßen darunter. Die Schnauzen glänzten feucht und bewegten sich eilig in immer neue Richtungen, als wären sie nur locker am restlichen Kopf befestigt, die Augen waren kleine blaue Löcher im gewaltigen Schädel, die Ohren tanzten und zitterten, halb aufgerichtet, halb hängend. Die Ohren waren so groß, dass sie die Sicht versperrten, deshalb mussten die Tiere den Kopf zur Seite drehen und aus den Augenwinkeln starren. Die Blicke waren stechend und aufgeregt, sie betrachteten sie strafend, sie konnte keine Mimik um diesen Blick herum erkennen und fand darin nichts als Misstrauen. Winterfliegen schwebten langsam um die Tiere herum, und mehrere Sauen stießen ein fast bellendes Geräusch aus, als sie ihre Stimme hörten: »Die sind aber groß! Dass das möglich ist. Wie können die Füße das alles tragen? Was wiegen sie denn so?«

»Aber, aber, ganz ruhig«, sagte er und ging zum nächsten Koben. Die Sau stolperte ihm entgegen, grunzte, schnaufte und schob den feuchten Rüssel in seine Hand. »Schweine sehen nicht gut, aber sie hören, dass du eine Unbekannte bist. Ach, die wiegen um die zweihundert Kilo, sie können es auf zweihundertfünfzig bringen, wenn sie einige Würfe hinter sich haben. Diese drei hier wiegen jede etwa eine Vierteltonne.«

»Ich glaube, das hast du mir schon mal erzählt. Was sie wiegen. Aber ich konnte mir irgendwie nicht vorstellen, dass sie so riesig sind. Es kommt mir fast ein bisschen… makaber vor.«

»Prachtvolle Tiere. Und sie haben alle drei feine Füße. Die, die noch nicht aufgestanden ist, heißt Sura. Mit der ist nicht gut Kirschen essen. Die kann die Zähne zeigen. Eigentlich sind es Raubtiere, weißt du. Aber für ihre Jungen sind sie immer die absoluten Supermütter. Es sind kluge Tiere.«

»Ja, das habe ich schon verstanden. Ich wollte ja auch nicht sagen, dass sie hässlich sind. Aber sie sind so riesig. Ich hatte keine Ahnung...«

»Nach Weihnachten nehme ich ihnen die Jungen weg und versetze sie wieder in Brunst.«

»Und wie lange dauert es, bis du die Jungen verkaufen kannst?«

»Fünf Monate. Den besten Schlachtpreis gibt es im Frühling.«

»Sie werden ihre Jungen sicher vermissen...«

»Sie sind ungeheuer intensiv miteinander beschäftigt, die Sauen, wenn ich ihnen die Jungen weggenommen habe. Schrecklicher Herdenkram bei Schweinen. Hackordnung und so.«

»Wie bei Hunden...«

»Viel schlimmer, glaube ich. Wenn ich die Sauen zusammenbringe, gibt es immer einen Höllenaufstand. Drei Sauen im selben Koben, das ist der reinste Kampf um den ersten Platz. Meine Güte, wie die aufeinander losgehen. Deshalb bringe ich sie erst abends zusammen, wenn sie müde und satt sind. Dann mache ich das Licht aus und gehe und hoffe auf das Beste.«

»Himmel hilf, können die sich denn gegenseitig umbringen?«

Sie versuchte, sich eine Dreivierteltonne wütendes Tier in einem solchen Durcheinander vorzustellen, nicht einmal drei Rottweilerrüden konnten sich wohl mit einem solchen Anblick messen.

»Nein. Dazu sind sie zu groß und zu schwer, weißt du. Aber sie versuchen es. Und wie sie das versuchen.«

Er lachte ein wenig, war jetzt hell und leicht, die Hände in die Overalltaschen gestopft, den Kopf hoch erhoben.

»Sie sind ganz toll«, sagte sie. »Wie alt … wie alt sind die Jungen? Wenn sie sich von ihrer Mama verabschieden müssen?«

»Fünf Wochen. Und zehn, zwölf Kilo. In knapp vier Monaten sind sie bei hundert. Aber willst du die frischgeborenen Jungen nicht sehen? Die von Siri?«

»Doch!«

»Sara allerdings … sie hat am Sonntag vier von ihren umgebracht … ich glaube, wir sollten ihr nicht zu sehr auf den Leib rücken.«

Sie nahm die Gerüche nicht mehr wahr. Und die Sauen waren nicht besonders schmutzig, sie waren eher staubig als schmutzig, mit Strohresten hier und da und Sägemehl an den Hinterbacken, wenn sie auf dem Boden gelegen hatten. Ihr Kot lag ordentlich auf der einen Seite des Kobens, sie hatte sich vorgestellt, dass sie sich in ihren eigenen Exkrementen suhlten. Sie fragte ihn danach.

»Freilaufende Kühe und Stiere kacken überall hin. Aber Schweine sind reinliche Tiere«, sagte er. »Machen es immer an einem festen Ort. Wenn sie sich in Schlamm wälzen, dann zur Abkühlung, weil sie nicht auf normale Weise schwitzen. Und wenn der Schlamm trocknet und abbröckelt, dann nimmt er das Ungeziefer mit. Aber das ist nur, wenn sie wild leben. Hier drinnen gibt es nicht viel Ungeziefer. Nicht doch, es sind keine Schweine. Und ihre natürlichen Instinkte haben sie behalten.«

Sie dachte an die Klinik, an das blanke Linoleum, an die Hygiene, das Desinfizieren. Der Stall war das genaue Gegenteil von Orten, wo kranke Haustiere hingebracht wurden, aber trotzdem kam der Stall ihr sauber vor. Alles, was hier war, musste hier sein. Stroh und Sägemehl und der Torfmull, von dem er ihr schon erzählt hatte, eisenhaltiger Torf, der die Ferkel rosa machte. Sie mussten ihre Instinkte ausleben, das wusste sie, mussten in Erde wühlen und ein wenig davon fressen. Auch wenn der Torfmull Betrug war, weil er gleich auf dem Beton lag. Die Stallwände bestanden aus riesigen aufeinandergestapelten Steinquadern, mit kleinen Lichtscharten hoch oben in der Mauer. Diese Fensterchen waren hier wohl das Schmutzigste, überwuchert von Spinnweben, sie ließen kaum Licht durch. Das Licht kam von Leuchtröhren unter der Decke, aber auch die waren mit Spinngewebe umhüllt.

»Hier sind sie«, sagte er.

So, wie sie auf die Größe der Sauen nicht vorbereitet gewesen war, war sie auch vom Anblick der Jungen überwältigt. Sie lagen unter einer roten Wärmelampe und schliefen in einem schimmernden, dichten Haufen.

»So winzig... im Vergleich zur Mutter«, flüsterte sie.

Die Sau ruhte, sie stand nicht auf. Ihr ganzer Bauch war wütend rot, die Zitzen standen wie dunkle Knöpfe ab, in Reih und Glied saßen sie auf dem roten Grund.

»Sie ist erschöpft, unsere Siri«, sagte er, ging zu ihr in den Koben, hockte sich neben sie, zog eine Scheibe Brot aus der Tasche und gab sie ihr. Siri verschlang sie grunzend. Torunn betrachtete die beiden. Sie kannten einander, hingen aneinander, das sah sie, der Mann und das Schwein.

»Kann ich auch in den Koben kommen?«

»Lieber nicht. Aber ich kann dir ein Junges geben. Dagegen hat Siri nichts, solange ich hier bin.«

Er löste ein schlafendes Ferkel aus dem Haufen, hob es mit einer Hand hoch und reichte es ihr. Sie nahm es entgegen wie ein neugeborenes Baby. Es war warm und weich wie Samt und duftete ganz schwach nach Milch. Der winzige Rüssel war rosa und strahlend sauber, der Schwanz ragte von dem kleinen Hinterteil gerade nach oben. Sie hob das Ferkel vor ihr Gesicht, es blinzelte schlaftrunken und stieß kleine wimmernde Schnauflaute aus. Seine Augen unter den hellen Wimpern waren hellblau.

»So etwas Niedliches hab ich noch nie gesehen«, flüsterte

sie. »Es ist noch schöner als Kätzchen und Welpen und über-haupt. Einfach perfekt, ja…«

»Halt es gut fest. Wenn Siri anfängt zu ruffeln, reagiert es sofort. Ich weiß nicht, wann sie zuletzt gesäugt worden sind.«

»Ruffeln?«

»Fressgeräusche machen. Zur Fütterung rufen. Ich nenne das Ruffeln. Dann kommen sie wie die wilde Jagd angerannt, während sie fast noch schlafen. Und da ist dir der kleine Wicht sofort aus der Hand gesprungen.«

Aber Siri ruffelte nicht, und das Junge kam in ihren Händen zur Ruhe, nickte wieder ein. Sie wollte es nicht mehr loslas-sen, hätte stundenlang hier stehen und das kleine Wunder an ihr Gesicht drücken können. Das Öhrchen schmiegte sich glühendheiß an ihre Wange.

»Sie haben gern Körperkontakt«, sagte er.

»Es hält meine Wange wohl für eine Schwester oder einen Bruder«, flüsterte sie und streifte das Kleine mit den Lippen. »Und das soll zu Fleisch werden. Zu Speck und Rippen in der Kühltruhe.«

»Ja, das ist der Sinn der Sache«, sagte er. »Deshalb gibt es im Frühling den besten Schlachtpreis.«

»Wieso das?«

»Grillsaison. Größeres Geschäft noch als Weihnachten.«

»Daran hab ich noch nie gedacht. Irgendwie gehören Schwein und Weihnachten doch zusammen. Rippe und Sülze und so. Aber natürlich, wenn erst die Wegwerfgrillgeräte her-vorgeholt werden… ach, stell dir vor, wenn die das wüssten. Findest du das nicht selber seltsam? Dass sie ihr Leben lang hier im Stall wohnen und…«

»Sie kennen nichts anderes. Haben keinen Vergleich. Ihnen geht es gut. Ich habe ja nur einen kleinen Betrieb, weißt du. Habe für alle Zeit. Und sie laufen frei herum, können sich miteinander arrangieren. Sie wüssten sicher nicht, wogegen sie protestieren sollten, außer gegeneinander. Nein, sie haben es gut, meine Schweine.«

»Bis sie geschlachtet werden.«

»Das geht dann aber schnell.«

»Bist du nicht ab und zu traurig, wenn du sie zum Schlachthof schickst?«

Sie flüsterte noch immer. Das Junge schlief, sein Kopf ruhte in ihrer Hand. Sein Schwanz hing spitz und locker nach unten, nicht größer als ein Stück Spaghetti.

»Doch. Ab und zu. Muss ich schon sagen. Es kann mal so einen kleinen Schlaukopf geben, der anders ist, der Persönlichkeit hat. An manchen ... hängt man dann, oder wie ich das nennen soll. Aber so ist es eben, die Leute wollen Fleisch essen, aber sie bringen es nicht fertig, sich mit den Tieren zu beschäftigen oder selber zu schlachten. Und das muss doch auch irgendwer machen. Sie füttern und mästen und dann schlachten.«

»Und wenn Siri dann kleinere Würfe hat ...«

»Ach, Himmel. Das wird nicht lustig. Das bringt uns dann für eine ganze Weile Marmelade aufs Brot ...«

Er lächelte und wandte sich wieder der Sau zu, kraulte sie und wiederholte leise: »Das bringt für eine Weile Marmelade, ja ...«

Siri stieß zur Antwort seltsame Geräusche aus, und fast wäre das Ferkel auf den Boden gefallen, weil es sofort frenetisch zu zappeln begann.

»Hilfe! Nimm du es!«

Die frisch abgestillten Würfe standen in drei voneinander getrennten Koben und sprangen wild durcheinander, als sie näher kam. Sie führten sich auf wie junge Hunde, und sie musste laut lachen. Eins legte sich auf die Vorderbeine und streckte den Hintern in die Luft wie ein Hund, der spielen will. Ihre Schwänze ringelten sich jetzt. Die Ferkel wirkten flink und beweglich und waren so rosa, wie Leute in der Stadt sich das vorstellen. Ein Rosa, das sie offenbar irgendwann verloren. Die Sauen waren eher grau und gelbweiß als rosa.

»Die sind wunderbar«, sagte er.

»Aber leider zu groß, um auf den Arm genommen zu werden.«

»Und gesund.«

»Kann ich noch mal eins von Siri nehmen, wenn sie mit dem Säugen fertig sind?«

Nicht einmal, als sie sich im Vorraum umzog, dachte sie noch an den Geruch. Sie beneidete ihn, so war das. An seine finanzielle Plackerei verschwendete sie keinen Gedanken, obwohl er ihr viel darüber erzählt hatte. Wie die Fleischpreise von allen Seiten gedrückt wurden zum Beispiel, dazu der ganze Papierkrieg, um den Kilozuschuss der Qualitätskontrolle zu behalten. Man musste dafür eine Unmenge von Auflagen erfüllen, vom Düngeplan über die vorgeschriebene Einrichtung bis zur tierärztlichen Kontrolle.

Sie beneidete ihn um diesen Stall voller Tiere, lebende Geschöpfe, die er kannte und versorgte, an denen er hing, in denen er einen Sinn sah.

Er wollte nicht wieder in die Küche, sie sah ihn zum Fenster hinüberschauen.

»Dann fahren wir zurück jetzt? Oder … was möchtest du?«, fragte er.

»Du willst sicher wieder ins Krankenhaus.«

»Ja. Ein paar Stunden bei ihr sitzen.«

»Gar nicht leicht für dich. So hin und her zu fahren. Und jetzt, wo doch Weihnachten ist und überhaupt.«

»Ach, Weihnachten kommt, ob man will oder nicht. Wir feiern hier nicht besonders. Und sie kann doch wieder auf die Beine kommen.«

»Nicht bis Weihnachten. Das glaubst du doch selbst nicht. In fünf Tagen ist schon Heiligabend.«

»Wir werden sehen.«

Er setzte sie vor dem Hotel ab. Sie sagte, sie wolle ein paar Einkäufe machen, ausspannen.

»Und morgen fahre ich nach Hause«, fügte sie hinzu.

»Ach so.«

»Das habe ich doch gesagt. Morgen ist Donnerstag. Ich kann zu dir ins Krankenhaus kommen, um mich zu verabschieden. Morgen früh. Wenn du im Stall fertig bist. Vielleicht ist sie… dann auch etwas wacher.«

»Kann schon sein.«

»Danke… dass ich mitkommen durfte. Du hast wirklich Glück.«

»Glück?«

»Wo du so feine Schweine hast. Ich wünschte, ich wäre an deiner Stelle.«

»Dann würdest du dir kein Hotel leisten können«, sagte er und lächelte. »Davon kann man nämlich nicht leben. Nicht von einem Betrieb wie meinem.«

»Aber ihr tut das doch. Lebt davon.«

»Mutter und… Vater haben ihre Rente. Und wir geben nur Geld aus, wenn es unbedingt sein muss. Dann kommen wir gerade zurecht. Haarscharf. Geld verdienen der Schlachthof und die Läden. Nicht ich.«

Sie dachte an die vier Jahre, in denen er für sie bezahlt hatte. Wie sie sich abgeplackt haben mussten, um die zusätzlichen Kronen aufzubringen. Bestimmt war Anna Neshov deshalb wütend auf ihn gewesen. Und auf sie vielleicht auch.

»Dann sehen wir uns morgen«, sagte sie.

Nach dem verdreckten Volvo kam ihr die Rezeption des Royal Garden wie eine fremde Welt vor. Da gab es das riesige Gesteck mit den goldenen Äpfeln und den weißen Engeln, es gab karamelfarbene Clubsessel, sorgfältig angezogene Menschen, den dicken Teppich, die Wärme. Die sollten mal die Küche auf Neshov sehen. Die sollten mal das kleine Ferkel an die Wange halten, an die Lippen. Aber wenn jetzt alle sentimental

177

würden und sich weigerten, das Ferkel nach Erreichen des Schlachtgewichts zu verzehren, hätte Tor Neshov nichts, wovon er leben könnte, wofür er leben könnte.

Sie wollte ihm ein Weihnachtsgeschenk kaufen, ehe sie zurückfuhr. Oben auf ihrem Zimmer rief sie die Bank an und ließ ihren Dispo um fünftausend erweitern. Sie duschte, wechselte Unterwäsche und Socken, aß alle Erdnüsse und Schokoriegel aus dem Korb auf dem Schreibtisch, ging in die Innenstadt und kaufte bei Burger King einen Cheeseburger und Zwiebelringe und eine Pepsi light, blätterte ein wenig in einer Zeitung, die jemand vergessen hatte. Nichts von dem, was dort stand, interessierte sie. Draußen war es schon dunkel, die Temperatur war unter null gesackt, es war klares Wetter. Die Straßen mit den Tannengirlanden und den baumelnden Glühbirnen daran wimmelten nur so von Menschen und Autos. Die Gäste im Burger King hatten vollgestopfte Einkaufstüten an ihren Stuhlbeinen stehen. Sie teilte Margrete per SMS mit, dass sie am nächsten Tag nach Hause kommen werde. Dann rief sie im Reisebüro in Oslo an. Sie musste lange warten, dann bat eine Automatenstimme sie, ihre Nummer zu hinterlassen, sie werde zurückgerufen, ohne ihren Platz in der Warteschleife zu verlieren.

Sie kaufte eine Kaffeetasse in Form eines Schweines, mit dem Schwanz als Henkel, dazu ein Kilo grobgemahlenen Mokka, braunen Kandiszucker am Stiel und eine Garnitur dunkelblaue Unterwäsche. Langärmliges Unterhemd und lange Unterhose, teure, dünne Wolle, die angeblich nicht kratzte. Im Alkoholladen in Byhaven erstand sie eine Flasche Bell's Whisky für ihn. Als sie in der Kassenschlange stand, rief das Reisebüro zurück. Sie verließ die Warteschlange und zog ihr Ticket aus der Tasche. Die nächsten freien Plätze gab es erst am Freitag.

»Aber ich will morgen nach Hause! Ich zahle den vollen Preis!«

Das half nichts. Frühestens Freitagnachmittag. Ihr kam der

Gedanke, ihm nicht zu erzählen, dass sie noch einen Tag bleiben würde. Sie könnte sich in der Stadt umsehen, es sich einfach gemütlich machen, Eindrücke verarbeiten, im Bett im Hotelzimmer liegen, Rotwein trinken und fernsehen. Ein kleiner Urlaub, alles in allem.

Als sie ihr Ticket in die Tasche steckte, berührten ihre Finger etwas unerwartet Glattes. Sie zog es heraus. Es war eine Schachtel Datteln.

Allmächtiger Gott, himmlischer Vater, wir bitten dich für sie auf ihrem letzten Weg. Mach sie bereit, dieses Leben zu verlassen und vor dein Angesicht zu treten. Sieh nicht auf ihre Sünden, sondern auf deinen Sohn Jesus Christus, der für unsere Sünden gestorben ist, der lebt und mit uns gerichtet werden wird. Herr Jesus, du bist der Weg, die Wahrheit und das Leben: Lass sie nicht ins Tal der Finsternis eingehen, lass deinen Geist Fürbitte für uns leisten in namenlosem Seufzen. Lass Anna das Licht deiner Gnade erblicken und gib ihr deinen Frieden.«

Er schloss das Gebetbuch und faltete seine Hände über dem Buch und über ihrer Hand, senkte den Kopf und kniff die Augen zusammen. Er hätte gerne etwas über Verzeihung gesagt, aber das Gebet, das er flüsternd gesprochen hatte, nachdem er sich mehrere Male davon überzeugt hatte, dass die Tür sorgfältig geschlossen war, musste reichen. Er hatte seine Pflicht getan. Vielleicht hatte sie es gehört. Und wenn nicht, dann hatte er trotzdem seine Pflicht getan. Nicht als Sohn, sondern als Mann, der professionell mit Trauer und Abschied zu tun hatte. Etwas anderes konnte er ihr nicht geben, wollte er ihr nicht geben. Im Gegenteil war sie es, die ihre Augen öffnen und ihn um Verzeihung dafür bitten müsste, dass er viele Jahre in gläubiger Betäubung vergeudet hatte, seiner einzigen Fluchtmöglichkeit.

Er wusste, dass sie nicht an Gott glaubte. Im tiefsten Herzen hoffte er, dass ihr schiefes, sabberndes Gesicht nur eine gelähmte Maske über einem wachen Sinn war, der jedes Wort gehört hatte. Dann öffnete sich die Tür mit einem keuchenden Geräusch. Langsam hob er den Kopf und ging davon aus, dass eine Krankenschwester hereingekommen war. Vor ihm stand Tors Tochter. In Öljacke, Jeans und schwarzen Stiefeln, eine weiße Plastiktüte und die rote Tüte vom Alkoholladen in der Hand.

»Herrgott, geht es ihr schlechter? Wo du ...«

»Nein. Aber es geht eben in die Richtung«, sagte er. »Wir können nur hoffen, dass sie bald erlöst wird. Und nicht ewig lange in einem Pflegeheim liegen muss.«

»Verzeihung, dass ich ... das rutscht mir einfach so heraus.«

»Was denn?«

»Dass ich einfach *Herrgott* sage ... ich denke mir nichts dabei ... aber ich weiß doch, dass du ...«

»Ist schon gut.«

»Ich stelle meinen Kram mal eben hier ab. Und geh zum Kiosk und kauf mir eine Pepsi. Der Saft auf dem Rollwagen ist lauwarm.«

Er ging hinüber und warf einen Blick in die Tüten. Mehrere eingepackte Weihnachtsgeschenke in der weißen, eine Flasche Whisky in der roten. Wie sollte das gehen, Tor hatte doch sonst nur Umgang mit der Mutter. Und plötzlich auf diese Weise eine Tochter zu bekommen. Und was diese Tochter alles nicht wusste, nicht begriff. Armes Mädchen, er müsste dafür sorgen, dass sie sich wieder in den Süden verzog, müsste sie aus dieser Wirklichkeit vertreiben, die ihr garantiert nicht guttun würde. Nachts gegen zwei hatte auch noch Erlend angerufen, total aufgelöst, vermutlich betrunken, er hatte über Karma und Nemesis und böse Omen geplappert, und über ein Einhorn, unmöglich, seinem Gefasel irgendeinen Sinn zu entnehmen. Im Hintergrund waren viele fremde Stimmen zu hören. Um ihn zum Schweigen zu bringen, erzählte er, dass Torunn gekommen sei, er nahm schließlich an, dass Erlend von der Existenz von Tors Tochter keine Ahnung hatte. Er bereute seine Worte sofort. Am anderen Ende der Leitung trat Stille ein. Und nachdem er sich ein wenig besonnen hatte, wollte Erlend natürlich wissen, wann sie geboren und mit wem Tor verheiratet war, und er musste mit Tatsachen aufwarten, dass die Sache nämlich schon passiert war, als Erlend noch zu Hause auf Neshov gewohnt hatte. Erlend brach sofort in Tränen aus, und Margido dachte, das sei, weil niemand ihm je etwas gesagt hatte, und er hatte Angst, auch dafür zur Verantwortung gezogen zu werden, aber als Erlend wieder sprechen konnte, behauptete er, vor Glück zu weinen, weil er plötzlich Onkel geworden war, und jetzt wollte er jedenfalls hier oben vorbeischauen, wo doch ein *Familientreffen* stattfand.

Erlend war offenbar nicht nur von Alkohol berauscht, dachte er, wenn er für diese Familie ein solches Wort benutzte. Er wollte später anrufen und sagen, wann er kam. Margido nahm an, dass *später* heute früh bedeutete, aber unvorstellbarerweise hatte er schon eine halbe Stunde später angerufen, als Margido gerade wieder eingeschlafen war, und erzählt, er habe einen Flug gebucht und werde um Viertel vor fünf in Værnes landen, als ob Margido parat stehen würde, um einen Bruder zu erwarten, der zwanzig Jahre zuvor einfach verschwunden war und als einziges Lebenszeichen eine geschmacklose und noch dazu vermutlich in trunkenem Zustand geschriebene Postkarte geschickt hatte. Ein Zimmer im Royal Garden habe er auch, ein Mann mit einem seltsamen Namen, den Margido nicht ganz mitbekam, hatte alles erledigt, aber dieser Mann komme nicht mit. Sicher ein Liebhaber. Margido hatte nicht gewusst, dass man mitten in der Nacht Hotels und Flüge buchen konnte, aber sie hatten wohl dieses Internet benutzt. Das Bestattungsunternehmen Neshov hatte auch eine Homepage, die hatte ein junger Neffe von

Frau Marstad eingerichtet, der sich mit solchen Dingen aus-
kannte.

Nun kam sie zurück. Er erhob sich.

»Bleib nur sitzen. Ich will nicht stören.«

»Du störst nicht, ich wollte ohnehin gerade gehen. Ich habe
gleich um eins eine Beerdigung. Ist noch viel zu erledigen. Ein
Junge, der sich erhängt hat.«

»Ach je. Der Arme.«

»Liebeskummer«, sagte er.

»Hat er denn einen Brief hinterlassen?«

»Nicht über den Liebeskummer, aber einen Zettel, auf dem
er um Verzeihung bittet.«

»Die armen Eltern.«

»Junge Männer reden nicht untereinander, und wenn sie
dann Liebeskummer haben, glauben sie, dass die Welt unter-
geht.«

»Ich glaube, ich kenn mich da nicht so aus.«

»Übrigens kommt dein Onkel heute. Du kannst es Tor aus-
richten. Wird im Royal Garden wohnen. Wohnst du da nicht
auch?«

»Ja. Mein Onkel? Aus Kopenhagen? Aber ich fahre nach
Hause … heute, meine ich.«

Er zog jetzt seinen Mantel an, machte sich umständlich
daran zu schaffen und gab vor, den Ärmel nicht zu finden, um
seine Erleichterung zu verbergen.

»War jedenfalls nett, dass du gekommen bist«, sagte er und
hoffte, sie habe verstanden, was er meinte. Dass das hier kein
Anfang war, sondern ein Abschluss.

»Oder vielleicht warte ich noch bis morgen. Wenn Erlend
kommt, meine ich. Wäre doch lustig, den kennenzulernen.«

Er hätte es nicht sagen dürfen. In der Eile hatte er nur gedacht, dass er Tor dann nicht anzurufen brauchte.

»Aha. Ja, na gut. Aber ich muss jetzt gehen. Schöne Weihnachten wünsch ich dir.«

»Ich war gestern auf dem Hof.«

»Wieso denn das?«

»Um mir die Tiere anzusehen.«

»Interessierst du dich für Tiere?«

»Ich bin gerade Teilhaberin einer Kleintierklinik geworden.«

»Bist du vielleicht Tierärztin?«

»Nein. Nur Assistentin. Aber wir bieten Kurse und Sonderprogramme für Problemhunde an. Das ist eine Wachstumsbranche, und ich habe dieses Angebot aufgebaut, deshalb konnte ich einsteigen. Er ist sehr stolz auf seinen Hof. Es war schön, das zu sehen.«

»Es ist nicht sein Hof.«

»Wie meinst du das?«

»Es ist Mutters Hof.«

»Aber er ist doch der Älteste von euch?«

»Der Anerbe, ja. Aber der Hof ist ihm noch nicht überschrieben worden.«

»Aber deine Mutter…«

Sie sahen sie beide an. Die Mutter schlief, mit einem gurgelnden Schnarchen.

»Ich dachte«, sagte sie jetzt. »Ich dachte, dein Vater… gehörte auf den Hof. Dass seine Familie dort…«

»Sicher. Aber der kann doch nichts entscheiden. Mutter entscheidet. Vater hat immer nur gemacht, was ihm aufgetragen wurde. Und Tor hat den Hof geleitet. Aber der Hof gehört nicht ihm.«

Sie starrte ihn an.

»Was versuchst du mir eigentlich zu sagen?«, fragte sie.

»Nur dass… dass es hier schrecklich viele Unklarheiten gibt. Das ist keine Familie, in der du… in der du dich besonders wohlfühlen würdest.«

»Ich fahre morgen nach Hause, hab ich ja gesagt.«

»Ich wollte nicht… nein, also, ich wünsch dir ein schönes Weihnachtsfest. Es war nett, dich…«

»Dir auch schöne Weihnachten!«

Es schneite, als er vor der Kirche von Byneset hielt, neben Frau Marstads Kombi. Er bereute, was er zu Torunn gesagt hatte, aber vielleicht begriff sie dann allmählich, dass man in dieser Familie keine Weihnachtsgeschenke füreinander kaufte und dass Neshov kein Ort zum Bleiben war.

Es schneite so dicht, dass der Fjord schon nach hundert Metern an einem grauen Vorhang zu enden schien. Er liebte diese Kirche, eine der ältesten Steinkirchen des Landes, fast neunhundert Jahre alt. Sie lag an einem Hang, der zum Fjord hinunterführte, obwohl eine Lage weiter oben viel besser geeignet gewesen wäre. Eine alte Sage behauptete, die Stelle sei ein wichtiges Heiligtum einer bedeutenden heidnischen Gottheit gewesen und deshalb sei die Kirche hier errichtet worden. Ursprünglich hatte sie St. Nikolaus auf dem Stein geheißen. Aber so war es mit allem. Wörter waren billig, man achtete nicht mehr auf Tradition und Geschichte.

Das Alter der Kirche sorgte dafür, dass er sich nicht unbehaglich fühlte, wenn er sie betrat. Er betrat nicht ein Gotteshaus mit einer Lüge im Herzen, er betrat historischen Boden, wo Qualen und Freuden zahlloser Generationen in den Wänden saßen, die buntgemischten Lebensläufe normaler Menschen. Der Tisch stand schon hinter der Tür bereit. Er wischte sich Schnee von den Schultern, fischte den Kamm aus der Tasche und legte seine Haare zurecht, strich sie danach mit der Hand flach. Auf einer weißen Tischdecke stand ein Kiefernholzrahmen mit dem Foto eines blonden Jungen mit Seitenscheitel, es war ein Schulbild, der Junge wirkte verlegen, weil er gezwungen wurde, einen übereifrigen Fotografen anzulächeln. Das Lächeln kam nicht von Herzen, seine Augen wollten fliehen. Neben dem Foto wartete ein Kerzenleuchter mit einer noch nicht angezündeten weißen Kerze, am anderen Ende des Tisches stand die Spendenurne, an der eine Karte lehnte, handgeschrieben in Frau Marstads ein wenig altmodischer Schrift: »Danke für deine Spende für den Jugendclub von Spongdal. Die Familie.« Die Kondolenzliste war auf der ersten Seite aufgeschlagen, ein Kugelschreiber lag bereit. Er hörte Stimmen, dann wurde hinter ihm die Tür aufgerissen, und ein Blumenbote kam hereingestolpert, er hatte die Arme voller Gestecke und drei Kränze an Schnüren von seinen Handgelenken hängen.

»Verdammtes Scheißwetter«, sagte er und nickte Margido zu, und in seinem Blick lag keinerlei Beschämung über seinen Sprachgebrauch, obwohl doch Margido der Bischof höchstpersönlich hätte sein können, das konnte der Bote schließlich nicht wissen.

Er bat den Boten, ihm mit dem Sarg zu helfen. Die Küsterin war frisch angestellt, eine schwächliche junge Frau, und obwohl er und Frau Marstad stark waren, brauchten sie doch vier Personen, um den Sarg aus dem Vorraum zum Katafalk zu tragen. Frau Gabrielsen war im Büro mit Angehörigen beschäftigt. Der Bote weigerte sich, aber Margido tat so, als wäre alles mit dem Chef besprochen, und ging vor ihm her zu dem kleinen roten Gebäude.

Dort wartete ein Modell Natur laugebehandelt. Niemand sagte etwas, sie hoben nur an und trugen und passten bei jedem Schritt auf, der Neuschnee machte es unmöglich, die Eisbuckel zu entdecken. Der Junge war nicht sonderlich schwer, aber zusammen mit dem Sarg wurde er doch zu einer soliden Last. Als der Sarg endlich sicher auf dem Katafalk stand und Frau Marstad ihn zwischen den Bankreihen nach vorne schob, war der Bote sofort verschwunden. Die Küsterin holte einen Lappen und wischte den Schnee vom Sarg. Frau Marstad hatte die Kerzenhalter und die Blumenvasen hereingeholt.

»Die Liederhefte?«, fragte Margido.

»Die sind im Umschlag in meiner Tasche, ich wollte sie gerade auf den Tisch legen, als du gekommen bist«, sagte sie.

Erleichtert stellte er fest, dass es keine Probleme machte, fast alle Arbeit den Damen zu überlassen. Während er am Kran-

186

kenbett seiner Mutter gesessen hatte, hatten sie wirklich nichts übersehen, außerdem bereiteten sie bereits zwei neue Beerdigungen vor. Keine erforderte einen Hausbesuch, deshalb hatte er zugesagt, als die Angehörigen angerufen hatten. Das Liederheft für Yngve Kotum zeigte auf der Vorderseite eine Winterlandschaft in Pastell, zusammen mit Namen, Geburtsdatum und Todesdatum. Der Fosse-Pastor hatte mit ihnen zusammen die Lieder ausgesucht. So nimm denn meine Hände. Führ mich, gütig' Licht. Immer voller Mut. Sie wollten keinen Sologesang, hatten aber den Organisten um das »Air« von Bach gebeten. Sie wollten die Sache einfach hinter sich bringen, das war ihm klar, und er konnte es gut verstehen. Die Schwestern würden wohl ein paar Worte sagen, das war alles.

Die Leute strömten ungewöhnlich früh herbei. Die kleine Steinkirche hatte nicht für viele Platz, das wussten alle, aber bei einer solchen Tragödie bleibt doch niemand zu Hause. Er und Frau Marstad hatten die Kranzschleifen noch nicht richtig ausgelegt, als bereits die Ersten eintrafen, mit nassen Schultern und Schnee im Haar. Bald roch es in der Kirche nach feuchten Kleidern und Schnittblumen, er ging langsam umher und teilte Liederhefte an jene aus, die sich keins genommen hatten. Während einer Beerdigung ging alles langsam vor sich, die Bewegungen, das Lächeln, das Nicken, alle schienen instinktiv zu wissen, dass in vieler Hinsicht die Ehrfurcht vor dem Tod darin zum Ausdruck kam.

Die Kerzen wurden angezündet, die Kirche füllte sich immer weiter, die Angehörigen kamen sehr spät, die Mutter wurde von den Töchtern fast hereingetragen. Sonst kamen die Angehörigen vor allen anderen. Der Vater des Jungen reichte Margido die Hand und bat flüsternd um Entschuldigung für die Verspätung, seine Frau habe unmittelbar vor dem Aufbruch eine Art Zusammenbruch erlitten, sagte er, jetzt hätten sie ihr eine von den Schlaftabletten gegeben, die die Ärztin in der Nacht nach Yngves Tod bei ihnen hinterlassen hatte, das war das Einzige, was sie im Haus hatten, außer Paracetamol, und das hätte wohl nicht geholfen. Margido führte sie zur ersten Bank links, dort ließen sie sich auf den Sitz sinken und starrten, als wäre es das erste Mal, den Sarg an, wie er seltsam schräg mitten in einem wogenden Blumenmeer stand, im Schein der Kerzen, der Dezembertag durch die hohen und metertiefen Bogenfenster nur entfernt präsent. Die Glocken läuteten, verkündeten, soweit das durch das Schneetreiben möglich war, was hier geschah, der Organist spielte jetzt ein Präludium. Viele weinten bereits ganz offen, und es würde nicht genügend Sitzplätze für alle geben. Margido war froh darüber, dass in dieser Kirche kein Weihnachtsbaum aufgestellt wurde, eine solche Erinnerung wäre für die Angehörigen unerträglich gewesen, sie hätten den Baum entfernen müssen. In der Kirche von Byneset begnügte man sich mit einer Krippe, das war viel passender, fand er, es war eine prachtvolle alte Krippe mit Strohdach.

Als der Fosse-Pastor die Regie übernahm und Margido nur noch auf den Moment wartete, in dem er die Texte auf den Kranzschleifen laut vorlesen sollte, überließ er sich seinen Gedanken und die Zeremonie ihrem Lauf. Wie lange würde es noch dauern, bis er selbst auf der ersten Bank sitzen müsste? Und was sollten sie dem Alten anziehen? Besaß er Kleidungsstücke, die sich für einen solchen Anlass eigneten? Und wer würde kommen und die Bänke hinter ihnen füllen, sie hatten doch seit Jahren schon zu niemandem mehr Kontakt.

Yngves Schwestern standen jetzt Hand in Hand vor dem Sarg. Sie sangen etwas, das sie selbst geschrieben hatten, zu einer vertrauten Melodie, aber er mochte sich nicht die Mühe machen, sich an den Originaltext zu erinnern, jedenfalls sangen sie über Vögel, dass ihr kleiner Bruder selber ein Vogel gewesen sei, ein Zugvogel, der sie plötzlich verlassen habe, als es zu kalt geworden sei. Die Trauergemeinde schluchzte hemmungslos, schnäuzte sich und wischte sich mit hilflosen, steifen Bewegungen die Augen, der Mittelgang hinten in der Kirche war vollgestopft mit Menschen, drei junge Leute legten die Arme umeinander, auf dem Boden lag ein Liederheft, auf das schon viele draufgetreten waren, es war grau vor Feuchtigkeit. Er wäre so unendlich gern alleine hier gewesen, vielleicht könnte er sich bald einmal bei der Küsterin den Schlüssel holen und eine Weile in der Kirche verbringen, den Stimmen aus den Wänden lauschen, ohne sich dessen zu schämen, dass er nicht mehr an Himmel und Hölle glaubte.

»Ein jeglich Ding hat seine Zeit, und alles Vorhaben unter dem Himmel hat seine Stunde: geboren werden hat seine Zeit, sterben hat seine Zeit, pflanzen hat seine Zeit, ausreißen, was gepflanzt ist, hat seine Zeit, weinen hat seine Zeit, lachen hat seine Zeit, suchen hat seine Zeit, verlieren hat seine Zeit ...«

Er wurde ganz unversehens von den Worten des Pastors getroffen. Er schluckte mehrere Male hintereinander. Sein Mund war plötzlich wie ausgedörrt. Es war ihm unmöglich, den Stuhl zu verlassen, unmöglich, er musste sich zusammenreißen. Er hob den Blick zu den Fresken, den grotesken Gemälden, er musste weg von den Worten des Pastors, eine Flucht ins Makabre, weg von dem, was in grellem Kontrast zu den Gemälden an der Wand stand. Eines versteckte sich hinter einer ungeschickt aufgehängten Tafel, angebracht, um die heutigen Gemeindekinder nicht zu schockieren, die damit verwöhnt waren, dass die christliche Religion von Liebe handelte und nichts mehr Konsequenzen nach sich zog. Heutzutage nahm Jesus alle auf, die bereuten und ihre Sünden bekannten, es war nie zu spät. Das eine Gemälde zeigte den Teufel, der über einem Trichter hockte. Der Trichter steckte im Mund eines liegenden Sünders mit aufgequollenem Bauch, und in den Trichter schäumte des Teufels Kot, gemalt als braunrote Klumpen. Der Teufel hatte Flügel und Bockshörner und ein gezwirbeltes Horn mitten auf der Stirn. Er grinste, während er auf den anschwellenden Bauch des Sünders hinabblickte. An der anderen Wand stand der Sündenmann, dem die sieben Todsünden aus verschiedenen Körperteilen strömten. Jede Sünde dargestellt als dicke Schlange mit weit aufgerissenem Schlund, in dem die Sünder hängen blieben. Und über allem stand in hohen Blockbuchstaben: MORS TUA, MORS CHRISTI, FRAUS MUNDI GLORIA COELI ET DOLOR INFERNI SUNT MEDITANDA TIBI. Dein Tod, Christi Tod, die Falschheit der Welt, die Herrlichkeit des Himmels und die Qual der Hölle – bedenke es wohl… Hier standen sie vor einigen Jahrhunderten auf festgetrampeltem Lehmboden, stinkend und dicht an dicht standen sie hier und starrten ohnmächtig zu den Fresken hoch und lauschten auf die Worte des Geistlichen, am einzigen freien Tag, den sie in der Woche hatten. Arme Menschen, was begriffen sie damals schon, wie sehr mühten sie sich ab, um den Zusammenhang zu begreifen, wie sehr mühte man sich immer noch ab, den Zusammenhang zu begreifen, auch wenn die Kirche jetzt Sitzplätze und Heizung hatte und die Exkremente des Teufels rücksichtsvoll bedeckt waren.

Erst, als die Kirche sich geleert hatte und Frau Marstad mit den Blumen zum Hof gefahren war, sagte es die Küsterin:

»Die armen Menschen«, sagte sie.

»Ja«, antwortete er und zog halb heruntergebrannte Kerzen aus den Leuchtern.

»Und dann auch noch so. Hast du ihn fertig gemacht?«

»Ja. Das ist mein Beruf.«

Es gehörte sich nicht, eine junge Frau in dieser alten und ehrwürdigen Kirche als Küsterin anzustellen, es gehörte sich einfach nicht. Frauen plapperten und nervten, und sie war doch noch so jung. Er begriff einfach nicht, was der Gemeinderat sich gedacht hatte, als sie angestellt worden war.

190

»Das weiß ich doch. Dass das deine Arbeit ist. Gibt es keinen Brief?«, fragte sie.

»Einen kleinen Zettel, auf dem er um Entschuldigung bittet. Aber da war offenbar etwas mit einem Mädchen.«

»Ich hab was anderes gehört«, sagte sie.

»Ach?«, fragte er und tat die Kerzenstummel in eine Plastiktüte.

»Etwas mit einem Jungen, das habe ich gehört. Dass er... du weißt schon, dass er homosexuell war.«

Das vorletzte Wort flüsterte sie nur.

Er klappte den Katafalk zusammen und brachte ihn im Kofferraum des Citroën unter, zusammen mit Kerzenhaltern und leeren Blumenvasen, er legte die Kondolenzliste auf den Beifahrersitz, stellte die Spendenurne auf den Boden. Darin lagen nicht wenige Umschläge. Er lauschte diesem Wort nach und dachte daran, dass sie es geflüstert hatte. Dass sie flüstern musste, weil sie in Gottes Haus stand und etwas Unsittliches sagte. Aber er war ja ohnehin jetzt tot.

Vogel. Fuhr mit dem Rad nach Gaulosen, um sich Vögel anzusehen. Notierte, wann die Schwalben kamen.

Als er den Wagen vom Schnee befreit hatte und über die Ristan-Brücke fuhr, schaltete er sein Handy ein. Sofort kam die Nachricht, er solle die Mobilbox anrufen. Er rief an, hoffte, die Nachricht sei von Tor, sie sei tot, es sei zu Ende. Aber es war Selma Vanvik, die frischgebackene Witwe, er müsse zu ihr kommen, sie sehne sich nach ihm, wie wäre es mit Heiligabend, dann müsse sie nicht bei einem der Kinder feiern, da sei es so laut, nur sie beide, sie würde das kochen, was er zu Weihnachten immer aß, es würde gemütlich werden, wäre das nicht vielleicht eine gute Idee.

Er hörte sich die Nachricht nicht zu Ende an, warf das Telefon auf den Beifahrersitz, auf die Kondolenzliste, und fuhr bei einer Abzweigung an den Straßenrand. Er stellte die Füße in den Schnee, griff hinein, rieb sich den Schnee ins Gesicht und auf den Schädel, betrachtete seine nassen Hände und die Schneeflocken auf seinen Knien in der schwarzen Hose, sie waren so kalt, dass der Schnee dort liegen blieb, ohne zu schmelzen.

Er merkte erst, dass er weinte, als er dasaß und weinte. An diesem Tag würde sie nach Hause fahren. Nach Hause. Sie hatte gesagt, er könne sich glücklich schätzen, weil er so feine Schweine hatte, sie hatte sie gesehen, hatte es verstanden, hatte einen Zipfel von seinem Leben begriffen, und jetzt fuhr sie wieder. Geschenke hatte sie auch für ihn gekauft. Er konnte sich nicht erinnern, wann er zuletzt ein Geschenk bekommen hatte. Wenn er nicht mitzählte, dass Arne ihm das Kraftfutter gebracht hatte. Gratis. So etwas hatte er noch nie erlebt, er brauchte sonst den halben Tag, um mit dem Traktor das Futter zu holen, um es alleine zu schleppen und aufzustapeln. Und da kam Arne einfach angefahren und half ihm sogar, alles in den Stall zu bringen. Nein, so etwas... das würde er ihm nie vergessen. Aber sie hätte ihm doch nicht für die Datteln danken müssen, die sollte sie auf jeden Fall haben, wo sie doch nur Würfelzucker gegessen hatte, als sie endlich nach Neshov gekommen war.

Und da standen sie auf dem Boden vor dem Beifahrersitz, die Tüten mit den Geschenken. Eine ganze Flasche Whisky in einer knallroten Tüte, dazu andere Dinge, eingepackt, er würde sie in die Waschküche bringen, wenn es dunkel war, er war so froh darüber, dass es schneite, er musste sich jetzt auf solche Dinge konzentrieren, dass er an diesem Tag Schnee räumen musste, gründlich und lange, und danach vielleicht den Whisky kosten, auch wenn sie ihm eingeschärft hatte, dass der ein Weihnachtsgeschenk war, als sie ihn umarmt hatte, sie roch gut und hatte ungeheure Ähnlichkeit mit ihrer Mutter, wenngleich sie viel älter war als Cissi damals. Hatte er deshalb angefangen zu weinen? Hier saß er doch wirklich und flennte wie ein kleiner Rotzbengel, da halfen nicht einmal Scheibenwischer und Spülflüssigkeit, es fiel ihm schwer, klar zu sehen.

Der Arzt hatte gesagt, dass ein weiterer Schlaganfall unwahrscheinlich sei, woher wussten sie so etwas? Man könnte sie für Zauberer halten. Oder vielleicht bildeten sie sich ja ein, welche zu sein. Jetzt sagten sie, es komme auf ihr Herz an, das sei nicht sehr stark. Trottel. Die hätten sie vor nur wenigen Tagen sehen sollen, wie sie in der Küche herumgelaufen ist, wie sie Soße für die Fischklöße gequirlt und das Radio lauter gedreht hat, als »Es taget schon in dem Osten« gespielt wurde.

Nein, bald würde sie wieder auf den Beinen sein, frisch und munter. Und selbst, wenn sie zuerst noch kurz ins Pflegeheim müsste, um wieder ganz gesund zu werden, würde von jetzt an alles anders werden. Sie hatte Torunn gesehen, alles würde jetzt anders werden. Beim nächsten Mal würden sie richtig miteinander reden können, die beiden, wie sich das für Großmutter und Enkelin gehörte. Aber er musste die Mutter dazu bringen, die Unterhaltszahlungen nicht zu erwähnen. Das Geld, das seine Militärzeit sie gekostet hatte, konnte sie offenbar einfach nicht vergessen. Das musste er ihr wirklich einschärfen, es war doch nicht Torunns Schuld, sie war einfach geboren worden, konnte nichts dafür, und sie war nach ihm benannt worden, das musste doch zählen, auch wenn sie keine Ähnlichkeit mit der Neshovsippe hatte. Er schniefte lange und gründlich und wischte sich mit dem Handrücken die Nase. Wäre sicher nett, sie wiederzusehen, Cissi, die nach gebranntem Zucker und Zimtbrötchen und Softeis geduftet hatte, an einer Haarsträhne hatte sie gelutscht, wenn sie verlegen war. Sie waren beide verlegen gewesen, und er hatte seither keinen weiteren Versuch unternommen, mit einer anderen. Denn wenn bei solchem Gefummel ein Kind entstand, dann war die Sache doch lebensgefährlich. Sich heiß und fieberhaft auszuleeren, noch ehe man richtig in Gang gekommen war mit dem, worauf man doch so brannte, und dann war dabei ein Kind entstanden. Ein einziges Mal. Unbegreiflich. Aber das alles konnte er der Mutter ja nie erzählen, sie war absolut überzeugt davon, dass sie es monatelang getrieben hatten wie die Karnickel, immer, wenn er Wochenendurlaub hatte, ohne an die Folgen zu denken.

Und heute würde sie also fahren. Stattdessen würde Erlend kommen, Margido hatte gesagt, dass ihr Onkel komme, dieses Wort habe er benutzt, sagte sie. Er hätte gern gewusst, wie Margido über sie dachte, der hatte ihre Mutter ja damals nur einmal kurz gesehen. Er war sechzehn Jahre alt und mitten in der stummen Pubertät gewesen, er war tiefrot angelaufen, als Cissi ihm irgendeine Frage gestellt hatte bei der einen Mahlzeit, die sie auf Neshov erlebt hatte. Margido hatte sich vermutlich in sie verliebt wie er selbst, alle mussten Cissi doch lieben. Alle außer der Mutter, für sie war eine fleißige nordnorwegische Arbeiterin nicht gut genug gewesen. Hätte Cissi beim Essen nur nicht so hemmungslos zugelangt, dachte er, das hatte den Ausschlag gegeben. Die Mutter hatte Leberwurst gekocht und zum Frühstück gedeckt, mit Marmelade und Käse und frischgebackenem Brot und ebendieser Leberwurst. Cissi hatte Butter auf ihr Brot geschmiert und sich danach eine dicke Scheibe Leberwurst abgeschnitten und sie auf ihr Brot gelegt. Er würde sein Leben lang das Gesicht seiner Mutter nicht vergessen. Auf Neshov steckte man die Messerspitze in die Leberwurst, kratzte ein wenig heraus und verstrich sie dann zu einem dünnen Belag. Sowie seine Mutter unter vier Augen mit ihm hatte sprechen können, hatte sie ihm ganz klar gesagt, was diese Verschwendungssucht für einen Hof bedeute, was es heiße, nicht auch in kleinen Dingen Sparsamkeit walten zu lassen, nicht nur in den großen. Cissi sei wie der Hase, erklärte sie ihm, sie denke nicht an den Winter, wenn der Sommer warm sei, und glaube, sie könne sich einfach so einen Anerben schnappen. Er wandte ein, dass Cissi vielleicht nur hatte zeigen wollen, wie beeindruckt sie von den Kochkünsten der Mutter war, vielleicht aß sie ja nicht einmal gern Leberwurst, sondern hatte nur so heftig zugelangt, um höflich zu sein. Aber seine Einwände waren auf taube Ohren gestoßen, die Mutter hatte Cissi nur Widerwillen entgegengebracht. Und als er sich zwei Tage darauf ein Herz gefasst und gestanden hatte, dass Cissi schwanger war, war die Mutter unversöhnlich wütend geworden und hatte ihm den Kartoffelschäler an den Kopf geworfen. Cissi hatte in der Pension in der Stadt gewartet, aber sie hatte mit ihrer Schande wieder nach Norden reisen müssen. Wenn nur Opa Tallak an diesem Tag da gewesen wäre, aber der war mit Lachs in die Stadt gefahren. Wenn Tallak sie kennengelernt und gemocht hätte, dann hätte Tor es sogar gewagt, der Mutter zu trotzen und sich um Hilfe an den Großvater zu wenden.

Aber Cissi verschwand, mit Torunn unter dem Herzen. Und da blieb ihm nur eins. Arbeiten. Arbeiten von morgens früh bis abends spät, im Stall und auf den Feldern, arbeiten, bis ihm vor Anstrengung schlecht wurde, um den Duft ihrer Haare zu vergessen, die weichen, kreideweißen Unterarme, den Traum, sie hochschwanger auf Neshov zu sehen, während sie in ihrem singenden Nordnorwegisch mit ihm sprach.

Der Vater hatte im Fernsehzimmer Feuer gemacht und saß dort drinnen. Las *Nationen*. Er hatte es also geschafft, sie aus dem Briefkasten zu holen, und er hatte sogar selbst Feuer gemacht. Er trug seine schmutzige hässliche Strickjacke mit dem Loch im Ellbogen. Unrasiert war er auch. Rasierte sich wohl nie mehr. Weiße stachlige und unregelmäßige Stoppeln auf den Wangen, dunkelbraune Haare, die aus Nase und Ohren ragten. Ihm ging plötzlich auf, dass der Vater jetzt ungefähr so alt war wie Opa Tallak bei seinem Tod, aber trotzdem erinnerte er sich an seinen Großvater als ungeheuer lebensfroh und jung, im Vergleich zur elenden Erscheinung des Vaters. Wenn nur der Großvater jetzt hier wäre, mit seiner munteren Stimme, seiner Entschlossenheit in jeder Bewegung, er hätte ihn sicher beruhigen können. Er hätte gesagt, was Tor selbst dachte, dass sie bald wieder auf den Beinen sein würde, sie war doch so stark wie ein Fjordpferd.

Tallak... plötzlich loderte Sehnsucht in ihm auf, aber sofort riss er sich zusammen. Warum sollte er ihn gerade jetzt vermissen, nach so vielen Jahren. Tallak war Vergangenheit, die vorige Generation. Trotzdem waren die Erinnerungen an Tallak so unglaublich stark. Nicht nur an den Mann selbst, sondern an die Stimmung, die er verbreitete, an seinen Übermut, seinen Optimismus, den Glauben, dass alles möglich war, wenn man nur wollte, von ganzem Herzen wollte. Er sah ihn vor sich am Küchentisch, eifrig morgens den Himmel absuchend, während sich ein Stück Zucker im Kaffee auf seiner Untertasse vollsaugte, die Augenbrauen, die über seinen Augen zitterten, die langen Schlucke, wenn das Zuckerstück seine scharfen Kanten verloren hatte und reif war, wie der Großvater das nannte.

Das Thermometer draußen zeigte zwei Grad minus an, dann würde der Schnee liegen bleiben, vielleicht würde er jetzt wochenlang jeden Tag räumen müssen; er freute sich schon auf den Wetterbericht. Als er den Volvo abgestellt hatte, hatte er zuerst einen Kaffee trinken und die Zeitung lesen wollen. Das war der einzige Luxus, zu dem er die Mutter hatte überreden können, nicht einmal die Lokalzeitung hielten sie, ganz zu schweigen von Illustrierten. Die Bauernzeitung kam einmal pro Woche, und das nur, weil sie dem norwegischen Bauernverband angehörten. *Nationen* kostete Geld, aber sogar die Mutter begriff, dass sie sich über die Landwirtschaftspolitik informieren mussten, die Rundschreiben von Norsvin reichten da nicht aus. Nein, man musste sich einen Überblick über die Verhandlungen der Welthandelsorganisation, über die EU-Frage und die Fleischpreise verschaffen. Außerdem machte es Spaß, über Bauern zu lesen, die anders arbeiteten als man selbst, mit anderen Tieren, über Bauern, die mit Straußen und Lamas und Stutenmilch experimentierten. Er ging ins Wohnzimmer. Der Vater saß bewegungslos da, die Zeitung in der Hand, er schaute nicht auf.

»Das ist meine«, sagte Tor und riss sie an sich. Der Vater ließ die Hände in den Schoß sinken und schaute in eine andere Richtung.

»Hast du nichts zu tun?«, fragte Tor. »Heute ist nicht Sonntag.«

Das war ihm nachts aufgegangen. Seit die Mutter nicht mehr da war, die ihm sonst sagte, was er zu tun hatte, glaubte er offenbar, Ferien zu haben. Verlängerte, vorgezogene Weihnachtsferien. Kein einziges Mal, seit sie ins Krankenhaus gekommen war, hatte er sich nach ihr erkundigt.

Er zog die Küchentür hinter sich zu. Im Küchenherd brannte kein Feuer, und die Holzbütte war leer. Er riss die Tür wieder auf.

»Hier ist kein Holz mehr!«

Dann knallte er mit der Tür. Sollte der Mann doch auf der anderen Seite aus dem Haus gehen, er konnte seinen schlurfenden krummen Gang nicht sehen, wollte sein Räuspern und Schnaufen nicht hören, immer hing ein Tropfen klarer Flüssigkeit an seiner Nasenspitze. Was sollte nur werden, wenn er hier allein mit ihm blieb, wenn sie nicht bald wieder auf die Beine kam. Er warf die Zeitung auf den Küchentisch, drehte das Radio an, setzte Kaffee auf, schnitt sich zwei Scheiben Brot ab, hätte sich fast den linken Zeigefinger abgehackt, das Messer traf den Nagel, sein Herz hämmerte und war bis in die Zähne zu spüren. Wenn der Vater nicht hier wohnte, wenn es ihn nicht gäbe, hätte er die knallrote Tüte mit in die Küche nehmen und die Whiskyflasche in den Kühlschrank stellen können, er hätte die Geschenke in einen Sessel im Wohnzimmer legen können, hätte er selbst sein, sich entspannen, vielleicht ein Bad nehmen, das Beste aus der Abwesenheit der Mutter machen können. Er fluchte leise und schabte Käse ab, der Käse war schimmelig geworden.

Die Mutter behauptete immer, Schimmel sei gesund, das pure Penicillin, man bleibe gesund, wenn man Schimmelkäse verzehre. Aber eklig war, dass der Käse glitschig und klebrig wurde, wenn er schimmelte. Trotzdem wollte er ihr nicht trotzen, jetzt, da sie nicht hier war. Jetzt jedenfalls nicht. Erlend würde heute zu ihr kommen. Würde sie das bemerken? Würde sie sich freuen, ohne es zeigen zu können, wie bei Torunn? Eigentlich war es gar nicht so schlecht, dass Torunn fuhr, dann blieb ihr die Begegnung mit Erlend erspart. Er hatte ihr ja nichts über Erlend erzählt. Wie er war. Wenn sie ihn nicht kennenlernte, würde ihm das eine neue Gardinenpredigt darüber ersparen, dass er nicht jeden Zipfel Wahrheit vor ihr ausbreitete. Es war sicher nicht so schlecht, dass sie fuhr, nein. Erlend würde im selben Hotel wohnen wie sie, aber selbst, wenn sie einander auf dem Gang begegneten, würden sie ja nicht wissen, wer ihnen da entgegenkam. Vermutlich war Torunn so etwas sowieso gewohnt, sie lebte ja in Oslo, da wimmelte es von solchen, er sah doch fern, wusste, wie es in Oslo zuging, da prahlten sie damit, schämten sich nicht einmal, sie malten sich an und flirteten miteinander, als ob das normal wäre. Wie er sich geschämt hatte, als die Mutter damals mit Erlend schwanger gewesen war. Sie war gerade vierzig geworden, als ihr Bauch dick wurde, ein so altes Weib mit einem Baby im Bauch, in der Schule hatten sie ihn damit aufgezogen. Immer, wenn sie sich zurückbog und eine Hand ins Kreuz legte, hätte er kotzen mögen. Er begriff es nicht. Der Vater, den sie hasste, das war doch nicht möglich, trotzdem war es eine Tatsache. Was war in ihrem Schlafzimmer passiert? Sie hatten doch kein gemeinsames Schlafzimmer, schlich er sich nachts zu ihr? Der Holzboden knackte, er hätte es hören müssen, es musste also am frühen Morgen passiert sein, im tiefsten und schwersten Schlaf, so dachte er damals, dass es gewesen sein musste. Aber dass der Vater sich auf nackten Füßen hinschlich... er konnte sich das einfach nicht vorstellen. Dass sie ihm nicht die Augen ausgekratzt hatte! Stattdessen hatte sie ihn offenbar zu sich gelassen.

Er aß seine Brote und blätterte in der Zeitung, ohne auch nur ein Wort zu registrieren. Ob Erlend wohl auf den Hof kommen würde? Nein, warum sollte er, was hatte er hier schon zu suchen. Aber dass er überhaupt kam. Allein schon das. Und dann jetzt, so kurz vor Weihnachten.

Die Tür ging auf. Der Vater kam mit einem großen Stapel Brennholz im linken Arm hereingestolpert. Er ging zur Zinkbütte und ließ das Holz hineinfallen. Zwei Scheite landeten auf dem Boden. Er hob sie mühsam auf, ging ins Fernsehzimmer und zog leise die Tür hinter sich zu.

Überall lag Schnee. Die Räumfahrzeuge standen in Kolonnen da und warteten auf ihren Einsatz, als das Flugzeug auf der Landebahn aufsetzte. Zum Glück hatte er vor dem Abflug seine Stiefel angezogen, auch wenn ihm das in dem Nieselregen in Kopenhagen sinnlos vorgekommen war.

Das Einzige, was er erkannte, war die Aussicht über den Fjord auf Tautra und das Fosengebirge. Der Flugplatz war neu, die Autobahn in die Stadt war neu und lag viel höher als die alte Straße, und als der Flughafenbus sich der Innenstadt näherte, durchfuhren sie einen ganz neuen Stadtteil. Auf dem riesigen Gelände, wo die alten Werften gelegen hatten, standen jetzt elegante Wohnblocks, hinter allen Fenstern brannten Weihnachtslichter, und beleuchtete Girlanden wanden sich um verschneite Balkons.

»Nedre Elvehavn und Solsiden«, sagte der Fahrer monoton über Lautsprecher.

Solsiden. Sonnenseite. Die Trønder verleugneten sich nie. Aber es hatte auch etwas Niedliches, eine Unschuld, über die man lächeln musste. Wenn ihnen etwas gefiel, war das schon am Namen zu erkennen. Genau wie beim Royal Garden. Das Hotel war damals, als er die Stadt verlassen hatte, gerade gebaut worden, und es war heftig über den Namen diskutiert worden. Das Hotel sollte ein Schloss aus Glas und Licht sein und sich im Nidelv spiegeln, eine Grünanlage sollte ins Haus, ein botanischer Garten, wie die Stadt ihn noch nie gesehen hatte, und so fiel dann auch der Name des Hotels aus, so unnorwegisch, wie man sich das überhaupt nur denken konnte. Königlicher Garten. Auf Englisch, darunter taten sie es nicht.

Er war verkatert und sein ganzer Körper matt. Sein Gesicht fühlte sich nach den Tränenausbrüchen der vergangenen Nacht noch immer geschwollen an, er hätte gern eine Sonnenbrille aufgesetzt, aber draußen war es schon dunkel, und er wollte nicht zu viel Aufmerksamkeit erregen. Und er wurde am Flughafen nicht erwartet, er sehnte sich schon nach Krumme und bereute, ihm das Mitkommen untersagt zu haben. Aber Krumme hätte sowieso keine Zeit gehabt, in der Redaktion herrschte das pure Chaos, nur bei einem Todesfall hätte er sich freimachen können, und tot war sie ja wohl noch nicht. Die Stadt sah in der Dunkelheit wunderschön aus, kein Grund, sich ihrer zu schämen. Krumme wäre begeistert gewesen. Was hätte er ohne diesen Mann nur gemacht? Die Gäste waren entsetzt gewesen, als er nach dem dritten Kognak plötzlich in Tränen ausbrach, er hätte nicht so viel trinken dürfen, da saß er ganz entspannt, weil das Weihnachtsfest ein solcher Erfolg war und er alle Gastgeberpflichten hinter sich gebracht hatte, das Einzige, was noch blieb, war trinken, plaudern, reden und auf Weihnachten warten. Krummes Lammsattel war ein Wunder gewesen, und die Apfeltörtchen mit Baiser hatten wie Sommerwolken geschmeckt. Und der Tisch, von dem Tisch gar nicht erst zu reden, es war ein Tisch, wie man ihn sonst nur in Zeitschriften für Wohnkultur sieht und nie glaubt, so etwas selber zustande zu bringen, aber er hatte ihn zustande gebracht.

Es war sicher eine Art Gegenreaktion. Geglücktes Essen, die Mutter, die im Sterben lag. Das war keine gute Kombination, und da war eben der Kognak. Als er anfing zu schluchzen, auf schrille, abgehackte Weise, die in seinen eigenen Ohren vollständig blödsinnig klang, zog Krumme ihn glücklicherweise in die Diele. Dort stand noch immer die Krippe, was die Sache nun wirklich nicht besser machte. Dass er nie lernte, nicht zu viel Alkohol zu trinken, wenn böse Dinge tief in seinem Hinterkopf herumspukten. Da musste man spazieren gehen, die Lunge mit frischer Luft füllen, statt sich mit Menschen, die man gern hatte, in einen pathetischen Rausch sinken zu lassen. Und dann war da noch die Sache mit Weihnachten, dem vielen Glück. Es konnte zu viel für einen Menschen sein, so viel Glück auf einmal verarbeiten zu müssen.

Das Hotel war nicht besonders aufsehenerregend, auch wenn er schon einsehen konnte, wieso es zwanzig Jahre zuvor für Furore gesorgt hatte. Aber er und Krumme waren in Dubai gewesen. Nach dem Burj al-arab wirkte alles andere nur noch zahm.

Die Rezeption war viel zu überladen, von Minimalismus hatten sie im kleinen Trondheim wohl noch nie etwas gehört. Er hatte auch nicht vor, ihnen davon zu erzählen, er hatte hier einen Gastauftritt, er hatte nicht vor, Spuren zu hinterlassen. Er checkte ein und bekam mit seiner Schlüsselkarte einen zusammengefalteten Zettel mit einer Telefonnummer. Einer Mobilnummer. Auf seinem Zimmer ging er sofort ins Badezimmer und zum Spiegel. Sein Gesicht war um Augen und Wangen herum noch immer geschwollen. Die Mundwinkel sahen ebenfalls anders aus, war es wirklich möglich, so sehr zu weinen, dass die Mundwinkel dick wurden? Er holte seine Toilettentasche aus dem Koffer, tunkte den Waschlappen in eiskaltes Wasser und hielt ihn mehrere Male an sein Gesicht, bis es ihm fast den Atem verschlug. Danach rieb er sich die Haut mit einer parfümfreien straffenden Hautcreme ein und frischte den schmalen schwarzen Kajalstrich unter seinen Augen auf, schmierte sich neues Gel ins Haar und fuhr sich immer wieder hindurch, schob es dann oben zurecht und zog es sich ein wenig in die Stirn. Er rief Krumme in der Redaktion an und sagte, er sei an Ort und Stelle.

»Es war blöd von mir zu fahren, es wäre nicht nötig gewesen. Aber du weißt ja, wie impulsiv ich sein kann.«

Krumme lachte und sagte: »Ich liebe dich«, und erinnerte ihn daran, dass nichts an der Sache impulsiv, sondern dass es eine notwendige Tugend sei, und Erlend wurde schon wieder schlecht bei dem Gedanken, wie viel er über seine Kindheit verraten hatte, als er nachts in Krummes Armen gelegen und gejammert hatte. Krumme erinnerte ihn auch daran, dass für den nächsten Tag der Rückflug bestellt war, bald würde alles wieder normal sein, und später würde er sich keine Vorwürfe machen müssen, weil er seine leibliche Mutter nicht auf ihrem Sterbebett besucht hatte.

Krumme sagte ihm alles, was er gerade hören musste, und als er aufgelegt hatte, ging er zur Minibar und fand eine lächerlich kleine Flasche Freixenet, die er in einem Zug leerte. Der Sekt war eiskalt, das war das einzig Gute daran, denn er war viel zu süß. Er wählte die Nummer auf dem Zettel und rechnete damit, Margidos Stimme zu hören. Der Mann brauchte ein Mobiltelefon, wo er ein Bestattungsunternehmen hatte, ein solches Metier musste man doch wirklich als Reisetätigkeit bezeichnen. Aber gleich beim ersten Klingeln meldete sich eine Frau. »Hallo, hier ist Torunn«, sagte sie.

»Ach Herrgott, Torunn? Du bist das? Wie witzig! Wo steckst du?«

Sie steckte im Royal Garden.

»Ich auch!«

Das konnte sie sich denken, da er ihren Zettel bekommen hatte. Sie hätte eigentlich an diesem Tag fliegen sollen, hatte aber erst für morgen einen Platz bekommen. Deshalb dachte sie, dass sie vielleicht...

»Ich fahre morgen auch nach Hause. Passt doch perfekt. Und dabei hab ich nicht einmal gewusst, dass es dich gibt!«

Sie schwieg.

»Habe ich etwas Falsches gesagt? Verzeihung, ich wollte

nicht… ich rede einfach immer, wie mir der Schnabel gewachsen ist. So bin ich eben.«

Sie sagte, schon gut, sie sei nur ein wenig überrascht gewesen. Sie sagte nicht, was sie überrascht hatte, sondern fragte, wann er die Mutter besuchen wolle.

»Ach, das… ist sicher egal, wann. Wenn ich es nur hinter mir habe.«

Da lachte sie. Sie gefiel ihm. Er wusste nur, dass sie ihm gefiel, auch wenn er keine Ahnung hatte, ob sie sich in der Mission engagierte oder Mutter von zehn Kindern mit einer Vorliebe für Glockenstränge und Fischstäbchen war.

»Du«, sagte er. »Ich fahre jetzt mit dem Taxi ins Krankenhaus, und dann treffen wir uns in der Bar, sagen wir um… halb acht? Wir können doch zusammen essen?«

Er hörte, dass sie mit der Antwort zögerte, dann schlug sie vor, für beide bei Burger King einzukaufen und das Essen mit aufs Zimmer zu nehmen.

»Junkfood? Himmel, das esse ich nicht mehr, das ist doch so wahnsinnig ungesund. Ja bitte. Den größten Cheeseburger, den sie haben. Und jede Menge Pommes! Und dann bestellen wir uns beim Zimmerservice was zu trinken. Ich gebe einen aus. Und du kommst einfach her. Zimmer 413. Um halb acht?«

Auch im Krankenhaus hatte sich alles verändert. Es sollte größer werden, das sah er. Gigantisch. Er dachte daran, wie ihm hier die Mandeln herausgenommen worden waren, ein halbes Jahr vor der Musterung. Damals war er für wehruntauglich erklärt worden, sicher hatten sie es ihm angesehen. Nicht, dass er ohne Mandeln vor ihnen stand, sondern dass er schwul war. Und dabei hatte er sich so auf gemeinsame Dusche und hartgesottene Kameraden gefreut. Stattdessen saß er ein unerträglich langes Jahr an einem Schreibtisch im Militärlager Persaunet und schob Büroklammern zu meterlangen Ketten zusammen. Was ihm plötzlich alles einfiel. Ehe das Taxi vor dem Hauptgebäude hielt, spuckte er auf seinen Mittelfinger und rieb sich das Kajal aus dem Gesicht.

Da saß Margido. Er erkannte ihn sofort. Margido war alt und gesetzt. Grau auf diese Art und Weise bestimmter Menschen, die mit der Menge verschwimmen wollen. Und er war um einiges dicker geworden. Er erhob sich und kam um das Bett herum auf ihn zu.

»Erlend«, sagte er.

»Hallo, na.«

Sie reichten einander die Hand, schüttelten sie ein wenig, Margido setzte sich wieder hin.

Da lag sie. Eine Fremde. Nie im Leben hätte er sie erkannt. Und dann trug sie auch kein Kopftuch, allein das machte alles anders. Er trat näher an sie heran, an das Kopfende, atmete mit offenem Mund. Ihr Gesicht war schief. Sie schlief.

»Wie geht es ihr?«, flüsterte er.

»Du brauchst nicht zu flüstern, sie wird nicht wach.«

»Nie?«

»Nie mehr, meinst du?«

»Ja.«

»Nein, ich weiß im Grunde nicht, wie es um sie steht. Wenn sie noch jung wäre, würden sie tausend Untersuchungen mit ihr veranstalten. Aber die Ärzte sagen, dass ihre Lage stabil ist, nur macht jetzt offenbar ihr Herz Probleme, es ist nicht stark genug.«

»Verschlissen, nehme ich an.«

»Ja.«

»Lebt Vater noch?«

»Ja.«

»Und wohnt zu Hause?«

»Ja. Zusammen mit Tor. Und Mutter natürlich. Bis sie …«

Erlend setzte sich auf den freien Stuhl. Vor dem Fenster fiel Schnee, normalerweise hätte er sich darüber gefreut. Er musterte ihre Hand und stellte plötzlich fest, dass er sie erkannte,

206

auch wenn sie zwanzig Jahre älter geworden war. Ihre Nägel, wie sie sich oben krümmten, ihr Farbton, auch wenn sie jetzt vor allem blau aussahen. Aber immer waren sie blank, obwohl sie nie etwas mit ihnen machte, sie nie putzte oder polierte. Er schob seine Fingerspitzen unter die ihren, sie waren eiskalt.

»Sollen wir ihre Hände nicht unter die Decke legen?«, schlug er vor.

»Geht nicht, mit der einen hängt sie doch fest.«

Ein durchsichtiger Schlauch führte von ihrem Handrücken hoch zu einem Gestell, an dem ein Tropf hing.

»Intravenös«, sagte Margido.

»Die hier können wir aber unter die Decke stecken. Sie friert doch.«

Der Arm hatte ein totes, schweres Gewicht, er bereute es sofort, als er die Decke hochhob, dazu hatte er kein Recht. Wenn sie jetzt erwachte, würde sie wütend werden, weil er nach zwanzig Jahren einfach hergekommen war und machte, was er wollte.

»Und du?«, fragte Margido.

»Ach, ich. Mir geht es richtig gut. Ich arbeite als Schaufensterdekorateur. Krieg jetzt nur noch Superjobs, bin eingeführt in der Branche.«

Er hatte ganz stark das Bedürfnis zu protzen. Vielleicht war er der Erfolgreichste der drei Brüder, wenn man sich die Sache richtig überlegte. Und Margido hätte ihn ja wohl am Flughafen abholen können.

»Ich wohne mitten in Kopenhagen. In einer spitzenmäßigen Dachgeschosswohnung«, sagte er deshalb.

»Du hast dich nicht verändert.«

»Wirklich nicht?«

»Ich gehe davon aus, dass du nicht verheiratet bist und keine Kinder hast.«

»Kinder habe ich nicht, aber ich bin so gut wie verheiratet.«

»Meine Güte. Das hätte ich wirklich nicht…«

»Mit einem Mann. Chefredakteur bei einer großen Zeitung.«

»Ach so.«

»Und du?«

»Hab mein Unternehmen.«

»Und nicht verheiratet oder…«

»Nein.«

»Und Tor?«

»Der hat ja eine Tochter.«

»Und ich bin Onkel geworden. Stell dir das vor. Ja, du bist ja auch Onkel. Aber du hast das die ganze Zeit gewusst. Ich war damals ja noch ein kleiner Rotzbengel. Der Nachkömmling. Wo wohnt sie?«

»Oslo.«

»Kommt sie oft zu Besuch?«

»Das ist das erste Mal, soviel ich weiß.«

»Ach Herrgott, wirklich? Huch. Entschuldige, ich hatte vergessen, dass man den Namen unseres Herrgotts nicht… unnütz im Munde führen soll, heißt es nicht so?«

»Keine Panik. Ja, ich glaube, sie ist zum ersten Mal hier.«

»Tor war also nicht richtig ein Vater für sie.«

»Kann ich mir nicht vorstellen. Er hat den Hof und nicht sehr viel anderes daneben, denke ich. Hat jetzt Schweine. Schluss mit den Kühen. Hat sich nicht mehr gelohnt.«

»Und hat er erweitert?«

Er wollte nichts über den Hof wissen und war erleichtert, als Margido nur kurz antwortete:

»Glaub nicht.«

Er wusste nicht, was er zu diesem Mann nun noch sagen könnte, der Altersunterschied von dreizehn Jahren hatte sich um zwanzig Jahre Trennung vergrößert, aber irgendetwas musste er doch sagen, und er sagte es, ehe er sich seine Worte überlegt hatte: »Du hast sicher viel zu tun, jetzt in der Weihnachtszeit.«

»Wieso das?«

»Die Leute sterben doch … sterben sie nicht an Feiertagen häufiger als sonst?«

Er wusste nicht einmal, ob sie für Margido wichtig war oder ob der nur einen Pflichtbesuch absolvierte. Aber Margido sagte einfach:

»Stimmt. Weiß nicht, woran das liegt. Voriges Jahr musste ich sogar am Heiligen Abend einen Hausbesuch machen. Ein Vater von drei Kindern, knapp über vierzig, war einfach umgefallen, im Weihnachtsmannkostüm.«

Erlend durfte nicht lachen. Also versuchte er zu lesen, was auf dem Tropf stand, aus dem die Mutter Flüssigkeit bekam, aber der hing zu weit oben.

»Konnte nicht mal mehr die Geschenke verteilen. Ehe er umgekippt ist«, sagte Margido jetzt.

Erlend gab sich alle Mühe, sich keinen toten Weihnachtsmann vorzustellen, der unter einer Lawine aus ungeöffneten, munter mit Schleifen und Rosetten verzierten Weihnachtsgeschenken begraben lag, die Weihnachtsmannmaske verrutscht, er durfte absolut nicht lachen, er sagte: »Weißt du, ob man hier etwas zu trinken bekommt?«

»Auf dem Gang steht ein Rollwagen mit Saft. Du sprichst anders. Fast gar nicht mehr wie ein Trønder. In der Hinsicht hast du dich doch verändert.«

»So was kommt vor, weißt du. Wenn man nicht hier wohnen muss.«

Als Margido gegangen war und er glaubte, er werde Erleichterung verspüren, passierte das Gegenteil. Er fand es plötzlich unheimlich, mit ihr allein zu sein. Er musterte ihr Gesicht, jede Runzel, die steifen Haare an ihrem Kinn, ihr graues und plattes Haupthaar. Ihre Augenlider zitterten, dünne Blutadern zogen sich kreuz und quer hindurch. Er bildete sich schon fast ein, dass sie sich nur verstellte, dass sie ihr Gesicht so schief verzogen hatte. Dass sie die Schlaganfallpatientin spielte.

Was, wenn sie sich plötzlich im Bett aufsetzte wie Glenn Close in »Gefährliche Liebschaften«. Er würde vor Schreck auf der Stelle sterben. Torunn hätte mitkommen sollen, warum hatte er sie nicht darum gebeten. Dann wären sie jetzt zu zweit. Zwei, die gewissermaßen zum ersten Mal herkamen.

»Ja, ja, Mutter, so sollte es also kommen. Ich dachte, ich müsste doch mal vorbeischauen. Ich bin heute Nachmittag mit dem Flugzeug aus Kopenhagen gekommen. Es war pünktlich, aber kein Arsch hat mich abgeholt. Bist du wach? Ich soll von Krumme grüßen. Der würde dir gefallen, auch wenn du nie bereit wärst, ihn kennenzulernen. Und das ist eigentlich ein bisschen schade. Du hast geglaubt, ich hätte mir das alles nur eingebildet. Obwohl ich doch so geboren wurde. Deine Schule also. Etwas mit deinen und den Chromosomen dieses Trottels. Wenn du das wüsstest, du. Erinnerst du dich an Asgeir aus dem Supermarkt? Ich habe ihm mit sechzehn im Hinterzimmer einen geblasen, er hatte vier Kinder und saß im Kirchenvorstand. Du konntest ihn so gut leiden, er hat dir immer Lebensmittel zurückgelegt, bei denen das Verfallsdatum überschritten war. Und da hab ich dann gehockt und an seinem dünnen Schwanz gelutscht, bis er vor Glück ins Taumeln geriet. Hab das auch mal auf Neshov gemacht, in der Scheune, während du in der Küche für ihn Kaffee gekocht hast, er wollte Erdbeeren kaufen, er hat voll in einen Ballen Stroh abgespritzt, ich habe nie geschluckt, nicht einmal bei Krumme, manche schlucken gern, andere nicht, bist du wach? Kannst du nicht aufwachen, dann kann ich dir noch andere saftige Details erzählen.«

Die Tür ging auf. Und mit dem Mann kamen die Gerüche. Der ganze Hof ergoss sich ins Zimmer, auch wenn der Geruch ein wenig anders war als in seiner Erinnerung. Schweine, keine Kühe mehr, hatte Margido gesagt. Ein schärferer Geruch, aber dennoch unverkennbar Stall.

»Tor!«, sagte er.

»Ach, du bist gekommen. Bleib nur sitzen.«

»Ich… ich dachte, sie würde aufwachen. Aber dann…«

»Ich kann nicht lange bleiben. Wollte sie nur sehen.«

»Und mich vielleicht auch? Du hast doch gewusst, dass ich komme?«

»Sicher. Torunn hat es mir gesagt.«

Sie reichten einander die Hand, ehe Tor sich auf den Stuhl setzte, den Margido eben erst verlassen hatte. Er war schmutzig und ungepflegt, ging offenbar vor die Hunde, dem Himmel sei Dank, dass Krumme das nicht erleben musste. Seinen großen Bruder. Sah aus wie ein Penner und stank nach alter, vergessener Vergangenheit.

»Ich bin nachher mit ihr verabredet.«

»Mit Torunn? Du bist mit Torunn verabredet?«, fragte Tor und musterte ihn mit scharfem Blick.

»Ja. Ist das so seltsam?«

»Aber sie wollte doch heute fahren!«

Wieso regte der Mann sich eigentlich so auf? Riss den Parka auf, dass die Druckknöpfe zitterten, und ließ einen fleckigen Wollpullover zum Vorschein kommen. Hob das Kinn, die Augenbrauen schoben sich auf der Stirn nach oben.

»Hat keinen Flug mehr bekommen. Sagt sie. Muss bis morgen warten. Ich fahre morgen auch wieder nach Hause.«

Tor sank auf dem Stuhl in sich zusammen.

»Dann hat sie sicher angerufen, als ich im Stall war. Um mir Bescheid zu sagen«, murmelte er.

Er senkte den Kopf und starrte seine Hände an. Er hatte sich, seit er das Zimmer betreten hatte, nicht weiter um die Mutter gekümmert.

»Sie kommt mir sehr krank vor.«

»Nicht doch«, sagte Tor und schaute rasch die Mutter und dann den Tropf an.

»Aber Margido hat gesagt, dass…«

»War er hier, als du gekommen bist?«

»Ja. Und er hat gesagt, dass sie…«

»Margido sieht immer gleich schwarz. Das weißt du doch.«

211

Nein, das wusste er nicht. Aber wenn man an Margidos Beruf dachte, dann stimmte das sicher.

»Es komme jetzt auf ihr Herz an, haben die Ärzte offenbar gesagt.«

»Sicher, sicher«, sagte Tor. »Immer plappern sie über ihr Herz. Aber ansonsten ist sie doch so gesund. Sie schafft das schon. Wenn sie nur aufwachen könnte.«

»Was ist eigentlich passiert? Dass sie ins Krankenhaus musste?«

»Ach, sie … fühlte sich nicht ganz wohl. Hat sich tagsüber ein wenig hingelegt. Hatte auch keinen Appetit. Hat gefroren. Und plötzlich konnte sie nicht mehr sprechen. Hat nur ga ga gesagt.«

»Ga ga?«

»Ja, so hat sich das angehört. Als ob sie etwas sagen wollte und es nicht schaffte. Es war …«

Tor hielt inne, schüttelte einige Male den Kopf, legte die Hände aufeinander. Sie waren dreckig, aber vermutlich frischgewaschen.

»Du hast mit Schweinen angefangen, hab ich gehört.«

»Hat Margido das gesagt? Der hat doch keine Ahnung von meinen Schweinen.«

»Das hat er jedenfalls gesagt.«

»Hat Torunn gesagt, ob sie morgen noch mal herkommt? Ich wollte am Vormittag mal reinschauen.«

»Ich weiß nichts über ihre Pläne, außer dass sie nach Oslo zurückwill. Ich kenne sie ja gar nicht. Hab nur kurz mit ihr telefoniert, ich wusste nicht einmal, dass sie existiert. Und gerade das ist ziemlich …«

»Ich kann sie anrufen. Sie … sie hat Weihnachtsgeschenke für mich gekauft.«

Sie blieben schweigend sitzen und sahen die Mutter an. Der Stallgeruch breitete sich im Zimmer aus, füllte es bis zur Schmerzgrenze.

»Sie hat den Arm bewegt«, sagte Tor plötzlich mit lauter

Stimme und erhob sich halb von seinem Stuhl. »Das ist mir nur nicht sofort aufgefallen!«

»Ich habe ihn unter die Decke gelegt. Sie hatte so kalte Finger.«

Als Tor gehen wollte, nahm er Erlends Hand, wünschte ihm schöne Weihnachten und fügte hinzu: »Bist du sicher, dass du nicht länger bleiben willst? Ich meine, falls sie zu sich kommt?«

»Ich wollte sie nur sehen. Vielleicht schaue ich morgen noch mal rein, ehe ich fliege.«

»Hier?«

»Wo sonst?«

Als Tor gegangen war, trat Erlend ans Fenster, um es zu öffnen, aber das war nicht möglich. Also riss er die Tür zu dem kleinen Badezimmer weit auf, konnte aber keinen Ventilator finden. Es war fast sieben.

»Ich glaube fast, ich muss jetzt los, Mutter. Ich bin nämlich mit deiner Enkelin verabredet. Außerdem bin ich reichlich verkatert und spiele mit dem Gedanken, mich sternhagelvolllaufen zu lassen, um den Absturz hinauszuzögern. Der hat Zeit, bis ich wieder zu Hause bin. Also mach's gut im Bade, du alte Schokolade.«

Auf dem Geländer der Elgeseter-Brücke türmte sich Schnee. Erlend schob einen ganzen Batzen in den schwarzen Fluss hinab, der Schnee löste sich sofort auf und ging ins Schwarze über. Seine Finger waren von der Kälte benommen, er hatte vergessen, Handschuhe mitzunehmen. Er trat ans Geländer, wo der Schnee verschwunden war, und folgte dem Flusslauf mit seinen Blicken. Der Hang unterhalb der Festung Kristiansten mit ihren Lichtern funkelte im weißen Schnee. Es schneite gerade nicht, aber schwere Wolken kamen vom Fjord herein. Wo sie aufrissen, war vereinzelt nachtschwarzer Sternenhimmel zu sehen. Auf der Brücke war viel Verkehr. Autos und Busse mit Reklame. Damals hatten die Busse noch keine Reklame gehabt, sie waren dunkelrot gewesen. Aber der Nidarosdom war noch der Alte, wenn auch vielleicht heller angestrahlt als früher. Ein Krankenwagen fuhr mit heulenden Sirenen Richtung Krankenhaus, die Autos wichen nach rechts aus, um ihm Platz zu machen, zwei junge Mädchen gingen hinter Erlends Rücken vorbei, Arm in Arm, und unterhielten sich leise. Er schob die Hände tief in die Taschen seiner Lederjacke, er musste sich beeilen, er hatte Hunger. Er fragte sich plötzlich, ob der Zimmerservice in Norwegen wohl auch Schnaps servieren durfte.

Am Telefon hatte sie geglaubt, seine Stimme verrate den Kopenhagener Akzent, aber als er die Tür öffnete, sah sie es sofort. Er hob theatralisch beide Arme und rief: »Torunn!«

Sie ließ sich umarmen und streckte die Hände mit den Burgertüten weit von sich.

»Aber nun lass dich doch mal ordentlich ansehen!«, rief er, packte ihre Schultern und betrachtete sie auf Armeslänge.

»Du hast ja mit niemandem Ähnlichkeit. Bist du sicher, dass Tor…«

»Behaupten sie. Meine Mutter und auch er«, sagte sie.

»Komm jetzt rein. Steh nicht so rum. Ich bin schon am Verhungern. Trinkst du Rotwein?«

»Eigentlich nicht. Lieber ein Bier.«

»Gut. Denn ich habe nur zwei Flaschen, und die eine ist schon halb leer. Wenn ich nur vor dem Abflug noch eingekauft hätte, aber ich war mit meinen Gedanken weit weg, und außerdem war ich heute Morgen so verkatert, dass ich dachte, ich würde in meinem ganzen Leben keinen Alkohol mehr trinken. So kann man sich irren, du! Aber du solltest zu deinem Bier einen Kurzen trinken, magst du Gammel Dansk?«

»Ja sicher.«

»Dann lass ich eine halbe Flasche kommen. Hier gibt es nämlich auch Schnaps, das hab ich schon überprüft, für den Fall, dass ich später Lust auf einen Kognak kriege.«

»Wird das nicht schrecklich teuer?«

»Wir haben doch was zu feiern!«

»Haben wir das?«

»Aber sicher doch.«

Es war unmöglich, sich diesen Mann auf Neshov vorzustellen, in der Küche, als kleinen Jungen, der über den Hofplatz trottete, ihn neben Tor oder Margido zu sehen oder als jungen Mann in einem Stall. Er hatte sich die Haare schwarz gefärbt, fast blau. In seinem einen Ohrläppchen saß ein kristallklarer Edelstein, sicher ein Diamant, denn auch seine Kleidung wirkte teuer. Er reichte ihr eine Flasche Bier.

Vor dem Fenster standen zwei königsblaue Ohrensessel und ein kleiner Tisch, sie öffneten die Tüten von Burger King und verteilten den Inhalt auf dem Tisch, tranken einander zu. Erlend jammerte und schloss die Augen, als er die Zähne in den Burger bohrte. Während er noch kaute, sagte er: »Weiß nicht, wann ich zuletzt so etwas gegessen habe, aber das war eine geniale Idee. Man darf allerdings nicht mit vollem Mund reden.«

»Ich esse viel zu viel davon. Ich bin viel unterwegs, und wo ich doch alleine lebe ...«

»Wie lange schon?«

»Nur seit einem halben Jahr. Hab meinen Mitbewohner im Sommer vor die Tür gesetzt, als mich eine Frau anrief und wissen wollte, ob ich mich wirklich erschieße, wenn er mich verlässt.«

»Ein feiger Arsch, mit anderen Worten. Wie lange hatte er schon mit der Dame herumgemunkelt?«

»Fast ein Jahr.«

»Und dich hat er als Entschuldigung genommen, um sich nicht entscheiden zu müssen. Männer. Weiß nicht mal, dass Frauen sich nicht erschießen, die nehmen Tabletten.«

»Genau.«

»Außerdem kommst du mir nicht vor wie der Typ, der Selbstmord begeht. Ich bin ein guter Menschenkenner. Das sind fast alle Schwulen. Röntgenblick, voll in die Seele der Leute. Sicher, weil wir so genau auf Körpersprache und Andeutungen und Doppeldeutigkeiten reagieren.«

»Kann ich von mir nicht behaupten. Jedenfalls nicht bei Menschen. Bei Hunden dagegen …«

»Was machst du denn so? Wovon lebst du? Ja, irgendwo müssen wir doch anfangen, wenn wir miteinander bekannt werden wollen. Prost, kleine Nichte! Und willkommen in der Familie!«

Er fragte, sie antwortete, er redete gern, mit kleinen Gesten und großen Worten, sie überlegte, ob es echt war oder aufgesetzt, ob er oberflächlich war oder durch und durch ehrlich und ob das überhaupt ein Gegensatz war. Sie hatte das Gefühl, sofort Zugang zu ihm zu finden, ganz anders, als es ihr mit Margido oder auch mit ihrem Vater ging. Und erst recht mit der alten Frau im Krankenhausbett.

»Margido mag mich nicht«, sagte sie.

»Das bildest du dir sicher nur ein. Er ist ziemlich zugeknöpft, das war er immer schon. Frommer Christ, weißt du. Und die haben doch ein Monopol darauf, die Wirklichkeit zu definieren.«

Er lächelte sie an. Sie waren miteinander verwandt. Sie teilten eine ganze Menge DNA. Blut ist dicker als Wasser, sie waren durch Blutsbande miteinander verbunden. Er hatte die erste Rotweinflasche schon geleert. Der Schnaps war gebracht worden und wärmte Torunn und ließ das weinerliche Gefühl in ihrem Bauch höhersteigen, aber sie wollte nicht weinen, er wollte doch feiern. Sie wollte so vieles wissen, und er war der Mann, der ihr Antworten geben konnte. Schon am nächsten Tag würden sich ihre Wege wieder trennen.

»Er hat gesagt, dass der Hof nie auf Tor überschrieben wurde, also auf meinen Vater.«

»Er fand es sicher angebracht, das zu erwähnen, ja. Jetzt, wo Mutter im Sterben liegt. Aber er hat recht. Wenn der Hof auf Tor überschrieben worden wäre, würde sogar ich das wissen. Das geht ja auch uns beide an. Da müssen Papiere unterschrieben werden und so.«

»Was werdet ihr, du und Margido, denn erben?«

»Ach, was gibt es da schon zu erben? Hundertsieben Dekar Kulturland vor zwanzig Jahren, ich glaube nicht, dass es jetzt mehr sind. Und es wirft ja nichts ab. Wenn also Margido und ich oder auch nur einer von uns beiden irgendeine Form von Erbschaft verlangt, ist der Hof verloren. Tor kann einfach keine Schulden verkraften, wenn er nicht im Lotto gewonnen hat und heimlich in Geld schwimmt. Aber Tor hat mir nichts getan, ich will ihm sein Leben nicht ruinieren. Ich habe Geld genug. Soll der Mann sich mit seinen Schweinen amüsieren und den Hof besitzen, bis er selbst in die Grube sinkt.«

»Aber was ist mit Margido? Wenn er…«

»Wenn er ein frommer Christ ist, wird er Tor nicht vom Hof jagen. Wo sollten sie denn hin… die beiden. Dass der Hof nicht auf ihn überschrieben wurde, hat mehr mit Mutter zu tun als mit irgendwem sonst. Aber ich glaube nicht, dass Margido ein Erbe beansprucht, wenn ihm die Konsequenzen klar werden. Er kommt auch so zurecht. Mit Toten kann man gutes Geld machen.«

Er kicherte und fügte dann hinzu: »Aber es ist vielleicht an der Zeit, das ihm gegenüber zur Sprache zu bringen. Und auch Tor gegenüber. Nur für den Fall, dass die Alte stirbt. Damit wir uns einig sind. Vielleicht liegt Tor nachts wach und glaubt, dass er demnächst in ein möbliertes Zimmer in Spongdal ziehen muss.«

»Ich verstehe nicht ganz, dass es auf deine Mutter ankommt… ob sie lebt oder stirbt… der Hof gehört doch deinem Vater?«

»Auf dem Papier ja, meine Liebe. Er hat nur einfach nichts im Griff. So lange ich mich zurückerinnern kann, pusselt er nur herum und macht die Arbeiten, die ihm aufgetragen werden, ohne zu mucksen.«

Er nahm einen großen Schluck Schnaps aus dem Weinglas.

»Ich habe ihn gar nicht erst zu Gesicht bekommen, als ich da draußen war«, sagte sie. »Und Kaffee wollte er auch nicht.«

»Vergiss ihn jetzt, wir wollen doch feiern, Torunn!«

»Mich geht das ja auch nichts an«, sagte sie.

»Doch, das tut es unbedingt. Denn wenn der Hof auf Tor überschrieben wird, dann bist du die nächste Erbin. Stimmt's? Doch, ich glaube schon. Ich kenn mich ja mit dem Erbhofrecht nicht so ganz aus, aber…«

»Aber das klingt doch total verrückt. Wenn mein Vater am Tag nach deiner Mutter stirbt, dann gehört alles mir? Nein, das kann nicht sein. Dann muss der Hof verkauft werden, und was dabei herauskommt, musst du dir mit Margido teilen.«

»Das Erbhofrecht ist eine ernste Angelegenheit, Herzchen. Du musst eine Ausbildung machen. Eine Ausbildung zur Bäuerin. Nein, ich weiß nicht. Vielleicht hast du recht. Auf jeden Fall muss der Hof jetzt auf Tor überschrieben werden. Alles andere wäre eine schreiende Ungerechtigkeit. Er plackt sich da doch schon sein ganzes Leben lang ab.«

»Ich weiß ja, dass Mama nicht gut genug war, aber wieso hat er keine andere gefunden, die er heiraten konnte?«

»Jetzt weiß ich ja nicht, was in den vergangenen zwanzig Jahren passiert ist, aber… Mutter wollte sich immer um alles selber kümmern. Egal, was für einen Eindruck deine Mutter auf sie gemacht hätte, Mutter hätte nein gesagt. Sie war noch nie der Typ, der sich aufs Altenteil zurückzieht. Wollte alles bestimmen. Außer als Opa Tallak noch lebte. Auf den hat sie immer gehört. Das haben alle getan. Er ist gestorben, als ich siebzehn war, und das war so, als ob… als ob…«

Seine Augen waren blank, und er rieb mit dem Finger darin herum. Dann schüttelte er seinen Oberkörper wie ein Hund und schniefte dramatisch.

»Himmel, jetzt will ich aber nicht mehr flennen. Das kommt

vom Wein! Aber mir fällt alles Mögliche wieder ein, seit ich auf Værnes gelandet bin. Und ich kann es nicht ertragen, mich an Dinge zu erinnern, die ich schon in Kartons verpackt und auf dem Dachboden abgestellt hatte. Findest du mich blöd? Nicht so, wie du dir deinen Onkel Erlend vorgestellt hast? Ich habe Sehnsucht nach Krumme. Warum ist Krumme nicht hier? Das ist meine Schuld. Aber stell dir vor, er hätte Tor gesehen... und gerochen. Pfui Søren, jetzt vergess ich ja total, dass er dein Vater ist. Tandaradei, was fasele ich hier nur, nein, jetzt trinken wir.«

»Erzähl mir von Krumme.«

Sie dachte: Ich habe noch nie einen Menschen so schnell liebgewonnen wie Erlend. Sie nutzte die Gelegenheit, um über eine seiner Bemerkungen zu lachen, sie wusste, dass sie schon ziemlich angetrunken war, aber sie wusste auch, dass sie es am nächsten Morgen in nüchternem Zustand noch wissen würde: Noch nie hatte sie einen Menschen so schnell liebgewonnen. Es war erstaunlich, er kam ihr fast wie ein Bruder vor, der Bruder, den sie nie gehabt hatte. Er bezog sie in alles ein, stellte weder ihre Existenz noch ihre Berechtigung in Frage. Auf ihn war Verlass. Ja, so war das. Auf ihn war Verlass, er stand auf ihrer Seite, obwohl sie bisher gar nicht begriffen hatte, dass sie auf einer Seite stand, ob die nun hier war oder dort, sie war einfach im Mittelfeld umhergetaumelt und hatte sich der Wirklichkeit der anderen gestellt, aber nun saß sie plötzlich hier, von Erlend als Tors Tochter akzeptiert, auf eine Weise, zu der ihr Vater nicht fähig gewesen war, obwohl er mit ihr in den Stall gegangen war und sein Glück mit ihr geteilt hatte.

Er steckte mitten in einem langen Bericht über einen Ledermantel, den Krumme am Heiligen Abend erhalten würde, als sie die Hand über den Tisch ausstreckte und auf seinen Arm legte, er verstummte mitten im Satz und sah sie fragend an.

»Tausend Dank«, sagte sie.

»Wofür denn?«

»Dafür, dass du… ich weiß nicht so ganz. Doch, ich weiß es wohl. Weil du auf dem Zimmer Cheeseburger essen wolltest und nicht protestiert hast. Ich hatte nämlich Angst vor der Begegnung mit dir, mitten unter fremden Menschen, hatte Angst, ich würde einfach… ich weiß nicht. Es war alles so viel.«

Er stand auf und ging vor ihr in die Hocke und nahm ihre beiden Hände. »Weißt du was«, sagte er leise. »Von jetzt an… bin ich dein Onkel. Forever! Und Krumme ist auch eine Art Onkel. Onkel Krumme. Du musst uns in Kopenhagen besuchen, du hast ja keine Ahnung, wie lustig das wird. Komm zu den Onkels! Und dann peppen wir dich ein bisschen auf, das übernehme ich, Krumme ist da nicht so geschickt. Wir machen was mit deinen Haaren und kaufen dir Klamotten und… keiner darf in Zukunft noch ein ganzes Jahr mit einer Alten vögeln und behaupten, dich nicht verlassen zu können, weil du dann vierzig Paralgin forte schluckst!«

Ihre Tränen liefen, als er das alles sagte.

»Er hat erschießen gesagt«, korrigierte sie ihn. »Er wusste ja nicht mal, dass…«

»Schießen, schlucken. Scheiß auf die Einzelheiten. Es geht darum, dass wir zwei hier die Normalen sind. Und da ist Trondheim nicht der richtige Ort. Huch, da hab ich doch glatt vergessen, dass du in Oslo wohnst. Oslo ist auch nicht der richtige Ort, ein kleines doofes Kaff. Kopenhagen dagegen…«

»Ich finde es auf Byneset unglaublich schön. Einfach wunderbar. Und auch, wenn der Hof verfallen ist…«

»Ist er das?«

»Ja. Ungeheuer. Totales Chaos. Und drinnen… du hast keine Ahnung, wie verdreckt das alles ist.«

Er ließ ihre Hände los, richtete sich auf und schaute aus dem Fenster.

»Es wäre nicht anders gekommen, wenn ich geblieben

wäre«, sagte er. »Aller Wahrscheinlichkeit nach wäre es sogar viel schlimmer gekommen. Sie haben sich wahnsinnig meinetwegen geschämt. Weil ich ein Männermann bin.«

»Nennen die das so?«

»Fieses Wort. In Kopenhagen bin ich bøsse, in Trondheim bin ich schwul, in Byneset bin ich Männermann. Geliebtes Kind hat viele Namen, was? Und am Montagabend, als sie krank wurde...«

Er lief ins Badezimmer und hielt ihr die flache Hand hin, als er zurückkam.

»Schau mal.«

Dort lag ein winzig kleines spitzes Stück Glas.

»Was ist das?«

»Mein Einhorn hat sein Horn verloren. Und ist zu einem stinknormalen Pferd geworden. Und da wusste ich, dass etwas los war. Es gibt keine Zufälle. Ich habe es am ganzen Leib gespürt, bin mitten in der Nacht aufgestanden und überhaupt. Und ich hatte recht!«

Sie nickte. Sie hatte kein Wort verstanden. Vielleicht war sie mehr als nur arg angetrunken, vielleicht war sie sternhagelvoll. Sie hatte die halbe Schnapsflasche geleert, dazu drei Bier aus der Minibar, und trank jetzt ein Lightbier, zusammen mit einem weiteren Schnaps. Wollte er sagen, dass die Glasscherbe von einem Einhorn stammte?

»Komisches Wort. Einhorn«, sagte sie.

»Ja, nicht wahr! Als ob es nur aus einem Horn bestünde! Eigentlich müsste es doch Einhornträger heißen oder so.«

»Aber dann ist das Horn abgebrochen.«

»Ja. Ich sammele Glasfiguren, hundertdrei hab ich schon, ich liebe sie alle. Bete sie an. Und sie zerbrechen nie, sie werden ebenso gut behandelt wie die Kronjuwelen im Tower. Aber dann ist das Einhorn auf den Boden gefallen. Einfach auf den Boden. Ich dachte, ich müsste vor Trauer sterben, und danach war ich so unruhig. Das war ein Zeichen, Torunn. Ein Zeichen.«

Er nickte in tiefem Ernst, mehrere Male, und hielt ihren Blick fest.

»Ich finde, du solltest das Horn aus dem Fenster werfen«, sagte sie.

»Findest du?«

Er starrte das Glasstück an.

»Ja, das finde ich. Einfach aus dem Fenster. Vielleicht wird deine Mutter dann wieder gesund. Das ist fast wie Voodoo, nur umgekehrt«, sagte sie.

»Herrgott! Nein, dann lege ich es lieber in einen Banksafe. Tor zuliebe!«

Sie lachte laut. »Du spinnst doch!«

»Ich habe es von Krumme bekommen. Das Einhorn. Aber ich habe es ihm nicht gesagt. Dass das blöde Horn abgebrochen ist.«

Er schluchzte auf.

»Ruf ihn jetzt an und sag es ihm«, schlug sie vor.

»Ich trau mich nicht. Es war eine Liebesgabe. Es kann nur im Schoß einer Jungfrau Ruhe finden.«

»Das Einhorn?«

»Ja. Es war ein symbolisches Geschenk.«

»Ruf ihn trotzdem an. Er kauft dir ein neues.«

»Die wachsen nicht auf Bäumen, kleine Nichte.«

»Solche wie Krumme ja wohl auch nicht.«

»Nein. Das ganz bestimmt nicht. Und die Bäume könnten uns dann auch leidtun.«

Er rief Krumme an und schluchzte am Schreibtisch auf die Infomappe vom Hotel, blaues Kunstleder mit Goldprägung. Er erzählte vom Horn des Einhorns und gab zu, dass er zwei Flaschen Rotwein getrunken hatte, sonst würde er doch nie wagen, es zu gestehen, außerdem habe seine Nichte ihn zu diesem Anruf überredet. Sie öffnete eine Dose Pepsi light und stellte fest, dass das zu Gammel Dansk gut schmeckte. Die kleine Flasche war fast leer.

Nachdem Erlend zahllose Male beteuert hatte, wie sehr er Krumme liebe, und Kussgeräusche in den Hörer geschickt hatte, legte er auf, drehte sich zu ihr um und sagte: »Wie sieht mein Gesicht aus? Ach, Herrgott, sag nichts. Sieh ein bisschen fern, während ich es in eiskaltes Wasser senke. Aber wir haben ja gar keinen Schnaps mehr. Ich bestelle Nachschub!«

»Kaffee und Kognak wären auch nicht schlecht!«

Ein junger Mann in Hoteluniform klopfte an die Tür, während Erlend noch im Badezimmer war, der Mann schob einen Rollwagen herein. Auf dem Wagen standen eine Kaffeekanne und Tassen, Sahne und Würfelzucker, vier Gläser Kognak, eine Flasche Rotwein, eine halbe Flasche Gammel Dansk, zwei Schalen mit Marzipan, eine Vase mit einer einzelnen Rose und eine Schüssel Erdnüsse. Der Mann erklärte, dass Erlend unterschreiben müsse.

»Erlend!«, rief sie.

Er kam aus dem Bad gestürzt, einen weißen Waschlappen vor dem Gesicht, er kicherte, als die Quittung triefnass wurde und zusammen mit dem Kugelschreiber auf den Boden fiel.

»Schönen Abend noch«, sagte der Mann und zog die Tür hinter sich zu.

»Aber wie…«, fragte sie.

»Im Badezimmer gibt es ein Telefon«, sagte er, nahm den Waschlappen vom Gesicht und atmete durch die Nase ein, während er den Kopf nach hinten kippen ließ und die Augen schloss. »Ich wusste doch, dass du protestieren würdest, wenn du hören könntest, wie viel ich bestelle.«

»Bist du reich?«

»Ja«, sagte er. »Das sind wir. Du nicht?«

»Nein.«

»Aber du wirst doch einen Hof erben. Und eine ganze Schweinebande.«

Sie schoben den Rollwagen zu den Sesseln. Sie kam sich nicht mehr betrunken vor, sie war dabei, sich nüchtern zu trinken.

Als sie das Kognakglas an den Mund hob, brannten ihre Augen, der Kaffee war frisch gefiltert und gerade heiß genug. Sie schnappte sich die Fernbedienung und schaltete den Fernseher ein.

»Hast du Tor lieb? Spürst du sozusagen, dass er dein Vater ist?«, fragte er.

»Nein. Vor allem tut er mir leid. Er ist so armselig.«

»Er ist lieb. Tor ist viel zu lieb. Das ist sein Verhängnis. Ich bin auch lieb, aber er ist lieb auf die Weise, dass auf ihm herumgetrampelt wird.«

»Es gibt so viel, das ich nicht verstehe, über ... euch.«

»In vino veritas«, sagte er und schenkte Rotwein ein.

»Wie du trinkst!«

»Ja, hast du so was schon mal gesehen? Reg dich ab, liebste Torunn, ich bin kein Säufer. Ich habe auch eine Packung Valium bei mir, aber die hab ich noch nicht angerührt. Nimm du dir ruhig noch einen Kognak, du. Jetzt hast du den ersten doch schon ausgetrunken. Nein, ich bin nur nicht ganz ich selbst. Im Alltag ziehe ich kerngesunden Bollinger vor.«

»Hab ich noch nie probiert. Ich mag keinen Rotwein.«

»Das ist Champagner, mein Schatz. Und wir müssen wirklich was mit deinen Haaren machen. Was ist deine echte Haarfarbe? Wenn ich fragen darf?«

»Mausgrau.«

»Aha. Da ist es natürlich klar, dass frau sich in erwachsenem Alter für Mahagoni entscheidet. Du hast ein bisschen Ähnlichkeit mit ... Barbra Streisand. Das könnte ein Kompliment sein, ist es im Grunde aber nicht. Und du hast doch einen Schädel wie Nofretete. Noch als Skinhead würdest du schön sein. Warum willst du nicht schön sein? Wo du doch schön bist?«

»Bin nicht daran gewöhnt. Hab keinen Bock. Hab keine Zeit.

Aber du ... warum bist du so traurig geworden, als du deinen Großvater erwähnt hast?«

»Opa Tallak ... nein, der ... Himmel, sollen wir ...«

»Können wir nicht ein bisschen über echte Themen sprechen? Morgen trennen sich unsere Wege doch schon wieder.«

Er schlug die Beine übereinander und nippte an seinem Glas, zündete sich eine Zigarette an, leckte sich die Lippen und schaute zu Boden.

»Vergiss es«, sagte sie. »Wir können auch über meine Haarfarbe sprechen.«

Sie lachte, um ihm weiszumachen, dass sie das ernst meinte.

»Ich war siebzehn, als er gestorben ist, aber das habe ich wohl schon erwähnt«, sagte er. »Es war ein Schock. Es war für alle ein Schock, obwohl er schon achtzig war. Er war immer auf den Beinen, war nie alt. War von morgens bis abends beschäftigt. Mit den Erdbeeren und den Hühnern und mit Anstreichen. Noch wenige Tage vor seinem Tod stand er oben auf der Leiter und strich den Scheunengiebel. Ich glaube nicht, dass Tor noch Erdbeeren hat. Machen viel Arbeit, die Erdbeeren.«

»Er hat jedenfalls keine Erdbeeren erwähnt, nein.«

»Sicher hat er nur Getreide.«

»Jetzt klingst du ganz anders. Wenn du über den Hof redest. Was ist mit deiner Großmutter? Wie alt warst du, als sie gestorben ist?«

»Sie ist mehrere Jahre vor Opa gestorben, aber vorher hat sie drei Jahre gelegen.«

»Gelegen?«

»In ihrem Zimmer. Oben. Mutter hat sie gepflegt, sie wollte nicht ins Pflegeheim. Ich kann mich an die Tabletts erinnern, die Mutter ihr hochgetragen hat, Essen und Kaffee. Winzige Portionen, wie für ein kleines Kind. Ich war nie bei ihr drinnen. Sie war sauer und übellaunig. Aber das wird man sicher, wenn man drei Jahre nur liegen und die Decke anstarren kann.«

»Wie ist dein Großvater gestorben?«

»Ertrunken. Wurde vom Schlag getroffen, als er draußen den Fischraum untersucht hat. Himmel, stell dir vor, ich weiß noch, dass wir das so genannt haben! Vorraum, Großraum und Fischraum. Er ist also ertrunken, über Bord gegangen, sie haben ihn zwei Kilometer weiter gefunden, da gibt es beim Ufer eine starke Strömung. Und da... da ist der ganze Hof gestorben. Wirklich. Alles ist gestorben. Mutter... hat sich zwei Tage lang in ihrem Schlafzimmer eingeschlossen. Und ich... ich hatte doch nur ihn. Wir haben über alles Mögliche gesprochen. Mutter hat nur gekocht und nie mit mir geredet, und Vater... der hat ja immer nur vor sich hin gepusselt. Und Margido und Tor waren so viel älter als ich, weißt du.«

»Du Armer...«

»Niemand schien mich mehr zu sehen, als er gestorben war. Plötzlich kam ich mir vor wie nackt in einer unendlichen Ebene. Ganz allein. Vollständig allein. Ich war außer mir vor Angst, Torunn.«

Er holte den Waschlappen aus dem Badezimmer und hielt ihn sich an den Mund.

»Ich will nicht mehr heulen. Ich werde mich zusammenreißen. Ich kann mich plötzlich an so vieles erinnern. Das tut auch gut...«

»Aber was habt ihr zusammen gemacht? Auf dem Hof gearbeitet und so?«

»Sicher. Ich war ziemlich ungeschickt und hatte schreckliche Angst vor Spinnen und Wespen und war leicht hysterisch, aber Opa lachte nur und war die Geduld selbst. Wenn ich nicht in der Schule war oder Hausaufgaben machen musste, hing ich bei ihm herum. Ich hatte keine Freunde. Ich wurde nicht gemobbt oder so, ich konnte mich nur einfach mit niemandem anfreunden. Ich war in zwei Jungen verliebt... das habe ich Opa erzählt. Er war nicht schockiert, er grinste nur und sagte, das würde sich schon geben, wenn ich irgendwann einem süßen Mädchen begegnete.«

»Er hat also nicht begriffen, dass du…«

»Ich weiß nicht. Jedenfalls hat er kein großes Geschrei deshalb gemacht. Hat nicht genervt.«

»Ich kann mir nicht vorstellen, wie du zwischen Erdbeerpflanzen Unkraut jätest.«

»Ich habe das auch nur selten gemacht, da wimmelte es schließlich von Wespen. Aber Fischen mit Wadenetz, das fand ich toll. Das machte fast niemand mehr, es war schon damals eine uralte Methode zum Lachsfangen. Neshov hat kein Lachsrecht, aber Opa und ein Nachbar taten sich zusammen. Und eben auch ich. Und wenn Austernfischer und Huflattich kamen, konnten wir die Netze auslegen. Ja, Opa hat im Winter immer Netze geknüpft. Große Maschen aus Hanfseil, ich habe ihm dabei geholfen, mit der… Wadenadel, so hieß das. Und dann ging es zum Strand. Ich kann dir sagen, das hat vielleicht gut gerochen, wenn wir den Kessel mit dem Teer aufgekocht haben.«

»Damit der flüssig wurde?«

»Ja. Und dann wurden Boot und Tonnen kalfatert. Die wurden zusammen mit Ankern benutzt, die auf dem Grund lagen. Das ganze Wadenetz hing fest, verstehst du. Am Land! Wir haben es alle vierzehn Tage eingeholt, und das war eine Wahnsinnsarbeit, ich habe dann immer gerudert, während Opa und… ich weiß nicht mehr, wie er hieß, ich glaube, Oscar, das Wadenetz ausgelegt haben. Aber an Land war es am besten, alles, was vorher erledigt werden musste. Wir haben einen Riesenkessel mit Birkenrinde gekocht, das hat vielleicht gedampft! Und auch da kam ein wenig Teer rein, und es wurde ausgesiebt und auf das Netz gegeben, das in einer Tonne lag. Und dann kamen Steine darauf.«

»Damit es das Salzwasser aushalten konnte?«

»Jepp. Das Wadenetz imprägnieren, so ein lustiges Wort, was? *Pregnant* bedeutet doch schwanger auf Englisch, aber hier geht es darum, dass nichts eindringt und zerstört! Um das genaue Gegenteil also! Wo war ich... richtig, Steine ganz oben. Und wie es roch, weißt du. Und wie der Austernfischer geschrien hat, und die Sonne und der Strand und der Fjord, und dass wir etwas Wichtiges machten, wir wollten große Lachse fangen, die wir verkaufen konnten. Du hast ja keine Ahnung...«

»Du hast also erst beschlossen wegzugehen, als dein Großvater gestorben war.«

»Ja. Ich hatte gedacht, ich würde immer dort bleiben. Zusammen mit ihm. Was für ein Blödsinn. Aber so war er. So lebendig und immer präsent, dass er... unsterblich wirkte. Ich werde so grauenhaft abstürzen, wenn ich nach Hause komme. Mit Krumme rede ich nicht über Norwegen. Ich bin eben... in Dänemark bin ich ich selber geworden.«

»Nicht ganz. Das hier gehört doch auch dazu.«

»Ach ja? Die kleine Freudine?«

»Prost, Onkel Erlend!«

Erlend schlief im Sessel ein. Legte plötzlich den Kopf in den Nacken und war noch in derselben Sekunde eingeschlafen. Sie breitete die Bettdecke über ihn, löschte das Licht und fuhr mit dem Fahrstuhl zu ihrem Zimmer im fünften Stock. Sie schaltete ihr Telefon ein und fand drei SMS von Margrete und einen Anruf. Der war von ihrem Vater, er sprach langsam und umständlich, wie in ein Mikrofon, er hatte gehört, dass sie noch einen Tag länger geblieben war, und ging davon aus, dass sie am nächsten Vormittag im Krankenhaus vorbeischauen würde. Am Ende erzählte er noch, dass Siri zwei von ihren Jungen totgelegen habe. Mehr nicht, nur diese Worte, Siri hat zwei von ihren Jungen totgelegen.

Es war zum ersten Mal passiert. Bei keinem früheren Wurf war sie so achtlos gewesen. Und deshalb hatte er sie für die perfekte Mutter gehalten.

Er putzte und schuf um sie herum Ordnung, holte sauberes Stroh und Sägemehl und Torfmull, ließ sich nichts anmerken. Die Jungen hatte er einfach weggeworfen, nachdem er sie am Vorabend gefunden hatte, hinter die Scheune zu den verkohlten Matratzenresten. Er hatte Holzscheite geholt, hatte ein wenig Petroleum darübergegossen und alles zwischen den Matratzenresten angezündet.

»Braves Mädchen, hier hast du.«

Er zog eine Scheibe Brot aus der Brusttasche und gab sie ihr, kraulte sie hinter dem Ohr und benahm sich wie immer. Die Jungen hatte er unter ihrem Hinterteil hervorgezogen, ohne dass sie darauf reagiert hätte. Er hatte sie einfach entfernt. Schweine konnten sicher nicht zählen.

Er fühlte sich nicht wohl. Sein Körper war so schwer, und sein Kopf ebenfalls. Was, wenn er auch noch krank würde, das wäre doch nicht auszudenken. Wenn nur die Mutter in der Küche säße und mit dem Frühstück wartete! Sie würde ihm zwar den Stall nicht abnehmen können, wenn er krank würde, aber zu wissen, dass sie da war ... sie würde wissen, was tun. Sie holten sonst nie Hilfskräfte, er war doch immer gesund. Aber sie würde eine Lösung finden, wenn er krank wäre, auf die eine oder andere Weise.

Er putzte lange und sorgfältig, räumte in der Waschküche auf, zog die Kraftfutterzettel von den Nägeln, an denen er sie sammelte, musste auch ein wenig Papierkram erledigen, wenn er aus dem Krankenhaus zurückkam. Ob er vielleicht Torunn noch einmal anrufen sollte, er verließ sich nicht ganz darauf, dass sie seine Nachricht hören würde.

Der Vater saß im Fernsehzimmer. Das schien jetzt zu seiner Angewohnheit geworden zu sein. Plötzlich stand beim Küchenherd ein Eimer mit Sägemehl und einer Kelle, Feuer hatte er auch gemacht. Er warf einen Blick in den Eimer, roch das Petroleum. Sägemehl und Petroleum. Er rief ins Wohnzimmer: »Schaffst du es jetzt nicht mal mehr, ordentlich Feuer zu machen? Petroleum kostet Geld!«

Er knallte mit der Tür. Der Landpostbote war noch nicht da gewesen, es gab keine aktuelle Zeitung, er holte sich eine alte, setzte Kaffee auf, schnitt sich eine Scheibe Brot ab. Im Kühlschrank stand ein Schüsselchen mit Erdbeermarmelade, sie war ziemlich eingetrocknet, er goss ein wenig kochendes Wasser hinein und rührte um. Die Marmelade war so gut wie neu. Niemand sollte behaupten dürfen, dass er nicht zurechtkam. Die Küche war sorgfältig aufgeräumt, Untertassen und Tassen türmten sich nicht auf, es gefiel ihm inzwischen, Tassen zu spülen, die sauberen Hände. Das Telefon klingelte. Das war sicher Torunn, er würde in einer Stunde im Krankenhaus sein, es war etwas, worauf er sich freuen könnte, er hatte ja nicht damit gerechnet, sie noch einmal zu sehen.

Es war das Krankenhaus. Der Mutter ging es schlechter, sie musste künstlich beatmet werden. Wasser in der Lunge, sagte die Frauenstimme, aufgrund des Herzens. Sie nahmen außerdem an, dass sich eine Lungenentzündung anbahnte, sie hatte jetzt Fieber.

Er nickte, räusperte sich. »Aha.«

Er solle kommen. Er sei doch der Sohn?

»Ja.«

Und ihr Mann solle ebenfalls kommen.

»Der ist krank. Grippe.«

Dann die anderen Angehörigen, sagte sie.

»Ja«, sagte er und legte auf. Es fauchte, ein Geräusch fauchte in seinen Ohren. Der Kaffee. Er kochte über. Er lief hin und nahm den Kessel vom Herd. Holte einen Lappen und wischte ein wenig um die Kochplatte herum, gab sich aber nicht die Mühe, die Herdplatte hochzuheben und richtig zu putzen, nicht jetzt, ein andermal, was hatte die Lunge mit dem Herzen zu tun? Wasser in der Lunge? Er schaute zur geschlossenen Wohnzimmertür hinüber. Nein. Kam nicht in Frage. Aber er musste... er musste Torunn anrufen. Und Erlend? Dem konnte Torunn Bescheid sagen. Und er musste Margido anrufen, oder hatte das Krankenhaus das vielleicht schon übernommen? Sicherheitshalber würde er trotzdem anrufen.

Es dauerte lange, bis sie sich meldete. Ihre Stimme klang heiser und war fast nicht zu erkennen, sofort hatte er Angst.

»Bist du krank? Liegst du im Bett?«

Sie hustete. Antwortete aber, nein und sicher doch, sie sei nicht krank, liege aber im Bett, weil sie noch geschlafen habe, das sei alles. Sie hustete noch einmal und sagte, das mit Siri und den beiden Jungen sei wirklich schlimm.

»Kommt ziemlich häufig vor. Dass eine Sau Junge totliegt. Sie forschen darüber, bei Norsvin. Züchten Sauen, die das nicht tun.«

Das fand sie interessant, dann hustete sie wieder.

»Mutter geht es schlechter. Deiner Großmutter.«

Sie fragte, inwiefern schlechter.

»Irgendwas mit Wasser in der Lunge. Und Sauerstoff. Das Herz. Sicher nur Unsinn, aber jedenfalls haben sie angerufen. Ich werde jetzt wohl hinfahren. Sofort. Ja, das tu ich. Kannst du... hast du gestern mit Erlend gesprochen?«

Das hatte sie. Es sei lustig gewesen, sagte sie, er sei ein ungeheuer netter Junge.

»Er ist bald vierzig«, sagte er.

So habe sie das nicht gemeint. Sie werde Erlend Bescheid sagen, dann würden sie sicher zusammen zum Krankenhaus fahren.

Er rief Margido an.

»Sie behaupten, dass es ihr schlechter geht. Wasser in der Lunge. Sie wird künstlich beatmet.«

Dann bleibe ihr nicht mehr viel Zeit, sagte Margido.

»Das glaube ich erst, wenn ich es sehe«, sagte er. »Aber jetzt kocht der Kessel, ich will nur schnell einen Schluck Kaffee trinken, ehe ich fahre. Wir sehen uns im Krankenhaus.«

Aber das würden sie nicht tun, denn Margido war auf dem Weg zu einer Beerdigung in der Kirche von Bakke, und seine beiden Damen hatten ebenfalls jede eine Beerdigung zu betreuen, sie hatten an diesem Tag drei, Freitag war der Lieblingstag für Beerdigungen, es war ihm im Moment einfach unmöglich wegzukommen, jetzt war es elf, und er konnte frühestens um zwei im Krankenhaus sein. Er würde jedenfalls so schnell wie möglich kommen, und dann sagte er noch einmal, dass es jetzt nicht mehr lange dauern würde.

Margido sprach schlechte Nachrichten immer ganz offen aus, aber das machte er eben nur bei schlechten, gut, dass Tor das mit dem Kaffee eingefallen und dass er nicht böse geworden war. Sieben Jahre lang hatte Margido nichts für seine Mutter getan, war nicht zu Besuch gekommen und hatte keine Blume oder Karte geschickt oder was auch immer man machte, wenn man nicht zu Hause wohnte. Erlend hatte das ja auch nicht getan, aber Erlend war ein besonderes Kapitel. Bei Margidos letztem Besuch hatten sie sich entsetzlich gestritten, Tor war in den Stall gegangen.

Zu den Kühen. Plötzlich hatte er schreckliche Sehnsucht nach den Kühen. Sogar die Euter hätte er jetzt gern gewaschen und den süßen Geruch warmer Milch gerochen, gesehen, wie sie mit den Hintern wackelten. Ihre Geräusche gehört, die beruhigenden Geräusche, die immer da gewesen waren, morgens und abends, Schweine waren einfach nicht dasselbe, in seinem ganzen Leben hatte er nicht gehört, dass eine Kuh ein Kalb totgelegen hätte. Er goss sich eine halbe Tasse Kaffee ein und aß Brot mit lauwarmer Marmelade.

Ihr Gesicht war rotgefleckt, das kam sicher vom Fieber. Er hätte gern ihre Augen gesehen, ihren Blick erwidert. Diese Augenlider waren zum Verrücktwerden, aber jetzt war zum Glück der größte Teil ihres schiefen Gesichts von einer Sauerstoffmaske verdeckt. Die Maschine, an welche die Maske angeschlossen war, rauschte leise. Zwei Schwestern waren bei ihr, sie gingen jedoch, als er sich auf den Stuhl setzte. Die eine berührte seine Schulter, als sie ging, und lächelte ihm kurz zu.

Er nahm die alte Hand, die vertraute geschäftige Hand. So viel hatte sie gearbeitet, war überall gewesen, in Putzeimern, an Stricknadeln, am Herd, in den Obststräuchern hinter der Scheune. Er schmiegte die Wange daran und nahm ihre Kälte wahr. Die Haut roch ein wenig streng, wie manchmal unter einem Uhrenarmband.

Er riss den Kopf hoch, als die Tür geöffnet wurde. Beide sahen bleich und fahl aus, fast krank.

»Wir sind so schnell wie möglich gekommen«, sagte Erlend und ließ sich auf den Stuhl sinken.

»Was sagen die Ärzte?«, fragte Torunn.

»Mit denen habe ich noch nicht gesprochen. Sie liegt einfach nur da. Sicher eine Art Grippe. Ein Virus. So etwas ist doch gerade im Umlauf.«

»Muss kurz ins Badezimmer«, sagte Erlend und schloss sich dort ein. Der Wasserhahn wurde voll aufgedreht, aber hinter dem Rauschen des strömenden Wassers konnten sie deutlich hören, dass Erlend sich übergab.

Torunn lächelte vorsichtig und sagte: »Es ist gestern spät geworden. Wir hatten so viel zu bereden. Und haben Rotwein getrunken. Und Kognak.«

»Ihr seid erwachsene Menschen. Braucht euch nicht bei mir zu entschuldigen.«

Sie waren verkatert, fanden es wohl angebracht, sich in einem feinen Hotel volllaufen zu lassen, während sie allein hier im Krankenhaus lag. Erlends Gesicht war triefnass, als er aus dem Badezimmer kam.

»Ich brauche Saft«, sagte er. »Muss meinen Blutzucker hochbringen.«

»Ich auch«, sagte Torunn. »Ich weiß, wo er steht.«

Beide verließen das Zimmer, er sah wieder die Hand an. Und dann die Maschine, wo ihr Herz eine grüne Linie mit Berggipfeln für jeden Schlag war. Und nun blieb sie stehen, die Linie flachte ab, und eine Lampe blinkte, es war auch ein lautes Geräusch zu hören, er sprang auf, riss ihr die Maske ab und kniff sie in die Wangen.

»Mutter! Mutter!«

Eine Krankenschwester kam angerannt, nahm das Handgelenk der Mutter und drückte zwei Finger darauf.

»Stimmt was nicht mit der Maschine? Ihr Puls schlägt doch wohl noch?«, rief er.

Die Krankenschwester ließ die Hand langsam auf die Decke sinken.

»Ich glaube, Sie haben sie verloren«, sagte sie. »Es tut mir leid, aber so krank, wie sie war, konnte man nichts anderes erwarten. Vor allem jetzt, wo die Lage sich so verschlechtert hatte. Setzen Sie sich doch, dann hole ich eine Kerze.«

Er nickte und setzte sich. Ihr Gesicht. Es war jetzt glatter. Ihr Mund öffnete sich ein wenig. Er streckte eine Hand aus und hob ein Augenlid an. Darunter sah er eine blanke Kugel mit einem Blick in der Mitte, einem Blick, den er nicht kannte. Er zog die Hand zurück, und das Augenlid schloss sich wieder. Die Schwester brachte einen Leuchter mit einer weißen Kerze, stellte ihn auf den Nachttisch und befreite die Mutter von den Apparaturen, ehe sie die Kerze anzündete.

»Geht es Ihnen gut?«, flüsterte sie. »Denken Sie daran, dass sie nicht leiden musste. Sie ist ruhig und ohne Schmerzen eingeschlafen.«

Irgendwer lachte. Es waren Erlend und Torunn, die jetzt mit Saftgläsern wieder das Zimmer betraten. Er hörte das Klirren von Eiswürfeln. Sie blieben stehen und erstarrten.

»Ist sie …«, fragte Torunn.

»Ja«, sagte die Schwester.

Erlend ging zum Bett, stellte sein Glas auf den Nachttisch und fuhr der Mutter über die Wange.

»Sie ist warm«, sagte er.

»Weil sie Fieber hat«, sagte Tor. »Hatte.«

Nein, das ging nicht so. Hier hielt er es nicht aus.

Dritter Teil

Ihr Vater fiel vom Stuhl und blieb auf dem Boden liegen. Die Krankenschwester holte rasch ein Handtuch aus dem Badezimmer und feuchtete es mit kaltem Wasser an, dann ging sie in die Hocke und fuhr ihm damit über die Stirn.

»Er hat sein Leben lang mit ihr zusammengewohnt«, sagte Erlend. »Sie hätte länger krank sein müssen, damit er sich an den Gedanken gewöhnen könnte.«

Tor öffnete die Augen. Er lag mit offenem Parka auf der Seite. Sie sah, dass das Hemd, das er unter dem Pullover trug, auf der Innenseite des Kragens gelblich verfärbt war, und empfand ein plötzliches und verspätetes Mitleid mit ihm.

»Er kommt jetzt zu sich«, sagte die Krankenschwester. »Ich hole Ihnen ein bisschen Kaffee und ein paar Stücke Kuchen. Vielleicht hat er ja nichts gegessen.«

Sie hockte sich neben ihren Vater. »Geht es dir jetzt besser? Du hast das Bewusstsein verloren.«

»Das Bewusstsein verloren?«

»Du bist einfach vom Stuhl gefallen. Aber ich glaube nicht, dass du mit dem Kopf angestoßen bist, du bist sozusagen... schräg gefallen. Jetzt bringt sie den Kaffee. Willst du dich aufsetzen?«

Mit Erlends Hilfe konnte sie ihn auf den Stuhl bugsieren. Und dann schien er die alte Frau im Bett noch einmal zu entdecken. Er schloss die Augen und formte mit zusammengepressten Lippen eine Art Schrei. Die Krankenschwester brachte

239

ein Tablett mit Kaffee, drei Plastiktassen und einigen Stücken Marmorkuchen.

»Er braucht jetzt auch Zucker«, sagte Torunn. Die Krankenschwester nickte und war gleich wieder verschwunden.

Tor saß vornübergebeugt auf seinem Stuhl, faltete die Hände und presste sie gegen seinen Bauch. Torunn wechselte einen Blick mit Erlend.

»Margido weiß, wie…«, sagte ihr Vater. »Er kommt um zwei. Er konnte sich nicht früher losmachen. Er hat eine… eine…«

Sie zog Erlend mit sich hinaus auf den Gang.

»Wir können ihn nicht allein lassen«, sagte sie. »Wir müssen ihn nach Hause bringen.«

»Aber Herrgott, Torunn!«

»Du hast es selbst gesagt. Er hat sein ganzes Leben lang mit ihr zusammengewohnt. Irgendwer muss doch…«

»Ich kann das nicht. Am Montag ist Heiligabend! Ich will nach Hause, zurück in mein Leben!«

»Doch, du kannst. Und was ist übrigens mit mir? Soll ich allein… er ist doch dein Bruder! Und dein Vater sitzt da draußen auf dem Hof und… und…«

Sie brach in Tränen aus, er legte die Arme um sie.

»Ich werde es versuchen«, flüsterte er. »Ich hab ja Valium bei mir. Tor kann auch eine haben, aber das müssen wir erst aus dem Hotel holen. Und ich muss Krumme anrufen.«

Sie schluckte ihre Tränen hinunter, wollte jetzt rational denken, befreite sich aus seinen Armen.

»Ich checke im Royal Garden aus«, sagte sie. »Und übernachte auf Neshov.«

»Das tu ich nicht«, sagte er. »Es gibt Grenzen!«

»Bitte. Ich kenne das Haus doch nicht einmal. Weiß nicht, wo… kannst du jetzt nicht mein Onkel sein? Vor allem mein Onkel? Auch, wenn du nicht…«

Einige Sekunden stand er ganz still da und starrte zu Boden, dann nickte er langsam.

Der Vater wollte nicht auf Margido warten, er schüttelte nur den Kopf, als sie ihn fragte.

»Nach Hause«, sagte er.

Sie überließ es dem Krankenhaus, Margido zu informieren. Erlend gab ihnen seine Mobilnummer. Es schneite, als sie aus dem Haus kamen. Sie führten den Vater zwischen sich, er konnte sich nicht daran erinnern, wo er das Auto abgestellt hatte, dann sah er es.

»Ich fahre«, sagte sie.

»Ich habe ohnehin keinen Führerschein«, sagte Erlend. Er musste allerlei Schrott vom Rücksitz räumen. Er trug eine helle Hose, die würde hier sicher dreckig, dachte sie. Er sagte nichts über den Geruch. Das Auto sprang beim ersten Versuch an, aber sie hatte Probleme mit der Gangschaltung, die sich nicht so leicht in den Rückwärtsgang bringen ließ. Die Kupplung funktionierte erst, als sie das Pedal ganz durchgedrückt hatte. Und von Servolenkung konnte keine Rede sein.

»Wo sind die Scheibenwischer?«

Ihr Vater gab keine Antwort, er hatte den Kopf gesenkt und die Hände in den Schoß gelegt.

»Ja, das weiß ich doch nicht!«, sagte Erlend, beugte sich zwischen den Sitzen vor und musterte hektisch die verschiedenen Knöpfe am Armaturenbrett.

Nach und nach konnte Torunn Scheibenwischer und Heizung in Gang bringen, spürte aber die ganze Zeit, dass sie das alles überhaupt nicht wollte. Nicht wollte, aber musste. Zu dem verfallenen Hof fahren, mit einem Vater, der am Rande des Zusammenbruchs stand. Sie hatte keinerlei Erfahrung mit trauernden Menschen. Gut, dass Erlend Valium hatte, die Gedanken auf chemische Weise kaltzustellen, würde für ihren Vater jetzt das Beste sein. Aber was sollte im Stall passieren?

Sie verließen das Krankenhausgelände und fuhren zum Hotel. Der Vater hob den Kopf, als der Wagen dort vor dem Haupteingang hielt.

241

»Nach Hause«, sagte er. »Nicht hierher.«

»Wir müssen nur schnell unsere Sachen holen und ausche-
cken, ich lasse den Motor laufen, damit er warm bleibt, okay?
Du kannst doch einen Moment hier sitzen und auf uns warten?«

Er gab keine Antwort.

Erlend bezahlte für sie beide, und sie brachte es nicht über
sich zu protestieren.

»Das ist doch nur eine Plastikkarte«, sagte er. »Nicht mal
echtes Geld. Geh du zu Tor, dann erledige ich das hier.«

Er saß noch genauso da wie vorhin. Im Auto war es jetzt
warm, die Fensterscheiben waren beschlagen. Sie konnte die
Heckklappe nicht öffnen und musste auf den Rücksitz krie-
chen und ihre Tasche nach hinten werfen. Auf dem Rücksitz
lag ein großes Gerät, das sie für ein Fuchseisen hielt.

»Hast du hier ein Fuchseisen liegen? Das benutzt du doch
hoffentlich nicht?«

Er schüttelte den Kopf. »Hab ich gefunden. Auf dem Feld.
Dachte, ich… könnte es jemandem geben.«

Sie stellte keine weiteren Fragen, setzte sich hinter das
Lenkrad, nahm sich eine Zigarette und öffnete das Fenster
einen Spaltbreit.

Unterwegs rief Erlend Krumme an. Er sprach ruhig und fasste
sich kurz, die Mutter sei tot, sie führen mit Tor nach Hause,
er werde heute noch nicht zurückkommen, wann, wisse er
nicht.

»Folg den Schildern in Richtung Flakk«, sagte der Vater.

Sie fuhren durch die weihnachtlich geschmückte Stadt. Es
wimmelte nur so von Menschen, die vielen Schaufenster
strahlten um die Wette.

»Less is more«, sagte Erlend.

»Was?«

»Nichts. Ich rede mit mir selbst.«

Sie sagten nichts mehr, alle schwiegen, bis Flakk hinter ihnen lag. Hinter ihnen ragte jetzt eine Wolkenbank auf, vor ihnen blassblauer Himmel, zwei Fähren fuhren mitten auf dem Fjord aneinander vorbei.

»Ganz schön krank, hier zu sein«, sagte Erlend.

Sie musterte ihn im Spiegel.

»Ich wollte mich doch nur von ihr verabschieden. Obwohl sie es nicht über sich gebracht hat, sich von mir zu verabschieden.«

»Hör auf«, sagte der Vater.

Erlend sagte ihr, wo sie abbiegen sollte, sie konnte sich an den Weg nicht erinnern, wusste erst wieder, wo sie war, als sie die stattliche Allee erreicht hatten.

Der Vater stieg auf dem Hofplatz sofort aus und steuerte den Stall an.

»Vater!«, rief sie. Zum ersten Mal hatte sie ihn so genannt. Er blieb nicht stehen.

»Aber wir müssen doch zuerst ins Haus! Und Bescheid sagen!«

Er schloss die Stalltür hinter sich.

»Das wird witzig«, sagte Erlend. »Können wir nicht einfach wieder abhauen? In die Stadt zurücktrampen? Sieht doch unmöglich aus hier. Obwohl der Scheiß von einem halben Meter Schnee verdeckt wird …«

»Hör auf. Ich hab ihn ja noch nicht mal auch nur gesehen.«

Der alte Mann saß im Fernsehzimmer. Ihr Großvater. Hob den Kopf und sah ihnen entgegen, als sie durch die Küche auf ihn zugingen. Er war unrasiert und sah heruntergekommen aus in seiner löchrigen, vollgekleckerten Kleidung und mit jeder Menge Schuppen auf den Schultern. Er hatte ein dickes Buch auf den Knien liegen, in der linken Hand hielt er ein Vergrößerungsglas. Das Buch enthielt Bilder, sie konnte gerade noch eins von Hitler sehen, sogar auf dem Kopf war er zu erkennen. Alte Leute werden mit dem Krieg wohl nie fertig, dachte sie.

»Hallo«, sagte Erlend und lehnte sich an den Türrahmen. »Hier bin ich.«

Sie ging weiter und hielt dem Großvater die Hand hin. Er nahm sie langsam, mit tiefer Verwunderung im Gesicht. Seine Nägel waren lang und senfgelb und hatten schwarze Ränder.

»Ich bin Torunn, die Tochter von Tor.«

»Tochter?«

»Ja. Ich war am Mittwoch hier, aber da warst du wohl beschäftigt.«

»Aber ich hab gar nicht...«

»Sie ist tot«, sagte Erlend.

Der alte Mann schaute zu ihm hinüber, sagte nichts. Erlend schob die Hände in die Taschen.

»Vorhin gestorben«, sagte sie. »Und mein Vater steht unter Schock, er ist im Krankenhaus in Ohnmacht gefallen und jetzt direkt in den Stall gegangen. Er konnte nicht Auto fahren, deshalb sind wir mitgekommen und werden hier übernachten.«

Erlend zog sich in die Küche zurück.

»Ist Anna jetzt tot«, sagte der Großvater. Er hatte nur oben Zähne, das sah sie jetzt, als die Unterlippe sich um sein nacktes Zahnfleisch zog und sein Kinn vorschob, scharf und gebrechlich.

»Ja. Sie ist ganz still eingeschlafen. Hatte Wasser in der Lunge, es lag am Herzen. Und am Fieber, vermutlich eine beginnende Lungenentzündung. Sie konnten nichts mehr machen. Sie hatte keine Schmerzen.«

»Das nicht. Aha. Soso. Und du... bist Torunn. Aha. Wann...«

»Heute Vormittag. Eben erst.«

»Nein, ich meine... dass du, dass Tor...«

»Ach so, ja. Er war mit meiner Mutter zusammen, als er

beim Militär war. Sie war auch einmal hier zu Besuch. Hat Leberwurst gegessen.«

»Genau. Das weiß ich noch. Das weiß ich noch sehr gut. Aber dass sie schwanger war...«

»Das war sie. Hat aber offenbar nichts geholfen. Jetzt muss ich wohl mal nach meinem Vater sehen.«

Draußen in der Küche flüsterte sie Erlend zu: »Er hat nichts von mir gewusst. Er auch nicht. Das ist doch total krank!«

Ihr Vater hatte die Stalltür abgeschlossen. Sie konnte kein Schlüsselloch finden.

»Innen gibt es einen Riegel«, sagte Erlend, der ihr gefolgt war und sich jetzt eine Zigarette anzündete. »Oh verdammt, was war das da drinnen schmutzig. Ich hätte fast wieder kotzen müssen.«

»Gibt es keinen anderen Eingang in den Stall?«

»Über den Heuboden, ich kann ihn dir zeigen. Aber du musst alleine reingehen, ich hab keine Lust, meine Klamotten zu ruinieren. Diese Autofahrt hat schon gereicht, um...«

»Ja, sicher geh ich alleine rein.«

Viel Whisky hatte er noch nicht trinken können, sicher nicht mehr, als er dringend brauchte. Er saß auf einem Jutesack in Siris Koben, war geistesgegenwärtig genug gewesen, um Overall und Stiefel überzuziehen. Siri lag auf dem Boden, und die Jungen schliefen unter ihrer roten Wärmelampe. Die abgestillten Ferkel in den anderen Koben heulten und tobten bei ihrem Anblick, und die Sauen glotzten von unten hoch und schüttelten die Ohren.

»Wir wollen unsere Ruhe haben«, sagte er und umklammerte den Hals der Whiskyflasche. Die Flasche war in freigebiger Weihnachtsstimmung gekauft worden, jetzt stand sie auf Stroh und Sägemehl und sollte gegen Trauer ankämpfen.

»Natürlich. Ich wollte nur sicher sein, dass du...«

»Ich tu mir nichts an. Bin nicht so. Muss mich um die Schweine kümmern.«

»Ich werde dir helfen, wir bleiben hier, Erlend und ich, ich helfe dir im Stall. Zusammen schaffen wir es, wir übernachten hier, wir gehen einen Tag nach dem anderen an.«

Er nickte.

»Darf ich die Stalltür von innen aufmachen? Nur sicherheitshalber? Ich verspreche dir, dass wir dich nicht stören.«

Wieder nickte er.

»Du bist lieb, du«, sagte er.

Erlend stand noch immer auf dem Hofplatz, jetzt trat er seine Kippe im Schnee aus.

»Ich hab mir das überlegt«, sagte er. »Wir müssen hier zupacken. Wir können uns nicht in dieser Küche aufhalten, ehe da etwas geschehen ist. Ich schlage *full action* vor, ganz einfach, um zu überleben. Also los, du bist hier die Chauffeuse.«

Im Laden in Spongdal füllten sie einen Einkaufswagen bis zum Rand. Erlend holte zwei Plastikeimer, Gummihandschuhe, ein reiches Sortiment an Waschlappen, grüner Seife, Salmiak, Scheuermitteln, Topfschwämmen, Waschpulver, Küchenpapier, dazu Brot und Aufschnitt, Eintopf in Dosen, Butter, Kaffee und Schokolade, Bier und Limonade, außerdem Zeitungen und eine Rolle schwarze Müllsäcke. Er bezahlte mit Visa, nachdem er sich aufgeregt hatte, weil sie Diners nicht nahmen. Dann zog er sofort Müllsäcke von der Rolle und stopfte die Waren hinein.

»Wir verknoten alles gut, damit der Geruch im Auto sich nicht darin festsetzt. Den kann ich einfach nicht vertragen. Ich stecke alle Putzsachen in den einen Sack, und die Lebensmittel lassen wir auf dem Hof stehen, bis es im Haus einigermaßen sauber ist. Naja, sauber ist nicht gleich rein. Wir konzentrieren uns für den Anfang auf die Küche. Und das Badezimmer oben. Aber ich muss sicher ein Valium einwerfen, ehe ich mich da reintraue.«

In einer Truhe auf dem Gang fand er Schürzen für sie beide, sie waren sauber und hatten scharfe Bügelfalten.

»Die liegen sicher seit Jahrzehnten hier, ich kann mich an sie erinnern, das waren ihre guten Schürzen. Auf einem Hof zieht man sonntags nämlich die schönen und werktags die hässlichen Schürzen an. Möchtest du die grünkarierte oder die rote mit den weißen Blumen am Rand? Ich glaube, die grüne steht mir besser.«

»Bist du nicht traurig, Erlend?«

»Weil sie tot ist, oder weil ich mit hergekommen bin?«

»Weil sie tot ist.«

»Nein, bin ich nicht. Aber das ist alles eine üble Soße, deshalb bin ich traurig. Ich hab Sehnsucht nach Krumme und versuche, nicht an ihn zu denken. Und wenn ich traurig bin, werde ich immer aktiv. Das sind die Gene der geschäftigen Bauersleut.«

Der Großvater saß nicht mehr im Wohnzimmer.

»Sollen wir ihn suchen?«

»Er pusselt gern alleine herum. Muss sicher auch die Nachricht verdauen. Jetzt wird hier Klarschiff gemacht, kleine Nichte.«

Sie banden sich die Schürzen um, verschnürten sie im Nacken und im Kreuz. Sie streiften gelbe Gummihandschuhe über und musterten sich gegenseitig. Sie wussten kaum, wo sie anfangen sollten. Erlend öffnete einen Müllsack, ließ einen Spüllappen und Geschirrtücher darin verschwinden, dann eine Spülbürste und etliche Topflappen, deren Farbe nicht mehr zu erkennen war, schließlich einige schmutzige Schürzen, die an einem Haken neben der Tür gehangen hatten. Er gab Wasser und Waschmittel in eine Bütte, nahm die Gardinen von der Stange und drückte sie ins Wasser. Torunn räumte den Kühlschrank aus. Es war gut, mit Handschuhen und Schürze zu arbeiten, sie fühlte sich geschützt, aber trotzdem wurde ihr schlecht, es waren vertrocknete alte Lebensmittel, Untertassen mit unidentifizierbaren Resten, auf einer war ein

Rest Brei, der so fest hing, dass sie ihn mit einem Messer ab-
kratzen musste. Sie füllte das Spülbecken mit Wasser und
stellte eine Untertasse nach der anderen hinein.

»Schmeiß alles aus dem Kühlschrank weg«, sagte Erlend.
»Alles! Lieber fahren wir noch mal in den Laden. Und zieh
den Stecker raus, damit er abtauen kann.«

»Wir brauchen doch wohl keinen ungeöffneten Milchkar-
ton wegzuwerfen?«

»Doch! Wenn er in dem Kühlschrank da gestanden hat,
dann wohl.«

»Eigentlich sind wir verkatert. Ich kann mir nichts Schlimmeres für einen Kater vorstellen.«

»Nein, das hier übertrifft alles. Ich hab ja immerhin ein
bisschen kotzen können. Das war vermutlich das letzte Geräusch, das sie gehört hat. Ihr schwuler Sohn, der Rotwein
und Kognak auskotzt.«

Sie musste kichern, das alles war total surreal, nur wenige
Tage zuvor hatte sie auf einem Podium in Asker gestanden
und einen Vortrag über die Rangordnung bei Herdentieren
gehalten.

»Verdammt, hierfür kommen wir ja wohl in den Himmel«,
sagte Erlend. »Roter Teppich und Barbenutzung gratis.«

»Ich bin so ungeheuer froh, dass du mitgekommen bist,
Onkel Erlend.«

»Aber, aber. Ich bin doch eigentlich der verlorene Sohn.
Vielleicht schlachtet Tor für mich was Junges, Zartes.«

Der kleine Boiler in der Küche war schnell leer, sie stellten
zwei Töpfe Wasser auf den Herd. Das hier war keine Putz-
aktion, bei der man den Unterschied nur ahnte, das hier war
etwas aus einem Werbefilm, wo der Wischlappen weiße
Schneisen durch den Dreck zog.

»Im Badezimmer gibt es noch einen Boiler«, sagte Erlend.
»Ich lauf schnell hoch und hole einen Eimer, das werde ich ja
wohl auch ohne Valium schaffen.«

»Glaubst du, dein Vater ist ins Bett gegangen?«

»Kann gut sein. Alte Leute gehen immer ins Bett, wenn ihnen das Leben im Sitzen nicht gefällt.«

Margido rief an, als sie mit Besen und Salmiakwasser die Decke über dem Herd säuberte. Über dem Herd gab es keinen Dunstabzug, das Fett klebte dort in schwarzorangenen Würstchen. Sie nahm den Telefonhörer ab, ohne die Gummihandschuhe auszuziehen, die Löcher in der Sprechmuschel waren dunkelbraun und fast pelzig. Erlend räumte die Schränke aus und füllte Müllsäcke mit leeren Sahnebechern, Flaschen und anderem Verpackungsmaterial, außerdem mit allerlei Trockennahrung und halbvollen Mehltüten.

Margido rief aus dem Krankenhaus an, er fragte gleich nach, ob er wirklich in Neshov gelandet sei.

»Ja, hier ist Torunn, hab ich doch gesagt.«

Ach, sie sei es also. Er wollte Tor nur fragen, wie es jetzt weitergehen soll.

»Der ist im Stall. Es geht ihm nicht so gut. Soll ich ihn bitten, dich zurückzurufen?«

Es eile nicht. Vor Weihnachten werde sich doch keine Beerdigung mehr arrangieren lassen, er tippe auf Donnerstag, den dritten Weihnachtstag, es werde auch nichts kosten, das müsse sie Tor sagen, denn Tor habe immer Angst, Geld auszugeben, und jetzt sei doch das Sterbegeld gestrichen worden, das wisse er sicher nicht. Die anfallenden Kosten wolle er, Margido, übernehmen. Und die Todesanzeige werde schon am nächsten Tag erscheinen, er habe Bekannte bei der Zeitung. Ob sie glaube, dass Tor oder Erlend irgendwelche Wünsche hätten?

»Was für Wünsche denn?«

»Für die Anzeige. Ein Gedicht oder so.«

»Ich bin ganz sicher, dass sie das dir überlassen.«

Aber wie wäre es mit einer Andacht, heute Abend in der Krankenhauskapelle, ob Tor das wohl wolle?

»Ich sag ihm, dass er dich anrufen soll.«

Sie stand da, mit dem Gummihandschuh am Ohr, und dachte daran, was er gesagt hatte. Dass sie sich in dieser Familie nicht wohlfühlen würde. Statt das Gespräch zu beenden, sagte sie: »Wir putzen gerade. Erlend und ich.«

Ob Erlend auch da sei?

»Es sieht unmöglich hier aus«, sagte sie. »Irgendwer muss doch...«

Er fiel ihr ins Wort und fragte, wie lange sie bleiben würden.

»Woher soll ich das wissen?«, rief sie. »Alles ist doch total... sie ist doch gerade erst gestorben! Hast du eigentlich vor herzukommen?«

Hatte er nicht. Nicht heute. Aber natürlich würden sie sich bald zusammensetzen und die kirchliche Feier planen müssen.

»Du hast nicht vor herzukommen. Deine Mutter ist tot, und dein Bruder... und wenn Leute... mit denen man übrigens verwandt ist... wenn es denen einfach ganz schlecht geht, dann muss man doch irgendwie...«

Sie solle sich beruhigen. Sie habe doch keine Ahnung. Und er habe jetzt auch keine Zeit mehr zum Telefonieren.

»Ich auch nicht!«, sagte sie und legte auf.

»Das Telefon ist dreckig«, sagte sie. »Es muss auseinandergenommen und geschrubbt werden.«

Das Schlimmste war nicht, dass sie nicht mehr da war, sondern dass sie ihn in keiner Weise darauf vorbereitet hatte. Sie hatte nichts darüber gesagt, dass sie sich alt und gebrechlich fühlte. Der Hof gehörte ihm nicht, was sollte nun daraus werden? Sollte er gleich nach Neujahr alle Schweine zum Schlachthof schicken? Verkaufen? Wo sollte er hin, wo wohnen? Und Torunn wollte hier übernachten, jetzt wollte sie, und ihm machte es keine Freude mehr. Wie sie das alles wohl sah. Und Erlend. Was hatte der hier zu suchen?

Er wollte nicht mehr trinken. Er musste mit Margido sprechen. Er behielt den Overall und die Stiefel an, als er den Stall verließ und ins Haus ging.

Er blieb in der Küchentür stehen und traute seinen Augen nicht. Sie putzten, mit den guten Schürzen der Mutter. Zwei große Müllsäcke standen mitten im Zimmer, vollgestopft, er ahnte Mehltüten und Sahnebecher in dem einen, die Vorhänge waren verschwunden, Wasser lief an den Fenstern hinab.

»Aber was macht ihr denn hier? Ihr dürft doch nicht Mutters…«

»Doch«, sagte Erlend. »Das mussten wir. Hier sieht es unmöglich aus. Der pure Slum.«

»Wir haben hier immer sehr gut Ordnung gehalten. Ich auch, nachdem Mutter ins Krankenhaus gekommen ist.«

»Dann brauchst du eine Brille«, sagte Erlend.

»Sie ist doch ... gerade erst gestorben.«

»Aber wir bleiben hier«, sagte Torunn. »Und da muss es ...«

»Dann braucht ihr nicht hierzubleiben.«

Er ging ins Arbeitszimmer. Torunn folgte ihm, er ließ sich schwer in den Schreibtischsessel sinken, sie blieb mit triefendem Wischlappen vor ihm stehen.

»Margido hat angerufen.«

Sie richtete ihm aus, was Margido gesagt hatte, dass er alle Kosten übernehmen und gern wissen wolle, ob sie eine Andacht in der Krankenhauskapelle wünschten.

»Nein. Wir haben sie ja alle gesehen. Ich ruf ihn an und sag Bescheid.«

»Dein Vater hat sie nicht gesehen.«

»Braucht er auch nicht.«

»Aber willst du ihn nicht fragen? Damit er das selbst entscheiden kann?«

»Nein. Er schafft das nicht. Das wird zu viel für ihn.«

Er begriff, dass sie die Lüge akzeptiert hatte, als sie nun sagte: »Du ... es wird hier jetzt richtig schön. Wir werfen nichts weg, was noch zu gebrauchen ist, nur alten Kram. Wir kaufen neu ein, und Erlend sagt, dass es in einem Schrank noch jede Menge saubere Handtücher und Topflappen und so gibt. Wir bleiben hier und helfen dir.«

»Aber ihr braucht doch nicht alles umzuändern. Und die Vorhänge, die ... die haben immer schon hier gehangen. Sie ist doch gerade erst ...«

»Die werden eingeweicht. Nachher hängen wir sie wieder auf. Wir bügeln sie und hängen sie auf. Alles wird wieder wie vorher, nur eben sauber. Und wir haben zu Essen eingekauft.«

»Ach. Und die Vorhänge, die wollt ihr also nicht ...«

»Nicht doch, die werden wieder aufgehängt. Wenn sie schön sauber sind.«

Er hörte ihre Stimme, hörte, dass sie mit ihm sprach wie mit einem Kind, sie, die Erwachsene, die wiederholte und beruhigte.

»Aber wieso sind dir gerade die Vorhänge so wichtig?«, fragte sie.

»Naja, ich wollte nur …«

Wie sollte er ihr erklären, dass sie immer vor diesen Vorhängen gesessen hatten, er und die Mutter, dort hatten sie über Wind und Wetter geredet, hatten ab und zu die Kante ein wenig angehoben, um einen Blick auf das Thermometer oder den Hofplatz zu werfen, auf den Schnee oder den Regen, die Abendschatten, die am Hofbaum vorüberwanderten, während sie Kaffee tranken und etwas Süßes knabberten. Das Fenster so zu sehen wie jetzt, entblößt und viereckig … sie hatten doch immer dort gehangen.

»Wir haben oft da gesessen. Mutter und ich«, sagte er.

»Am Tisch vor dem Fenster?«

»Ja.«

»Und habt geplaudert und es euch gemütlich gemacht?«

Plötzlich hatte er ihren herablassenden Tonfall satt, er empfand eine widerliche Lust, sie aus der Fassung zu bringen, die Oberhand zurückzugewinnen. Das hier war seine Trauer.

»Wir haben über alles Mögliche geredet. Mutter hat auch oft über den Krieg gesprochen«, sagte er.

»Ja, so ist das wohl, wenn man den erlebt hat. Das kann ich gut verstehen.«

Er war etwas versöhnt, sie hätte ja auch sagen können, dass alte Leute den Krieg nie sattbekämen, aber das tat sie nicht.

»Sie wusste viel, war gut informiert. Hitler wollte hier eine riesige Stadt bauen. Über fünfzigtausend Terrassenhäuser und den größten Marinestützpunkt der Welt«, sagte er.

»Hier? Jetzt machst du Witze.«

»Tu ich nicht, nein. Sie haben auch Bäume gepflanzt, die Deutschen. Berliner Pappeln, die hatten sie von zu Hause mitgebracht. Damit sie kein Heimweh haben müssten. Sie haben sie sorgfältig und tief eingepflanzt. Aber das hat nichts geholfen.«

»Sind sie eingegangen?«

»Nein. Sie sind jetzt groß. Als die Deutschen weg waren, wurde es so warm.«

»Und darüber habt ihr gesprochen«, sagte sie.

»Ja. Sie hat gesagt … sie hat immer gesagt, alles, was wachsen kann, ist von Dauer. Sie hat sich sehr mit diesen Bäumen beschäftigt.«

Er unterbrach sich und schaute den Flickenteppich an. Der war schmutzig. Es war schwer, die ursprünglichen Farben zu erkennen. Sie hätte jetzt etwas sagen können, und er redete Unsinn und hatte vermutlich zu viel Whisky getrunken, wo er hier wie ein Trottel saß und über Vorhänge und Marinestützpunkte und deutsche Bäume schwadronierte, aber stattdessen nickte sie nur einige Male, als hätte sie verstanden, was er meinte, und ging wieder in die Küche. Sie ließ die Tür offen stehen, das Radio brachte eine Nachrichtensendung, und zwischendurch wurden ausländische Weihnachtslieder gespielt.

Er hielt Ausschau auf seinem Schreibtisch, wühlte ein wenig in den Papieren herum, dem Stapel mit den Kraftfutterzetteln, bald war die Inventur fällig, die schrecklichste Arbeit der Welt, und die musste er alleine erledigen. Seine Mutter hatte ihm immer zugehört, wenn er sich beklagt hatte, und sie hatte ihn von den Papieren weggelockt, wenn seine Verzweiflung unerträglich geworden war, mit Kaffee und vielleicht etwas Frischgebackenem. Eingekauft hatten sie auch, Torunn und Erlend. Die Gefriertruhen waren doch voll. Beeren, die seit vielen Jahren dort lagen, aber sicher auch ein wenig Fleisch und Fisch. Es war unmöglich, Ordnung in die Gedanken zu bringen, der Whisky taugte nichts, er brannte nur und tat in seinem Magen weh. Glücklicherweise trank er nicht viel. Er hätte ihr nicht von den Deutschen und den Bäumen erzählen dürfen, die gehörten ihm und seiner Mutter.

»Dann fang ich oben an«, hörte er Erlend sagen. »Drück mir Däumchen, I'm going in.«

»Nein!« Er sprang aus dem Sessel und rannte auf den Gang. »Nein«, sagte er noch einmal.

Erlend hielt einen dampfenden Eimer in der Hand, dazu eine ungeöffnete Plastiktüte mit einem Wischlappen und einer Flasche Putzmittel.

»Nicht ... das geht nicht, das darfst du nicht«, sagte Tor.

»Was darf ich nicht?«, fragte Erlend.

»Nicht ihr Zimmer.«

»Ich werde ihr Zimmer nicht anrühren, ich will nur im Bad putzen. Meiner Erinnerung nach war die Badewanne einmal hellblau. Und jetzt will ich wissen, ob das stimmt.«

»Wir haben Trauer im Haus. Und ihr wollt nur ... ihr wollt nur ...«

»Hör mal. Du musst jetzt nicht mehr an alles denken. Konzentriere dich auf das, was wichtig ist. Deine Schweine haben keine Ahnung, dass Mutter tot ist. Für sie ist das ein ganz normaler Tag.«

Wollte Erlend behaupten, dass er sich nicht um seine Tiere kümmerte?

»Denen geht es gut!«

»So war das nicht gemeint«, sagte Erlend. »Ich begreife ja, wie schrecklich das alles für dich ist. Wir versuchen nur zu helfen. Hast du gesehen, wie der Boden aussieht, nachdem du mit deinen Stiefeln darübergelatscht bist? Und dein Stalloverall hier drinnen, das hätte Mutter nicht gefallen. Sie konnte Stallgeruch im Haus ebenso wenig leiden wie ich.«

Diese Worte beruhigten ihn, sie hatten einen Hauch von Normalität. Es hätte der Mutter wirklich nicht gefallen, Erlend hatte recht.

»In der Küche ist übrigens kein Brennholz mehr, vielleicht kannst du welches kaufen.«

Erlend ging die Treppe hoch. Schwarze Hose, schwarzer Pullover und zwei grüne Schleifen, im Nacken und auf dem

Hintern. Er hätte nie geglaubt, Erlend je wieder in diesem Haus zu sehen, und jetzt stieg er mit einem schäumenden Plastikeimer die Treppe hoch. Schürze und Ohrstecker, der erwachsene Mann!

Er holte die Zinkbütte aus der Küche.

»Geht's besser?«, fragte Torunn. Sie stand vor dem Herd, hatte die Herdplatte hochgeklappt. Mit einem Esslöffel hackte sie darauf herum. Hatte der Kaffeesatz sich wirklich dermaßen festgesetzt, als morgens der Kessel übergekocht war?

»Ich geh Holz holen«, sagte er.

»Wann fängst du im Stall an?«

»Da gibt es weder Anfang noch Ende«, sagte er und fand diese Antwort selbst sehr gelungen. Was wussten die beiden denn schon.

Er wollte nicht in seinem alten Zimmer schlafen, das konnte Torunn gerne haben. Sie grinste, als sie die drei Plakate an der Wand dort sah, David Bowie in seiner Zwitterperiode, schwer geschminkt und mit Stachelfrisur.

In dem alten Trønderhaus lagen im ersten Stock viele Schlafzimmer nebeneinander, insgesamt acht. Sie gingen hindurch und hielten Ausschau nach Decken und Kissen und Bettwäsche. Er merkte, wie seine Kleidung schweißnass an seinem Körper klebte, und vom Putzen im Badezimmer war ihm noch immer schlecht. Er öffnete und schloss Türen, sprach mit Torunn und dachte an Krumme und daran, dass er hier auf Neshov schlafen würde und nicht zu Hause. Sie hatten Bier gekauft, er hatte Valium, er musste es schaffen. Sie fanden keine brauchbaren Decken, nur schwere Steppdecken, die sie in die Küche schleppten und zwischen den Stühlen zum Trocknen ausbreiteten, die Decken waren feucht vor Kälte. Erlend wollte im alten Zimmer von Opa Tallak schlafen. Torunn ging mit einem Putzeimer hoch, um in beiden Zimmern Nachttische und Fensterrahmen und Heizkörper von Spinnweben zu befreien. Als er sie daran erinnert hatte, wie sehr er sich vor Spinnen fürchte und dass sie über seinem Bett besonders gründlich nachsehen müsse, hatte sie behauptet, mitten im Winter gebe es keine Spinnen, da hielten sie Winterschlaf. Aber eine ganz besonders zähe konnte ja aufwachen und hervorgekrochen kommen und ihm eine Sterbensangst einjagen.

In der Küche roch es sauber. Wieder waren zwei Töpfe voll Wasser warm geworden, er mischte noch eine Runde Seifenlauge und ging damit ins Fernsehzimmer. Dort warf er alle Pflanzen weg, nur die eine nicht, die noch nicht eingegangen war. Konservendosen, umwickelt mit Alufolie und Wollfäden, Krumme würde das nicht glauben, wenn er es ihm erzählte. Die Fensterbänke waren gähnend leer. Tor würde sich vermutlich aufregen, aber das konnte er nicht ändern. Er wusch den Tisch ab und die Armlehnen der Sessel, trug die Polster nach draußen und warf sie in den Schnee, wo bereits die Flickenteppiche lagen. Am liebsten hätte er auch die weggeworfen, aber er konnte doch nicht den ganzen Hof in einen Sack stecken.

Er traute sich nicht, Krumme anzurufen. Er würde zusammenbrechen, wenn er seine Stimme hörte und nicht sagen könnte, wann er nach Hause kam. Aber wenn Tor sich wieder einkriegte und sie ganz viel Essen für ihn einkauften … Er und der Alte könnten doch Weihnachten sehr gut alleine feiern. Er hatte vergessen, die Fluggesellschaft anzurufen, und Torunn hatte wohl auch nicht daran gedacht. Er setzte Kaffee auf. Der Kessel war außen und innen mit Stahlwolle gescheuert worden. Die Kaffeedose war gewienert. Er holte den Sack mit den Lebensmitteln und packte sie in den Kühlschrank. Der Knopf am Handgriff war noch immer ein bisschen braun, er holte einen Lappen und rieb daran herum. Im Radio wurde über Selbstmordattentäter im Mittleren Osten diskutiert.

Torunn kam die Treppe herunter.

»Dein Vater, will der nur im Bett liegen?«

»Sicher. Jetzt trinken wir Kaffee, dann fahren wir noch mal in den Laden. Ist Tor im Stall?«

»Wo sonst. Ich kann deinem Vater eine Tasse Kaffee bringen.«

»Kaffee im Bett? Ich glaube, das hat er noch nie erlebt.«

»Sicher hat er. Das haben doch alle.«

Sie schnitten auf einem Brett, in das ein Schwein eingebrannt war, ein paar Scheiben Brot ab, das Brett hatten sie in kochendem Wasser geschrubbt. Sie hatten Erdnussbutter und Käse und Kassler gekauft. Torunn ging mit einer Kaffeetasse, Würfelzucker und zwei Broten nach oben. Gleich darauf war sie wieder unten.

»Hat er sich gefreut?«

»Er war ziemlich überrascht«, sagte sie. »Aber auch bei ihm sieht es unmöglich aus. Das Bettzeug benutzt er bestimmt schon ewig. Und wie das riecht! Er hat gelesen. Schon seltsam, wo seine Frau doch gerade erst gestorben ist.«

Sie standen vor dem Tisch und aßen, die Stühle waren von den Steppdecken besetzt.

»Und dann finde ich es reichlich komisch, dass Margido heute nicht herkommen will«, fügte sie hinzu. »Um mit dir und meinem Vater zusammen zu sein. Ihr seid doch Brüder, ihr habt eure Mutter verloren. Mir kommt es gar nicht so vor, als ob jemand tot wäre. Da muss es doch Blumen geben und Verwandte und…«

»Einen Trauerchor? Aber es weiß doch niemand. Wenn die Nachbarn es wüssten, würden sie sicher eine Blume bringen. Reine Höflichkeit, auch wenn sie nicht mit Mutter befreundet waren. Nach Opas Tod war Schluss mit dem nachbarschaftlichen Verkehr. Einfach Schluss, von einem Tag auf den anderen. Tot. Aber wir kaufen Blumen, oder jedenfalls Pflanzen, bis auf eine habe ich alle weggeworfen. Und wir müssen überlegen, ob wir sonst noch was brauchen.«

»Knäckebrot zum Erbseneintopf. Und Wurst zum Reinschneiden, in den Dosen sind nur Frikadellen. Und Milch. Und was machen wir mit dem Abfall?«

»Verbrennen. Wir haben immer alles hinter der Scheune verbrannt. Und vorher mit Petroleum übergossen.«

Im Laden suchte er sechs Topfblumen aus, wollte von Christsternen und Weihnachtsbegonien nichts wissen. An Übertöpfen gab es nur unglaublich scheußliche Plastikteile, trotzdem nahm er sechs grüne. Torunn wollte Teelichter kaufen. Um es ein wenig gemütlich zu machen, wie sie sagte. Er dachte an den Vater, daran, wie sie ihn dazu bringen sollten, sich zu waschen. Als er Socken und Boxershorts in den Einkaufswagen legte, weil er nicht genug Wäsche zum Wechseln mitgenommen hatte, tat er auch für den Vater eine Garnitur dazu. Aber er musste vor dem Alten ins Badezimmer gehen, solange es noch sauber war. Warum er wohl unten keine Zähne hatte? Da musste das Kauen doch schwierig sein. Das Essen in sich reinzusaugen.

Auf Neshov ging er dann mit Läufer und Kissen zur Hausecke und ließ sich Zeit damit. Bedeckte die Läufer mit Schnee, schlug und schüttelte die Kissen und vertiefte sich in die Aussicht. Es wurde jetzt dunkel, der Himmel war klar, der Fjord lag schwarz und spiegelglatt da. Sicher war es schön hier, wie Torunn gesagt hatte. Er hatte in Kopenhagen oft an diese Aussicht gedacht, an ihre Reinheit, an das Offene, Langgestreckte. Es tat so gut, diese Luft zu atmen, das war etwas ganz anderes als die Abgase zu Hause. Die Wäldchen waren seit damals ein wenig höher und breiter geworden. Hundert Jahre zuvor hatte es in der Gegend überhaupt keine Bäume gegeben, hatte Opa Tallak erzählt. Und die Lawine im Jahre 28 hatte achtzig Dekar urbares Land mitgerissen und nur blauen Ton übrig gelassen. Die Hänge hier waren gefährdet, die Hänge zum Fjord hin, fast kein flaches Land, alles fiel zum Wasser hin ab. Das war noch Trauer gewesen. Damals hatte es echte Trauer auf dem Hof gegeben, die Leute hatten sich am Abend der Katastrophe in den Zimmern gedrängt, alle hatten Essen jeglicher Art mitgebracht, mehr Lebensmittel als Blumen. So gesehen hatten Torunn und er doch richtig gehandelt, sie hatten Essen besorgt, den Kühlschrank gefüllt, jetzt würden sie bald eine dicke Suppe kochen. Torunn wollte nur vorher die Suppenteller und das Besteck spülen.

Er verteilte Kissen und Läufer, Torunn kümmerte sich um die Pflanzen. Er duschte, das Wasser war nur lauwarm, er zog sich saubere Wäsche an und klopfte an die Zimmertür des Vaters. Als Antwort kam ein Grunzen, er machte auf, atmete durch den Mund und hielt sich die Nase zu.

»Du musst dich waschen«, sagte er. »Hier hast du frische Unterhosen und Socken. Alles andere hast du sicher im Schrank. Hemd und Hose und so, irgendeine Strickjacke. Das Wasser ist noch nicht ganz warm, aber ich hab den Boiler auf drei gestellt. Du kannst dir auch die Nägel schneiden, ich habe die Nagelschere auf den Waschbeckenrand gelegt.«

Der Vater sah ihn entsetzt an.

»Kommen Leute?«

»Nein, nur wir, aber du riechst. Torunn ist so was nicht gewöhnt. Und wo sind deine restlichen Zähne?«

»Hab ich verloren.«

»Gleich gibt's Eintopf.«

Tor war im Fernsehzimmer. Der Fernseher lief nicht. Er saß zusammengesunken in einem Sessel und starrte vor sich hin, er trug normale Hauskleidung und Wollsocken in seinen Holzschuhen.

Der Suppentopf stand auf dem Herd.

»Hast du mit der Fluggesellschaft gesprochen?«, fragte Erlend Torunn.

»Hab ich vergessen. Ich werde wohl ein neues Ticket kaufen müssen. Das wird mich noch ruinieren.«

»Ich hab es auch vergessen. Aber denk nicht an das Geld, das übernehme ich. Langfristiges Darlehen. Sehr langfristig.«

Er holte drei Bier aus dem Kühlschrank, öffnete sie, gab Torunn eins, ging ins Wohnzimmer und hielt Tor auch eins hin. Er musste ihn gegen die Schulter stupsen, um ihn darauf aufmerksam zu machen. Tor fuhr zusammen und nahm die Flasche gleichgültig entgegen, ohne sich zu bedanken.

»Jetzt ist es doch schön hier.«

»Mutter hat sich große Mühe mit den Dosen gegeben«, sagte Tor. »Ich fand sie schön.«

»Sie waren verrostet. Und die Pflanzen waren eingegangen. Außerdem ist noch eine da.«

»Kann die denn stehen bleiben?«

»Kann sie.«

Sie legten die Steppdecken ins Wohnzimmer, während sie aßen. Es gab nur drei Stühle, Tor holte einen Hocker aus dem Gang. Der Vater stank, das machte das Essen schwer. Er sah, dass Torunn darunter litt, es aber nicht zeigen wollte. Es war ein kleiner Tisch, sie saßen eng zusammen.

Er verspürte einen Hauch von Mitleid, dem der alte Abscheu weichen musste, auch wenn der Vater ihm so gleichgültig war, dass er ihm in zwanzig Jahren kaum einen Gedanken gewidmet hatte. Tor bewegte sich wie ein Roboter, als er hereinkam und sich setzte. Jetzt starrte er ins Essen und stemmte den linken Ellbogen auf eine Tischecke.

Niemand sagte etwas. An der Suppe war nichts auszusetzen, Torunn hatte nachgesalzen, aber ihren Plan, mit Teelichtern für *Gemütlichkeit* zu sorgen, den hatte sie vergessen. Alle wichen den Blicken der anderen aus, konzentrierten sich auf Löffel, Teller und Knäckebrot. Erlend betrachtete das Muster auf dem Resopaltisch, er erinnerte sich daran, wie sie ihn erstanden hatten, welche Mühe es ihnen bereitet hatte, ihn aufzustellen. Opa Tallak hatte ihn gekauft, hatte triumphierend den riesigen Karton angeschleppt, als er eines Tages in der Stadt gewesen war, es sei der letzte Schrei, hatte er behauptet, es sehe aus wie Marmor. Jetzt war Resopal wieder modern. Die Wandfliesen im Badezimmer waren ebenfalls aus Resopal, es hatte ein kleines Vermögen gekostet, das Badezimmer herzurichten, das war dreißig Jahre her. Wasserklosett und Badewanne und Mischbatterie über dem Waschbecken. Damals hatte es Fortschritt auf Neshov gegeben. Rosenbeete vor der Hauswand, Erdbeeren und Hühnerstall, zu Mittsommer Feuer am Strand. Und Weihnachtsstimmung. Vogelgarben am Hofbaum und Brei für den Hofwichtel in der Scheune, er und der Großvater hatten den Brei hinausgebracht, er war immer so sehr ein Kind geblieben, dass er weiter an den Hofwichtel glauben durfte. Er hatte erzählt, dass der Wichtel ein graues Wams und eine rote Mütze trug und unter dem Hofbaum hauste. Wenn man ihn nicht gut behandelte, ging es dem Hof schlecht.

Er glaubte nicht, dass irgendwer in den vergangenen zwanzig Jahren Weihnachtsbrei in die Scheune gebracht hatte.

Torunn ging mit ihrem Vater in den Stall. Sie blieben fast zwei Stunden dort. Er müsste Krumme anrufen, tat das aber nicht. Sein Telefon lag ausgeschaltet in seiner Jackentasche. Er räumte in der Küche auf, spülte und setzte sich vor den Fernseher. Der Vater badete. Wie konnte man nur sein halbes Gebiss verlieren, fragte er sich.

Als Torunn zurückkam, sagte sie, nachdem sie geduscht hatte: »Ich weiß gar nicht, wann ich zuletzt so müde war. Die Decken sind jetzt sicher trocken, ich muss mich einfach hinlegen.«

»Ich bezieh das Bett für dich. Ist im Stall alles gutgegangen?«

»Ich war so müde, dass ich nicht mal mehr die Kraft hatte, mich vor ihnen zu fürchten.«

»Zu fürchten? Du fürchtest dich doch wohl nicht vor Schweinen?«

»Wenn sie eine Vierteltonne wiegen, schon. Aber er hätte nicht alles alleine geschafft, er lief nur hin und her. Und hat nichts gesagt. Er hat doch immer so gern über seine Schweine gesprochen. Die eine Sau hat gestern zwei Junge totgelegen, seine Lieblingssau. Das scheint ihm schrecklich zuzusetzen. Zusätzlich zu allem anderen, meine ich.«

Eine Stunde darauf schlüpfte er selbst unter seine Decke, auf einem Laken, das er schief und gleichgültig zwischen Matratze und Bettgestell geschoben hatte, er rollte sich auf der Seite zusammen, legte die Arme um die Knie, brachte es nicht über sich, die Zehen in die Kälte am Fußende hinauszustrecken. Er erkannte den Geruch der Bettwäsche wieder, es war der Geruch dieses Hauses, der alte Geruch, an den er sich erinnerte. Er lag still da und atmete und wartete darauf, dass die Tablette wirkte. Hier hatte einmal der Großvater gelegen, mit seinem ganzen Wesen, als der, der er war, alles, was er konnte, alles, was er dachte. Der Geruch der Bettwäsche ließ die Bilder an ihm vorüberströmen, der Großvater auf der Wiese im grünen Hemd mit einer Sense in der Hand, die er so leicht und präzise bewegte, dass es aussah, als stünde er einfach da und schwenkte lässig ein Tauende hin und her, er rief etwas, vielleicht, dass er langsam Hunger habe, wo blieb Anna mit dem Essen, und seine Schritte über die Pflugfurchen, lange und tiefe Schritte in seinen Stiefeln, niemals kam er zur Ruhe, dieser Mann, noch in der kleinsten Bewegung steckte Energie, und wenn er sich nur den Schweiß von der Stirn wischte, andere waren die puren Schnecken im Vergleich zu ihm, abgesehen von der Mutter vielleicht, sie lachte oft mit ihm, begriff, was er meinte, noch ehe er einen Satz halb ausgesprochen hatte, und sie lächelte immer, wenn er aß, er aß mit solcher Gier und solchem Vergnügen, und das sah sie bestimmt gern. Er dachte daran, dass Opa Tallak sie einfach hoch in die Luft gehoben hatte, er selbst war noch klein gewesen, sie hatten sicher nicht gewusst, dass jemand sie sah. Niemand machte das sonst im mühseligen Alltag, juxte und hob Leute in die Luft. Aber er sah sie durch die Bretterwand vom Klohäuschen, der Großvater fasste sie um die Taille und hob sie in die Luft, sie heulte und kam wieder auf die Beine und gab vor, nach ihm zu schlagen. Er kauerte sich unter der Bettdecke zusammen und dachte an dieses Bild, die Mutter im gelben Kleid mit der weißen Schürze voller Erdbeerflecken, der Großvater groß und stark vor ihr, er wusste noch, dass er eifersüchtig geworden war, er war aus dem Klohäuschen gerannt, ohne sich richtig den Hintern abzuwischen, war zu ihnen gestürzt und hatte verlangt, dass der Großvater das mit ihm auch mache. Heb mich hoch, Opa, heb mich auch hoch! Die Mutter hatte gesagt, er solle mit dem Unsinn aufhören, und hatte sie beide stehen lassen.

Jetzt spürte er die Tablette, den glatten Strang, der sich in seinem Körper aufwickelte, immer wieder im Kreis, frieren bei solchem Wohlgefühl war unmöglich, er streckte sich lang aus und wackelte mit Zehen und Händen unter der Decke, um all die Öffnungen abzudichten, durch welche eiskalte Luft eindringen könnte.

Die Vorhänge waren durchsichtig, das Fenster einen Spaltbreit geöffnet. Es war so still. In Kopenhagen gab es immer Geräusche, auch mitten in der Nacht. Er hörte, wie jemand die Toilette abzog, und verspürte durch das vertraute Geräusch eine plötzliche Erleichterung. Am Montag war Heiligabend. Am nächsten Morgen würde er Krumme anrufen und hoffentlich wissen, was er sagen sollte.

Sie benutzte ihr Telefon als Wecker. Sie wollten um sieben in den Stall, also stellte sie den Weckruf auf Viertel vor sieben. Als das Display grün blinkte und sie in dem stockdunklen Zimmer das piepsende Geräusch hörte, wusste sie zuerst nicht, wo sie war. Sie konnte den Schalter der Leselampe nicht finden und tastete am Bettgestell herum, bis sie endlich Licht machen konnte. David Bowie als Aladdin Sane, einen blauen und einen roten Blitz quer über das Gesicht gemalt, war das Erste, was sie sah.

Die Schweine. Der Vater.

Der Boden war eiskalt, sie packte ihre Kleider und ihre Toilettentasche und rannte ins Badezimmer. Es war still im Haus. Sie wusste jetzt, wo das Zimmer ihres Vaters lag und wo das des Großvaters. Die Türen waren geschlossen. Der Vater würde nicht verschlafen, Bauern konnten das nicht. Sie konnten nicht im Stall anrufen und mitteilen, sie hätten verschlafen und wollten ein paar Überstunden abstottern. Gleitzeit war hier nicht angesagt.

Er saß schon in der Küche, es duftete nach Kaffee, und Dampf quoll aus der Tülle des Kaffeekessels, aber vor ihm stand keine Tasse. Sein Gesicht war düster, er saß mit halboffenem Mund da und starrte vor sich hin, schielte nur kurz zu ihr herüber, als sie die Tür öffnete. Der Adventsleuchter stand abgeschaltet auf der Fensterbank, der Stecker steckte in der

Dose, das sah sie, und sie drehte an den Glühbirnen. Als sie an der Birne oben in der Mitte drehte, leuchteten alle sieben auf. Hinter den Fenstern lauerte tiefe Dunkelheit und verwandelte die Fensterscheiben in Spiegel. Das Thermometer draußen zeigte sieben Grad unter null.

»Hast du etwa nicht geschlafen?«

Er schüttelte langsam den Kopf. »Ich glaube irgendwie, dass sie noch immer im Krankenhaus liegt. Dass ich bald hinfahre. Nach ihr sehen. Nachsehen, ob sie aufgewacht und wieder sie selbst ist.«

Seine Stimme bebte ein wenig, aber er fasste sich und räusperte sich langsam.

Sie legte ihm die Hände auf die Schulter, drückte sie leicht.

»Du Armer. Es muss entsetzlich sein, die Mutter zu verlieren.«

Im Fenster sah sie ihr eigenes Gesicht, bleich, eingerahmt von dunklen Haaren vor der glasblanken Dezemberdunkelheit.

»Du hast sie nicht gekannt. Das ist schade.«

»Ja. Das ist schade«, sagte sie.

»Es ist jetzt schön hier, Torunn. Die Blumen sind auch schön. Aber Erlend brauchte nicht hier zu sein. Reicht es nicht, dass du...«

Leichte Verärgerung flackerte in ihr auf, ihr Vater hatte doch keine Ahnung, was Erlend das kostete, auch sie hatte eigentlich keine wirkliche Ahnung. Aber sie sagte ruhig, ohne seine Schulter loszulassen:

»Nein. Vielleicht nicht. Aber wenn so etwas passiert... und du darfst nicht vergessen, dass er sofort gekommen ist, den ganzen Weg aus Kopenhagen, sowie er von ihrer Krankheit gehört hat. Das muss doch etwas bedeuten.«

»Aber er ist nicht traurig.«

»Wir trauern alle auf unsere eigene Weise«, sagte sie, ließ seine Schulter los, setzte sich.

»Trauert er?«, fragte er und schaute sie über den Tisch hinweg an, mit seinem schmalen Gesicht, in dem sie sich nicht erkannte, von dem sie jedoch wusste, dass etwas von ihr darinsteckte.

Sie nickte, schaute in eine andere Richtung, tat so, als machte dieser Gedanke sie traurig.

Es tat gut, in den Stall zu kommen. Der schmutzige Overall machte ihr nichts mehr aus, so wenig wie der scharfe Schweinegestank. Sie freute sich auf die Ferkel, sie konnte sich an ihnen nicht sattsehen, nicht einmal jetzt, mitten im tiefsten Elend. Die Schweine kreischten und grunzten und liefen aufgeregt hin und her, als die Leuchtröhren unter der Decke eingeschaltet wurden. Zuerst mussten sie den Kot entfernen, jetzt am Morgen war es sicher weniger, Schweine schliefen doch nachts.

Dann entdeckte sie das tote Junge. Keins von Siri, diesmal eins von Sara. Es lag allein mitten im Koben, die vier anderen Jungen schliefen unter der Wärmelampe. Sara bohrte ungerührt den Rüssel zwischen die Metallrohre des Kobens und schnüffelte ihr entgegen, ihre breite Schnauze bewegte sich wie ein Radargerät.

»Sieh mal«, sagte sie und zeigte darauf. »Da liegt ein Junges, einfach so.«

Er kam die wenigen Schritte auf sie zu, blieb mit schwer herabhängenden Händen stehen und starrte das Junge an, ehe er in den Koben ging und es am Nacken hochhob. Die Schweinehaut faltete sich zwischen seinen Fingern auseinander wie dünner Stoff.

»Hat sie es totgelegen?«, fragte sie.

Er gab keine Antwort, verließ den Koben und trug das Junge in die Waschküche. Sie hörte, wie der kleine Körper auf dem Betonboden aufschlug. Dann war alles still. Sie blieb stehen und sah Sara an.

»Was hast du getan«, flüsterte sie. »Ausgerechnet jetzt!«

Saras Blick wich dem ihren nicht aus. Hunger und Eifer

spiegelten sich darin, Sorglosigkeit, sie hatte noch vier, es war ihr erster Wurf, was wusste sie schon über die Pflichten einer guten Mutter!

»Über solche wie dich wird geforscht«, sagte Torunn. »Und du bist des Todes!«

Sie schlug Sara hart mit der flachen Hand auf die Schnauze. Sara wich einen halben Meter zurück, musste sich auf den Hintern setzen, war verwirrt, ihr Blick flackerte umher. Der Vater war noch immer in der Waschküche, noch immer war es dort ganz still. Sie ging hinaus zu ihm.

Er hockte vor dem Jungen und hatte beide Hände an den Kopf gelegt. Seine Haare ragten in Büscheln zwischen seinen Fingern hervor, er kehrte ihr den Rücken zu, das Junge lag in einem spitzen Winkel zur Wand, es war eher hellblau als rosa.

»Vater«, sagte sie, und es hörte sich immer noch nicht natürlich an.

»Ich schaff das nicht«, sagte er. Seine Stimme klang feucht und belegt.

»Du hast gesagt, dass so etwas oft passiert«, sagte sie.

»Nicht jetzt. Nicht jetzt.«

Er wiegte sich auf den Fußballen hin und her.

»Ich verstehe, was du meinst«, sagte sie.

Er gab keine Antwort. Er wiegte sich schneller hin und her, kippte nach einigen Sekunden zur Seite und blieb liegen, noch immer die Hände in den Haaren vergraben, die Knie zur Brust hochgezogen. Die Schweine im Stall fingen an zu heulen, erst zwei oder drei, dann auch die anderen, wie eine Wolfsmeute. Sie hatten Hunger, wollten ihr Frühstück, das hier dauerte ihnen zu lange. Sie beugte sich über ihn, versuchte, eine Hand aus seinen Haaren zu lösen, schaffte es aber nicht. Er schluchzte, Tränen liefen über seinen Nasenrücken auf den Boden. Es war schrecklich kalt hier in der Waschküche, merkte sie, bestimmt würde das Wasser in der Leitung gefrieren. Die Schweine schrien, die Sauen basstief und gutural, die abgestillten Ferkel in schrillem Falsett. Sie spürte den Lärm im Rücken, im Nacken, am Hinterkopf, am Trommelfell, das hier waren lebende Wesen, und sie waren angewiesen darauf, dass alles ablief wie immer.

»Ich muss… ich mach das schon. Das geht schon. Es geht gut. Du kannst einfach… Und danach frühstücken wir zusammen.«

Sie ließ ihn sitzen und versuchte, sich zu erinnern, welcher Koben am Vorabend wie viel Futter bekommen hatte. Das Ausmisten würde sie sich später an diesem Tag vornehmen, das war nicht so wichtig, jetzt musste sie zuerst die Tiere beruhigen, ihre Bedürfnisse befriedigen.

Nach vielem Hin und Her fand sie im Futterraum einen Lichtschalter. Der Silotrichter hing schwer und ausgebeult unter der Decke. Sie hielt den Sack darunter und öffnete den Schließmechanismus. Das Futter strömte unter heftiger Staubentwicklung aus der Öffnung, sie wollte die Verschlussplatte wieder zurückschieben, die widersetzte sich, sie musste pressen, das Futter strömte in den Eimer, fiel zu Boden. Erlend hatte Valium, wenn der Vater keins nehmen wollte, würde sie eine Tablette zerstoßen und unter sein Essen mischen. Falls sie ihn zum Essen bringen könnte. Oder in den Kaffee.

Es wäre schön, hier im Stall die Verantwortung zu tragen, wenn der Vater nicht dort draußen liegen würde, sie merkte das ganz plötzlich, als sie von Koben zu Koben lief, dass es guttat, sie war noch nie allein in einem Stall gewesen, nur als Beobachterin, und hier lief sie nun mit Kraftfutter hin und her und streute es verfressenen Tieren hin und war lebensnotwendig. Niemand anders würde diese Arbeit übernehmen, während der Vater hilflos in der Waschküche lag. Sie dachte an Zeitungsreportagen, an Leute vom Tierschutz, die grauenhafte Verhältnisse entdeckten, Tiere, die bis zu den Knien im Kot standen und sich gegenseitig fraßen, fing es wohl so an? So konnte es durchaus anfangen. Ein wichtiger Mensch auf dem Hof starb, Sauen bereiteten Enttäuschungen, und damit gab es keine Freude mehr an der Arbeit, alles wurde zu wortloser Anklage und Niederlage.

Er lag so da wie vorher.

»Jetzt gehen wir ins Haus«, sagte sie. »Also komm.«

Er schien zu schlafen. Sollte sie einen Arzt rufen? Vielleicht wäre es sinnvoll gewesen, mit einem Arzt im Krankenhaus zu sprechen, ehe sie gefahren waren, doch worüber? Wie man mit Trauer und Schock umgeht? Sie hatte geglaubt, wenn sie und Erlend mit nach Neshov kämen, würde sich alles finden. Das Junge musste eben liegen bleiben. Sogar Menschen lagen ihre Jungen tot, wenn sie sie nachts stillten und dabei einschliefen, darüber hatte sie gelesen, hatte die Vorstellung widerlich gefunden, sie mit fehlendem Mutterinstinkt in Verbindung gebracht, auch im Schlaf hütete eine Mutter doch wohl ihre Kinder.

»Komm jetzt.«

Er öffnete die Augen und ließ seinen Blick langsam zu ihr herüberwandern.

»Bin ich ohnmächtig geworden?«

»Weiß nicht so recht. Das mit dem Jungen ist scheußlich. Aber jetzt musst du ...«

»Bin ich ohnmächtig geworden?«

»Ja. Du bist ohnmächtig geworden. Komm jetzt.«

Gegen neun Uhr fing er an, Krumme anzurufen, bekam aber keine Antwort. Nach sieben Versuchen unter Hinterlassung von drei Nachrichten, von denen er selbst wusste, dass sie sich ziemlich hysterisch anhörten, rief er in der Redaktion an. Sie wussten nicht, wo Krumme war, er hatte an diesem Tag Abenddienst. Er versuchte es noch einmal mit der Handynummer. Keine Antwort. Nur Krummes Stimme, die monoton und geschäftsmäßig bat, eine Nachricht zu hinterlassen.

Das war die Strafe. Krumme wollte nichts mehr mit ihm zu tun haben. Er wusste sehr gut, dass er verschlossen und abweisend gewesen war, als er am Vorabend angerufen und gesagt hatte, dass er noch nicht nach Hause komme. Aber wie hätte er denn sonst reden sollen, wo Tor und Torunn jedes Wort hören konnten? Er hatte Krumme durch dieses Gespräch aus seinem Leben ausgeschlossen, und alles hatte mit dem Einhorn angefangen, mit der Lüge, als er sich schlafend gestellt hatte, während Krumme so um ihn bemüht gewesen war. Warum hatte er da nicht gleich etwas gesagt! Erst drei Tage später hatte er es gestanden, im Suff, vom Hotelzimmer aus, jetzt war die Sache gelaufen. Krumme war garantiert fertig mit ihm, einer verlogenen Dramaqueen, nicht mehr und nicht weniger.

Er setzte sich ans Küchenfenster, ließ die Zeit vergehen. Eine Menge Spatzen und Meisen war auf dem Vogelbrett beschäftigt, mit Brotkrümeln und irgendeinem Klumpen an einer Schnur. Er dachte wieder an den Hofwichtel, der vermutlich mausetot unter dem Hofbaum lag. Er trank lauwarmen Kaffee, versuchte, sein Bewusstsein von den Vögeln auf dem Brett füllen zu lassen, dem Geschäftigen und Alltäglichen in ihrem Verhalten. Tor schlief oben im Haus, nachdem Torunn ihm früh am Tag Valium einverleibt hatte, sie hatte ihn geweckt, es war entsetzlich gewesen, aufzuwachen und zu begreifen, wo er sich befand und dass er bald würde anrufen müssen. Eine Stunde war vergangen, ehe er den ersten Versuch gemacht hatte, voller Angst vor dem, was er sagen musste, jetzt, da Tor offenbar wirklich zusammengebrochen und Torunn total verzweifelt war. Er musste hierbleiben, da half nichts, auch wenn er eigentlich nicht sah, wie er Torunn helfen konnte, außer dadurch, dass er hier war, ihr Onkel war, aber jetzt würde er das offenbar lernen müssen. Er hatte die beiden im Badezimmer gehört, als Torunn ihm die Tablette fast hatte einzwingen müssen, sie hatte geweint und gefleht und gebettelt, ehe er sich zu schlucken bereitgefunden hatte. Dass er um die Mutter so sehr trauerte, aber zu Tor hatte die Mutter immer eine andere Beziehung gehabt als zu ihm oder zu Margido. Sie hatte Tor *gesehen*, hatte auf ihn reagiert.

Jetzt war Torunn wieder im Stall. Der Vater war eben unten gewesen und hatte sich eine Scheibe Brot abgeschnitten und mit nach oben genommen. Sie hatten kein Wort gewechselt. Es war fast halb zwölf, draußen hing eine niedrige, honiggelbe Wintersonne, lila Himmel, unten in den Ecken der Küchenfenster saßen Eisblumen, er hatte mehrmals den Vorhang hochgehoben und sie angesehen, aber er hatte nicht richtig wahrhaben wollen, wie schön sie waren, das reinste Swarovski-Design, die Fenster zu Hause hatten niemals Eisblumen. Zu Hause … hier, dort, zu Hause.

Er rauchte eine Zigarette nach der anderen, benutzte eine Untertasse als Aschenbecher, und ehe er sich's versah, hatte er sich mehrere Nägel abgeknabbert, das hatte er schon lange nicht mehr gemacht. Als er Holz nachlegen wollte, sah er, wie wenig noch in der Bütte lag. Musste er wirklich in den Holzschuppen gehen? Er zündete sich noch eine Zigarette an und sah im Kessel nach, der enthielt nur noch feuchten Satz. Hier ging offenbar alles zur Neige.

Er nahm seine Lederjacke vom Haken im Gang, sie war eiskalt, der Gang war eiskalt und ohne Heizung, die Stiefel waren ebenfalls eiskalt. Mit der Zinkbütte in den Händen ging er über den Hof zum Schuppen, sicher waren es viele Grad unter null, aber es tat auch ein bisschen gut, reine und blaugefrorene Luft in die Lunge zu ziehen.

Das Holz lag in einem riesigen Holzverschlag, große Stücke links, behauene Scheite rechts. Der Hackklotz stand vor ihm, darin steckte die Axt. Der Boden war weich von alten Spänen und Sägemehl, es roch gut und würzig. Er versuchte, sich an die Größe der Ofentür zu erinnern, und füllte gespaltenes Holz in die Wanne. Dabei sah er den Gaskamin zu Hause vor sich, die dreistündige Videoaufnahme von dem Kaminfeuer, an dem er sich als junger Mann in Kopenhagen gewärmt hatte. Für das Fernsehzimmer nahm er zwei größere Stücke mit, dort war noch kein Feuer gemacht worden. Etwas leuchtete im Verschlag, unten in der Ecke, er tastete danach, es war ein Gebiss, er steckte es in die Tasche, hätte gern laut über diesen Fund gelacht, brachte das aber nicht über sich. Vielleicht würde er lachen können, wenn er ihn Torunn zeigte, sie musste doch bald im Stall fertig sein.

In der Küche ließ er das Gebiss in ein Milchglas fallen, gab Wasser dazu und stellte es auf die Anrichte. Sägemehl trieb nach oben und schwamm an der Wasseroberfläche. Er heizte im Fernsehzimmer ein, spülte den Kessel aus und setzte neues Kaffeewasser auf, dann hörte er Torunn an der Tür, jetzt wollte er im Frühstückszimmer für sie decken, die Teelichter aufstellen, die sie am Vorabend vergessen hatte, er selbst hatte keinen Hunger, er tat es nur ihr zuliebe. Er holte Brot aus dem hellgelben Plastikbrotkasten, dann das Brotmesser, und in diesem Moment hörte er ein Auto auf den Hofplatz fahren. Durch das Fenster konnte er einen weißen Audi sehen, der mit einem kleinen Hüpfer vor dem Hofbaum anhielt. Auf der Autotür stand *Europcar*.

Er blieb stehen und schaute hinaus, klammerte sich an den Resopaltisch, hatte sofort gesehen, wer da kam. Torunn trat wieder hinaus, ging Krumme langsam entgegen, hielt ihm die Hand hin, Krumme nahm sie, das Unvorstellbare war Wirklichkeit geworden, er wollte sich verstecken, tief in einem Kleiderschrank, wollte sterben, vor Schande umkommen. Aber die Erleichterung trug den Sieg davon, er war nicht verlassen, er war gesucht worden, den ganzen langen Weg, und Krumme war doch so ein elender Fahrer, sie fuhren nie irgendwohin, und dann noch im Schnee, aber er konnte sich gut orientieren, nach dem Weg fragen, zuhören und sich alles einprägen, Karten lesen, das musste man ihm lassen. Aber er hatte doch Abenddienst! Und das war das Erste, was er sagte, als Krumme einige Sekunden darauf in die Küche gerannt kam und ihn vor dem Fenster fand:

»Aber du hast doch Abenddienst!«

»Erlend. Hier bist du.«

Die Ruhe darin, seine Gerüche wahrzunehmen, ihn zu umarmen, die Wange an seine Stirn zu legen. Aber dann fiel sein Blick auf das Gebiss im Milchglas, den Coop-Kalender, die Vorhänge, die Gerüche und den Verfall hinter der frischgeputzten Pracht.

»Wir fahren sofort, Krumme. Schön, dass du einen Wagen gemietet hast.«

»Aber das geht doch nicht. Dann wärst du schließlich nicht mehr hier.«

In der Küche saß ein Unbekannter, er blieb in der Türöffnung stehen und hielt sich an Türrahmen und Türklinke fest.

»Komm doch rein, es zieht«, sagte Torunn.

Er gehorchte. Er dachte, der Stall. Und sagte es auch: »Der Stall.«

»Da ist alles in Ordnung, Futter und Wasser und saubere Böden. Und Stroh und Torfmull. Komm, setz dich jetzt und iss, du hast viele Stunden geschlafen, da musst du doch Hunger haben.«

Er musste ihr glauben, sein Kopf hing schief auf seinem Hals, er schien mit einem Gummiband der Schulter befestigt zu sein. Aber dann fiel ihm etwas ein. Gleich war es ihm wieder entfallen, dann war es plötzlich wieder da.

»Das Licht«, sagte er. »Das muss brennen.«

»Tagsüber bei den Schweinen?«

»Ja. Nur nachts dunkel. Müssen... Tagesrhythmus haben.«

»Das wusste ich nicht. Ich geh sofort rüber und drehe es an.«

Er sah wieder den fremden Mann an. Obwohl der Mann auf einem Küchenstuhl saß, konnte er sehen, dass er ziemlich klein und dick war. Wie Karlsson vom Dach. Torunn ging an ihm vorbei aus der Tür. Der Mann trug einen Ohrstecker, wie auch Erlend ihn hatte. Erlends Hand lag auf dem Knie des Mannes. Der Tisch hatte eine Tischdecke bekommen. Belegte

276

Brote mit Butter und Aufschnitt. Und eine hohe, dunkel-braune Flasche mit einem gelbroten Etikett. Die Kaffeetassen waren die guten, die Mutter niemals benutzte.

»Habt ihr Mutters gute Tassen genommen?«, fragte er.

»Musste sein«, sagte Erlend. »Hier im Schrank gibt es ja keine zwei Tassen und Untertassen, die zusammengehören.«

»Zusammengehören?«

»Ja. Zusammengehören. Das ist Krumme.«

»Krumme?«

»Mein Mitbewohner aus Kopenhagen. Er ist gerade gekommen.«

»Hierher?«

»Er sitzt doch hier, das siehst du ja wohl.«

Erlend drehte sich zu dem Mann um und flüsterte ihm etwas zu, er fing das Wort *Valium* auf.

»Ich wollte das nicht«, sagte er. »Das war Torunn.«

»Setz dich, Tor, dann gibt es Kaffee. Die Tablette wirkt noch viele Stunden, deshalb fühlst du dich ein bisschen seltsam.«

Erlend ließ das Knie des Mannes los, nachdem er es noch einmal gedrückt und einige Male gestreichelt hatte.

»Nein«, sagte er.

»Was heißt nein? Willst du keinen Kaffee, oder fühlst du dich nicht seltsam?«

»Nein.«

»Willst du denn Krumme nicht guten Tag sagen?«

»Nein. Du hast Mutter immer nur wehgetan. Wenn sie das hier sehen müsste … gut, dass sie tot ist.«

»Was zum Teufel redest du da?«, rief Erlend laut, zu laut und zu schrill, in der Küche war nicht genug Platz für seine Stimme, Eisblumen bedeckten das Küchenfenster.

»Du Schwein«, sagte er. »Einfach herkommen und so hier sitzen und … grabschen. Du kannst jetzt abhauen.«

Erlend trat ganz dicht vor ihn hin, er roch nach Männerparfüm und Erdnüssen.

»Und du kannst die Fresse halten«, sagte er. »Ich bin nicht deinetwegen hier, sondern wegen Torunn!«

»Schrei nicht so rum. Du hast Mutter immer nur wehgetan.«

Seine Wange brannte, er sank über dem Küchentisch in sich zusammen, breitete die Arme aus, um sich festzuhalten, seine Wange brannte glühendheiß auf der kalten Tischplatte, er versuchte, den Kopf zu heben, aber der wollte ihm nicht gehorchen. Dann wurde die Tür geöffnet, und Torunns Stimme war da und ihre Hände um seine Schultern, auch sein Ohr tat weh, das merkte er jetzt.

Torunn zog ihn hoch.

»Was macht ihr denn hier?«, rief sie.

Wollte sie jetzt auch noch herumschreien? Sie redeten hinter ihm, er drehte sich nicht um. Er hörte, dass sie alles wiederholten, was er gesagt hatte und was Erlend gesagt hatte, nur nicht, dass Erlend Torunn zuliebe hier sei und nicht wegen Tor. Torunn schob ihn zur Tür.

»Ich glaube, du solltest dich noch ein bisschen hinlegen«, sagte sie. »Ich bring dich rauf, und dann hol ich dir nachher Kaffee und ein bisschen was zu essen.«

Das Bett war noch warm, er lag vollständig angezogen da. Die Bretter an der Decke waren dieselben. Alles war anders, aber die Bretter waren dieselben. Dafür war er dankbar, er beschloss, sie lange und gründlich zu betrachten. Auch, als die Tür geöffnet wurde und er aus dem Augenwinkel sah, dass Torunn kam und etwas auf den Nachttisch stellte.

»Sie lieben sich«, sagte sie. »Sie sind seit zwölf Jahren zusammen.«

»Mutter würde …«

»Deine Mutter ist tot. Und sie würde sich freuen, wenn sie wüsste, dass Erlend mit einem lieben Mann zusammen ist und es gut hat.«

»Nein.«

»Dann lass es eben!«
Sie knallte mit der Tür, als sie ging.

Was sollte er denn lassen? Er schaute seine Kaffeetasse an, zum Glück war es eine von den alten. Sie hatte den Würfelzucker vergessen. Er schlabberte, als er sich auf den Ellbogen stützte und die Tasse näher heranzog. Zwei Brote mit Käse und eins mit … er biss hinein, es war Kassler. Das hatte er seit Jahren nicht mehr gegessen, sie kauften Hammelwurst oder Salami. Aber er aß nicht so gern Salami, schließlich wurden die guten alten erschöpften Zuchtsauen zu Salami.

Es war das selbstgebackene Brot der Mutter, der Däne saß da unten und aß das Brot einer Toten, die ihn gehasst hätte. Seine Wange war schrecklich heiß, er legte den Kopf wieder auf das Kissen, während er kaute, und legte die Hand an die Wange. Sie brannte unter seinen Fingern, seine Haut pochte im Rhythmus seines Pulses. Einfach herkommen und schlagen. Unter dem Küchentisch aneinander herumfummeln und dann schlagen. Lieber schickte er alle Schweine nach Eidsmo und gab sich danach die Kugel.

Er musste zusammen mit dem Pastor eintreffen, das würde der Sache etwas Professionelles geben, nachdem er sieben Jahre nicht mehr dort gewesen war. Er hatte dort etwas zu erledigen. Eine Beerdigung musste in die Wege geleitet werden, zusammengestellt und geplant. Er rief den Fosse-Pastor an und schlug vor, ihn abzuholen, dann würde er nicht lange bleiben müssen, er musste den Pastor doch wieder nach Hause fahren.

Es war dunkler Nachmittag, als sie in die Allee einbogen. Auf dem Hofplatz stand ein fremdes Auto, ein Mietwagen. Er stellte den Citroën gleich dahinter ab. Das Telefon ließ er auf dem Sitz liegen. Er war froh, dem Apparat zu entkommen, Selma Vanvik rief an wie eine Besessene, eine Weihnachtskarte hatte sie ihm auch geschickt, an seine Privatadresse. Und er konnte das Telefon ja nicht abschalten, die Leute starben schließlich nicht zu klar festgesetzten Bürozeiten.

In der Dunkelheit sah der Hof aus wie immer. Hinter den Küchenfenstern brannte zuverlässig das Licht, die Scheiben waren innen beschlagen.

»Ja, dann werden wir ja sehen, wie das wird«, sagte er zum Fosse-Pastor, der im Anbau wartete, um ihn zuerst hineingehen zu lassen. Sie konnten Musik hören.

Ein Fremder in einem schwarzen Rollkragenpullover und einer grünen Schürze stand vor dem Herd, vor der Bratpfanne, es roch sehr stark nach Gewürzen und gebratenem Fleisch. Der Mann war klein und dick und wiegte sich im Takt der Musik aus dem Radio, es lief ein Popsong. Zwei Töpfe kochten auf den hinteren Platten, der Dampf ließ alle Fenster beschlagen, das Fenster mit dem Adventsleuchter war halb geöffnet, aber das half nichts. Torunn und Erlend saßen am Küchentisch, beide hielten eine Flasche Bier in der Hand, sie tranken offenbar direkt aus der Flasche, er konnte nirgendwo ein Glas sehen. Auf dem Boden standen mehrere Einkaufstüten aus der City Süd, noch nicht ausgepackt, auf dem Küchentisch war die Zeitung bei den Todesanzeigen aufgeschlagen. Durch die offene Tür zum Fernsehzimmer konnte er die Knie des Vaters erkennen. Erlend und Torunn sprangen auf, als sie den Mann hinter ihm und den weißen Kragen unter seinem Mantel entdeckten. Torunn lief zum Radio und schaltete es aus, der kleine Mann am Herd drehte sich um. Es wurde sehr still in der Küche, aus dem Wohnzimmer war die Stimme eines erregten Fußballkommentators zu hören.

»Ach, du bist es«, sagte Erlend. »Ich meine, ihr.«

Der Fosse-Pastor streckte ihm die Hand hin. »Bist du Erlend?«

»Ja.«

»Mein Beileid. Ich bin Per Fosse. Der Pastor hier draußen.«

»Danke«, sagte Erlend und nahm die Hand, er wirkte verwirrt und schaute die Bierflaschen auf dem Tisch an.

»Man darf durchaus gemütlich zusammensitzen, auch wenn Trauer im Haus ist«, sagte der Pastor und lächelte.

»Das ist … Carl«, sagte Erlend. »Carl, das ist Margido, mein Bruder.«

Die beiden reichten einander die Hand, dem Pastor reichten Torunn und dieser Carl ebenfalls die Hand. Der Mann war Däne.

»Er ist heute gekommen«, sagte Erlend.

Der Fosse-Pastor ging ins Wohnzimmer.

»Setz dich«, sagte Torunn. »Erlend und … Carl waren eben einkaufen. Haben auch die Zeitung mitgebracht. Schöne Anzeige. Und es sind zwei große Gestecke von den Nachbarhöfen gekommen, sie stehen im Wohnzimmer.«

»Wo ist Tor?«

»Der hatte heute eine Art Zusammenbruch, er hat eine Tablette bekommen«, sagte Erlend. »Er liegt im Bett. Aber setz dich. Du trinkst sicher kein Bier, wo du doch fährst. Und auf dem Herd ist gerade nicht genug Platz für den Kaffeekessel. Wie wäre es mit Limonade?«

Er nickte. »Es braucht ja nicht so lange zu dauern. Aber Tor muss auch …«

»Kannst du nicht einfach zu ihm nach oben gehen?«, fragte Erlend rasch. »Ich brauche ja nicht mitzuentscheiden.«

»Wir müssen Lieder und Musik aussuchen und überlegen, wie das Liederheft aussehen soll.«

»Entscheidet ihr«, sagte Erlend.

Tor lag mit geschlossenen Augen da, aber er räusperte sich. Man räuspert sich nicht, wenn man schläft, dachte Margido. Er war vollständig angezogen, und die Leselampe brannte.

»Hier bist du also?«

»Sie haben mich gezwungen, eine Tablette zu nehmen«, sagte Tor und öffnete die Augen. »Ich wollte das nicht. Nur damit du das weißt.«

»Die hast du sicher gebraucht. Das muss doch hart für dich sein.«

»Erlends Däne ist gekommen, ich kann nicht nach unten gehen. Und ich muss bald in den Stall. Torunn hat heute alles erledigt, aber ich muss nachsehen, ob es in Ordnung ist.«

»Ich habe ihn gesehen. Er kocht gerade.«

»Wirklich?«

»Ja.«

»Das ist einfach… unerträglich. Erlend schläft in Opas Zimmer. Und da wollen sie wohl… zusammen liegen.«

Margido setzte sich auf einen Hocker neben der Tür. In den Händen hielt er ein Gesangbuch, einen Notizblock und einen Kugelschreiber. Er war hier, um eine Beerdigung vorzubereiten.

»Aber trotzdem, Tor, du musst…«

»Was muss ich?«

»Nach unten gehen. Hier sein. Du kannst nicht einfach nur im Bett liegen und…«

Tor legte einen Arm über die Augen, antwortete nicht sofort, schniefte laut.

»Sie haben sich begrabscht. Unter dem Tisch«, flüsterte er.

»Begrabscht? Wie denn be…«

»Gestreichelt. Den Oberschenkel.«

»Ich werde mit Erlend sprechen.«

»Was willst du ihm denn sagen?«

»Mit ihm sprechen, Tor. Aber die Beerdigung… am dritten Weihnachtstag um ein Uhr. Hast du die Anzeige gesehen?«

»Nein. Kann nicht daran denken.«

»Wir müssen Lieder und Musik aussuchen. Ich dachte, vielleicht…«

»Entscheide du. Das ist dein Beruf. Du weißt es am besten.«

»Der Pastor ist hier. Willst du mit ihm sprechen? Soll ich ihn bitten hochzukommen? Der Fosse-Pastor ist ein gütiger, kluger Mann, der…«

»Herrgott! Hat er den Dänen gesehen?«, rief Tor und stützte sich auf den Ellbogen.

»Sicher. Aber Geistliche sind doch so vieles gewöhnt. Reg dich ab. Soll ich ihn bitten, kurz hochzukommen?«

»Nein! Ich schäme mich so! Geistliche mögen so etwas nicht«, sagte Tor und ließ sich wieder auf den Rücken sinken.

»Ich glaube, da gibt es Unterschiede. Und wir wissen doch gar nicht, ob er begriffen hat…«

»Erlend ist das doch schon von weitem anzusehen! Und sie haben beide diesen Ohrstecker!«

»Aber du musst trotzdem nach unten gehen, du darfst dir nichts anmerken lassen.«

»Ich schaff das nicht.«

»Mutter zuliebe. Du musst dich um den Hof kümmern. Das ist dein Beruf, du trägst Verantwortung für den Hof.«

Als Margido nach unten kam, zog er Erlend auf den Gang.

»Tor packt das nicht«, flüsterte er ohne Einleitung.

»Lieder auszusuchen? Aber dann kannst du doch ...«

»Dass ihr ... einander anfasst.«

Erlend drehte sich um, wollte wieder in die Küche gehen, packte die Türklinke. Margido griff nach seinem Arm und zischte: »Erlend! Hör mir zu!«

Zu dem abgewandten Rücken sagte er dann: »Es geht um den Hof und die Tiere. Torunn kann doch nicht alles ... Tor muss funktionieren, verstehst du? Wenn ihr hierbleiben wollt, dann könnt ihr doch sicher, nur für ein paar Tage, euch eben nicht ... nicht ...«

»Nicht lieben?«

»Nein. Aber nicht so, dass Tor es sieht.«

»Sollen wir einander hassen, wenn Tor dabei ist?«

»Du willst mich provozieren, aber es geht hier um Tor. Er muss durch das Haus gehen können, ohne ...«

»Ich verstehe, was du meinst. Ist schon gut. Ich werde Krumme erklären, dass er in einem anderen Jahrhundert gelandet ist.«

»Krumme?«

»So nenne ich ihn. Ein Kosename. Darf ich den benutzen?«

»Aber Erlend, glaub doch bitte nicht, dass ich ... Es ist nur, damit Tor ...«

Erlend öffnete die Küchentür, ging hinter ihm hinein.

Torunn hatte für ihn und den Fosse-Pastor Limonade einge-
schenkt. Der Pastor hatte schon getrunken und lächelte Margido an. »Das ging ja schnell?«

»Wir beide müssen Lieder und Musik aussuchen. Das überlassen sie mir.«

Er wollte jetzt weg und leerte sein Glas.

»Wir haben etwas besprochen«, sagte Torunn. »Heiligabend. Wir bleiben doch alle drei bis zur Beerdigung.«

»Aha.«

»Wir haben eben darüber gesprochen, ehe ihr gekommen
seid. Erlend hat mir das riesige Kaminzimmer hinter dem
Fernsehraum gezeigt, das ist doch fantastisch. Es wäre schön,
wenn du auch kommen könntest. Es gibt keine Geschenke
oder so.«

»Am Heiligen Abend herkommen? Meinst du das?«

»Es soll keine Geschenke geben?«, fragte Erlend. »Das ist
mir aber neu.«

»Nein«, sagte Torunn. »Mit Geschenken wollen wir uns
nicht abhetzen. Aber deinem Bruder zuliebe. Margido. Wo
doch Heiligabend ist. Da könnten wir doch wohl zusammen
sein.«

»Du meinst sicher nicht mich«, sagte Erlend. »Dass Margido mir zuliebe kommen soll.«

»Nein, im Moment rede ich von Tor. Du stehst schließlich
nicht kurz vor einem Zusammenbruch, Erlend.«

»Ich verstecke das eben gut.«

Den Heiligen Abend auf Neshov feiern. Er konnte sich
kaum daran erinnern, wie das Kaminzimmer aussah. Das war
doch eine Farce, aber was sollte er antworten?

»Du hast gesagt, dass ich mich in dieser Familie nicht wohlfühlen werde, da muss ich ja wohl damit rechnen, dass der
Vorschlag dir nicht gefällt«, sagte sie.

Und das sagte sie, während der Pastor dasaß. Was musste
der jetzt denken!

»Aber wo schon Heiligabend ist«, fügte sie hinzu.

»Eine großartige Weihnachtsfeier darf nicht sein, wo Mutter gerade tot ist. Finde ich«, sagte er.

»Es wird auch nicht großartig, wir essen einfach zusammen«, sagte Torunn. »Wir wollen keine Fackeln und Wichtel in der Allee aufstellen, falls du das glauben solltest.«

»Das klingt doch gut, Margido«, sagte der Fosse-Pastor. »Zusammen essen, Trauer und Fest gleichermaßen begehen.«

Selma Vanvik hatte angerufen, während er im Haus gewesen war. Die Nachricht auf seinem Anrufbeantworter zeigte, dass sie nicht aufgegeben hatte, er solle sie am Heiligen Abend besuchen, und wenn er Aquavit mitbringen könnte, wäre das schön. An den Rest brauche er nicht zu denken. Er rief sofort zurück, nachdem er den Fosse-Pastor vor dem Pfarrhof abgesetzt hatte.

»Meine Mutter ist gestern gestorben«, sagte er. »Also werde ich wohl nicht kommen können.«

Sie fing an zu weinen, brachte aber stotternd hervor, dass sie nun beide trauerten und wüssten, wie es dem Gegenüber zumute sei.

»Vielleicht«, sagte er.

Wie das gemeint sei?

»Ich meine nur, dass… Ich kann jedenfalls nicht kommen.«

Was sei denn mit Silvester, das sei auch ein schöner Abend, um gemeinsam etwas zu unternehmen.

»Mal sehen.«

Margido atmete tief durch, öffnete das Fenster und ließ die Kälte hereinströmen. Warum konnte er sie nicht wegschieben, er hatte doch kein Interesse. Andererseits wusste er ja nicht, was ihm da entging. Vielleicht würde es ihm gefallen, vielleicht würde er gern für eine Frau ein Mann sein. Oder er war wie Erlend. Unfähig, eine Frau zu wollen. Er verspürte plötzlich das starke Bedürfnis, alleine in einer Sauna zu sitzen, die Augen zu schließen, den salzigen Schweiß strömen zu lassen, bis in die Knochen warm zu werden, glühendheiße Luft in seine Lunge zu saugen, nicht zu denken, nichts entscheiden zu müssen.

Schwitzen und schlafen, das war alles, wozu er Lust hatte, sich leerschwitzen und danach schlafen.

Am Sonntag nach dem Frühstück fingen sie mit dem Kaminzimmer an, sie und Erlend. Krumme war einkaufen gefahren,
in Trondheim hatten an diesem Sonntag alle Läden geöffnet.

Es war ein großes, prachtvolles Zimmer mit einem langen
Tisch in der Mitte und acht Stühlen mit hohen Rückenlehnen
und Ledersitzen. Die Wände waren aus nacktem Holz, das
hellgrün angestrichen war, der Boden bestand aus breiten, unbehandelten Brettern. Gewebte Bildteppiche hingen an den
Wänden, und in dem riesigen offenen Kamin hing an einer
dicken Kette ein schwarzer Eisenkessel. Die Vorhänge vor
den beiden hohen Fenstern hinten im Zimmer waren ebenfalls gewebt, wie dicke Portieren hingen sie bis zum Boden
herab. Der Kontrast zu den abgenutzten Sechzigerjahremö-
beln im Fernsehzimmer war gewaltig. Es war ein Raum, der
Wohlstand und Tradition ausstrahlte.

Eiskalt war es hier. Erlend machte Feuer im Kamin. Der
war die einzige Wärmequelle im Raum, es hatte keinen Zweck,
die Tür zum Nachbarzimmer zu öffnen, ehe es hier warm geworden war. Überall waren Spinngewebe, unter der Decke, in
den Fensterrahmen und auf dem Boden. Sie holten Wasser
und fingen an zu putzen, um warm zu werden.

»Irgendwo muss es auch Weihnachtsschmuck geben, eine
Kiste«, sagte er. »Aber wir wollen ja nicht übertreiben.«

Er erzählte von dem Weihnachtsfest, das er und Krumme
eben erst in Kopenhagen ausgerichtet hatten, wie der Tisch

ausgesehen hatte und was serviert worden war. Erlends Bewegungen waren lässig und fröhlich, er sprang mit dem Lappen in den Händen umher und geriet nicht einmal angesichts der Spinnweben in Hysterie, die waren zu alt, um eine Bedrohung darzustellen. Sie hoffte wirklich, dass sich das Essen am Heiligen Abend erträglich gestalten würde. Wenn ihr Vater nur nicht wieder querschoss. Am Vorabend, nachdem sie ihm im Stall geholfen hatte, war er sofort in seinem Arbeitszimmer verschwunden.

»Jetzt gibt es Mittagessen«, sagte sie. »Gulasch.«

»Jetzt gibt es kein Mittagessen«, sagte er. »Es ist doch Abend.«

»Aber du musst etwas essen.«

»Ich hab keinen Hunger.«

»Merkst du nicht, wie gut das riecht?«

»Ich habe sehr viel Büroarbeit zu erledigen, bald ist die Inventur fällig.«

Er machte sich an einem Haufen schmieriger Zettel mit einem Loch in der Mitte zu schaffen.

»An einem Samstagabend«, sagte sie. »Aber von mir aus. Mach, was du willst.«

Er reagierte nicht auf die Mitteilung, dass Margido am Heiligen Abend kommen wolle. Aber er erklärte sich bereit, nach der Stallrunde morgens in der Küche am Sonntagsfrühstück teilzunehmen. Erlend hatte ihr draußen auf dem Gang zugeflüstert: »Er traut sich jetzt rein. Ich habe ihm versprochen, dass Krumme und ich uns nicht vor seinen Augen begrabschen. Margido hat mich auf Knien darum angefleht. Also kann Tor ganz beruhigt sein.«

»Aber was hat Krumme dazu gesagt? Er muss doch glauben, dass …«

»Krumme hat mich dazu überredet. Ich hätte lieber auf dem Boden die volle Show abgezogen, vor den Augen des Pastors!«

»Das wäre aber ein bisschen kindisch gewesen.«

»Kindisch, aber befreiend. Ich glaube außerdem nicht, dass dieser Pastor sich besonders aufgeregt hätte, mir kam er wie ein normaler Mensch vor, und da verliert so ein Spaß ja leider total an Schwung.«

Ein langes Büfett im Kaminzimmer enthielt Essteller und Gläser. Hier hatten sie die Kaffeetassen hergeholt, nachdem Krumme gekommen war.

»Aber ist das nicht schön?«, fragte sie jetzt und hob einen Stapel Essteller mit schmalem Goldrand aus dem Büfett.

»Dass Krumme gekommen ist? Auch, wenn ihr nicht in aller Öffentlichkeit rumfummeln könnt?«

»Erschreckend und herrlich. Aber er findet es toll, mich hier zu erleben. Sieht mich als Bauernknaben. Er stellt sich vor, wie ich hier in Latzhose rumlaufe, barfuß, mit einem Strohhalm im Mund. Ich habe ihm eine kleine Nummer auf dem Dachboden versprochen, aber es ist doch schweinekalt dort. So kalt wie hier. Du, wir machen eine Pause, und ich suche Tischdecken.«

Es war, als hätte sich alles hinter einer Fassade von Verfall versteckt, nur nicht das schöne Zimmer. Und die Schränke oben waren gefüllt mit Tischdecken und sorgfältig zusammengefalteten Vorhängen, gewebten Decken, Wolldecken. Alles, was sie fanden, war sauberer und schöner als das, was benutzt worden war. Sie entdeckten auch einen ganzen Schrank voller nagelneuer Flickenteppiche. Erlend lud sich die Arme damit voll und trug sie nach unten, während sie Tischdecken mitnahm, um festzustellen, welche lang genug war. Sie warfen die alten Läufer hinaus und legten in allen Zimmern neue aus, und sie fanden eine cremeweiße Damastdecke, die auf den Tisch passte. Die Decke ließ das Zimmer heller wirken, so blitzblank war sie, und sie hatte messerscharfe Bügelfalten. Irgendwann hatte diese Anna also einen gewissen Standard gepflegt.

»Morgen kaufe ich uns noch schöne Servietten und Kerzen,

das können wir Krumme nicht überlassen, der kennt sich nur mit Essen aus.«

Sie hatten sich auf Schweinebraten geeinigt, mit Rotkohl und Rosenkohl und Backpflaumen.

Erlend hatte die Kiste mit dem Weihnachtsschmuck gefunden, sie stand in einem der nicht benutzten Schlafzimmer.

»Hier hat Großmutter viele Jahre gelegen«, sagte er.

Sie blieb stehen und musterte das alte Ausziehbett, versuchte, sich eine alte Frau vorzustellen, die drei Jahre darin gelegen und aus Kaffeetassen gegessen hatte.

»Gibt es keine Bilder?«, fragte sie.

»Wir haben nie welche gemacht. Wenn in unserer Familie jemand gestorben ist, dann wirklich für immer. Sieh mal.«

Er hob einen riesigen Wichtel hoch, der einen Nussknacker in der Hand hielt.

»An den kann ich mich noch gut erinnern. Und hier sind die Weihnachtsleuchter für den Tisch.«

Die Leuchter waren aus roten Kugeln zusammengesetzt, an solche erinnerte sich Torunn noch aus ihrer Kindheit.

»Und wir brauchen Wacholder, den wir in den Eisenkessel legen können. Dann duftet es wunderbar, wenn wir darunter Feuer machen. Apropos Feuer, wir müssen die Läufer und den anderen Abfall hinter der Scheune verbrennen, ehe Tor das alles entdeckt und ausrastet.«

Erlend fand im Schuppen, wo der Traktor stand, eine Kanne Petroleum. Der Himmel war jetzt bewölkt, und feine Schneeflocken rieselten planlos herunter, der Anfang eines Schneetreibens. Torunns Vater war im Stall, er war gleich nach dem Frühstück wieder hingegangen.

Sie schleppten Müllsäcke und Läufer. Das tote Junge hatte sie in eine Einkaufstüte gesteckt und zwischen dem Müll unter dem Aufgang zur Scheune versteckt, jetzt holte sie es dort hervor.

»Wir haben hier eine feste Stelle zum Verbrennen«, sagte Erlend. »Mit einem Kreis aus großen Feldsteinen.«

Im Schnee gab es alte Fußspuren, die von Neuschnee schon halb wieder bedeckt waren. Schnee drang in ihre Stiefel ein, so hoch lag er, aber die Müllsäcke glitten leicht darüber hinweg.

Das Rechteck war ein kohlschwarzes Loch mitten im Weiß des Schnees, eine riesige geschmolzene Vertiefung.

»Da liegen irgendwelche Spiralen«, flüsterte Erlend und zeigte darauf.

»Muss eine Matratze gewesen sein. Das ist die Federung von einer Matratze.«

»Gerade erst verbrannt. Sicher die von Mutter«, sagte er.

»Aber warum hat er sie verbrannt?«

»Vielleicht, damit niemand mehr darauf liegen kann«, sagte er.

»Und da sind Knochenreste.«

»Knochenreste? Glaubst du wirklich?«, fragte Erlend und packte ihren Oberarm.

»Reg dich ab. Siris Junge. Das ist die Sau, die er so gern hat.«

»Der arme Tor. Das ist ja die pure Begräbnisstätte. Für so vieles.«

Sie zündeten Säcke und Läufer und die Tüte mit dem kleinen Schwein an und standen nebeneinander und schauten in die Flammen, spürten die Hitze im Gesicht.

»Wir müssen es morgen Abend schön machen«, sagte sie.

Margido wollte vor dem Essen in die Kirche von Byneset und rief am Vormittag des Heiligen Abends an, um Bescheid zu sagen. Torunn war am Telefon. Erlend sah zu Krumme hinüber, er konnte es noch immer nicht fassen, dass der hier stand, mitten in dieser hässlichen Küche, total gelassen.

»Wir können ja ohnehin erst essen, wenn wir im Stall fertig

sind«, sagte sie ins Telefon. »Ich helfe meinem Vater, damit es ein wenig schneller geht, sagen wir um sieben?«

Sie saßen bei Kaffee und Gammel Dansk am Küchentisch. Krumme war schon mit dem Rotkohl beschäftigt, die Düfte holten Weihnachten in die Küche, alle Radiosender brachten Weihnachtslieder. Die Türen zwischen den Zimmern standen offen, im Kamin brannte Feuer, sie legten immer wieder Holz nach. Der Tisch war mit frischgespülten Tellern und Gläsern gedeckt, aber sie konnten das Silberbesteck nicht finden, das es nach Erlends Meinung früher hier gegeben hatte. Er hatte Tor gefragt, und Tor hatte gesagt, es sei schon vor vielen Jahren an einen Antiquitätenhändler in der Stadt verkauft worden. Die Servietten waren rot und gelb und die Kerzen rot. Die Gestecke, die die Nachbarn geschickt hatten, standen an den Tischenden, sie waren weiß und grün und silber und wirklich schön. Es war ein schlichter, einfacher Tisch, auch wenn er ganz anders ausgesehen hätte, wenn der Zusammenhang ein anderer gewesen wäre und Erlend sich hätte austoben können. Zwei Stühle standen an der Wand, sie würden geräumig und behaglich sitzen. Niemand brauchte ans Querende. Torunn wollte wissen, warum das so wichtig war, aber das konnte er ihr nicht richtig erklären. Es war irgendwie so, dass traditionsgemäß Bauer und Bäuerin an den Tischenden saßen, und die gab es hier ja nicht. Jetzt fehlten die Menschen, und die Rollen waren unklar. Weshalb sie alle brav an den Längsseiten sitzen würden.

An diesem Abend wollte er ganz offen sagen, dass der Hof auf Tor überschrieben werden musste. Er konnte sich nicht vorstellen, dass Margido Einwände erheben würde, auch der musste doch begreifen, dass sie nicht ausbezahlt werden konnten, so, wie die Lage war, und dass die Papiere in Ordnung gebracht werden mussten. Es war an der Zeit, Tor zum rechtmäßigen Bauern auf Neshov zu machen.

Er freute sich darauf, das zu sagen. Sich Tor gegenüber

großzügig zu zeigen, die Verantwortung dafür zu übernehmen, dass das Thema zur Sprache kam. Es würde Tor helfen,
den Kopf zu heben, vorwärtszuschauen. Es sollte sozusagen
sein Weihnachtsgeschenk sein, an sie alle. Und im Supermarkt
hatte er einen Plastikbehälter mit Reisbrei gekauft, damit
wollte er in die Scheune laufen, während Tor und Torunn im
Stall waren. Er brauchte den Brei nicht anzuwärmen. Der Brei
war das Weihnachtsgeschenk für Opa Tallak, und er hatte
schon beschlossen, dass er weinen würde, wenn er die Verpackung abriss, er wollte es sich gestatten, zutiefst sentimental
zu sein, und dann wollte er das kleine Horn des Einhorns
danebenlegen.

Tor befreite Hofplatz und Allee vom Schnee. Er lag nicht
mehr im Bett, sagte aber nicht viel. Am Vorabend, als er aus
dem Stall gekommen war, hatte er nach Schnaps gestunken.
Er trank also im Stall, das war keine angenehme Vorstellung.
Er wusste, dass dort draußen eine Whiskyflasche stand, die
Torunn ihm geschenkt hatte. Aber es war undenkbar, dass
Tor ein fester Kunde im Alkoholladen war, wie sollte er sich
das leisten können. Sie sollten ihm vielleicht etwas Geld geben, er und Krumme. Wenn er es annahm, natürlich nur. Es
stand durchaus nicht fest, dass er Bares annehmen würde.
Sie sollten vielleicht eher zweihundert Liter rote und weiße
Anstreichfarbe kaufen und ihm überreichen, ehe sie aufbra-
chen.

Krumme hatte ihm versprochen, nach ihrer Rückkehr noch
einmal Heiligabend zu feiern. Alles kam ihm jetzt so weit weg
vor, das Schachbrett, das er sich wünschte, der Weihnachtsbaum mit dem Georg-Jensen-Stern auf der Spitze, der künst-
liche Schnee in den Körbchen. Der Baum stand ganz allein
zu Hause, und an diesem Tag war in Kopenhagen wirklich
Heiligabend. Die ganze Stadt glitzerte und funkelte und begrüßte jubelnd das Weihnachtsfest. Wenn er hier und jetzt das

Radio ausschaltete, würde er wohl nur Tors Traktor hören. Und sie würden sich auch nicht feinmachen, er hatte keinen Anzug mit. Krumme hatte seinen schwarzen dabei, für die Beerdigung, weiter hatte er vor seiner Abreise nicht denken können. Aber den schwarzen Anzug könnte Krumme an diesem Abend nicht anziehen, das würde seltsam wirken, fast makaber.

»Am dritten Weihnachtstag muss ich mir morgens einen schwarzen Anzug kaufen, da muss ich in die Stadt fahren«, sagte er.

»Und am Tag nach der Beerdigung fahren wir nach Hause?«, fragte Krumme.

»Ja. Das müssen wir wohl.«

»Wir können ja nicht hier einziehen«, sagte Torunn. »Wenn mein Vater erst mal das Schlimmste hinter sich hat, dann ...«

»Und jetzt ist doch auch alles anders. Wir sehen uns wieder, bleiben in Kontakt, du kommst zu uns nach Kopenhagen.«

»Das tust du«, sagte Krumme und streichelte ihre Wange.

»Es ist seltsam«, sagte Torunn. »Wenn mir jemand vor einer Woche erzählt hätte ...«

»Dieses Gefühl haben wir alle, glaube ich«, sagte Krumme.

Der Vater saß im Wohnzimmer und sah sich Zeichentrickfilme an. Erlend trat in die Tür, lehnte sich an den Türrahmen und musterte den alten Mann.

»Willst du dich nicht rasieren?«

Der Vater schaute auf.

»Jetzt, wo du Zähne hast und überhaupt. Du musst anständig aussehen, schließlich hat Jesus Geburtstag.«

Der Vater schaute wieder auf den Bildschirm und sagte: »Ja, ich kann vielleicht ... aber es ist so eine Anstrengung. Die Unterhosen, die ich bekommen habe, waren gut.«

»Fehlt sie dir?«

Der Vater zeigte keine Reaktion.

»Sie war nicht gerade nett zu dir. Hat dich von morgens bis abends rumkommandiert.«

Das ist ein unsichtbarer Mensch, dachte er, ein unsichtbarer Mensch, der seit achtzig Jahren auf der Welt ist. Sitzt hier in einer neuen Unterhose zu achtundvierzig Kronen und versucht, sich dafür zu bedanken.

Bambi rutschte noch immer verwirrt über das Eis, bald würden sie singen »When you wish upon a star«. Das wollte er um keinen Preis hören, da weinte er immer eimerweise und würde dem Vater einen Höllenschreck einjagen.

»Ich kann dir helfen, Vater. Beim Rasieren, meine ich. Komm, dann gehen wir nach oben ins Badezimmer.«

Er setzte den Vater auf einen Hocker vor dem Waschbecken und legte ihm ein Handtuch um den Hals, befestigte es im Nacken mit einer Wäscheklammer wie einen Latz. Er wusste vom Hausputz her, dass im Schrank eine Packung mit frischen Rasierklingen lag. Er warf die alte weg und schob eine neue in den Rasierer. Rasierschaum gab es nicht.

»Nimmst du sonst normale Seife?«

Der Vater nickte mit ernster Miene und starrte sein Spiegelbild an.

»Moment.«

Er holte seine eigene Toilettentasche und den Chanel-Stift, nahm einen Waschlappen und befeuchtete das Gesicht des Vaters, ehe er den Stift in den Bartstoppeln verrieb, bis der Schaum sie dicht und weiß bedeckte. Er versuchte, nicht zu viel dabei nachzudenken. Der Vater saß mit geschlossenen Augen und steifem Hals da, er schien feierlich gestimmt.

Erlend fuhr langsam und sorgfältig mit dem Rasierer über das alte Gesicht, hinterließ im weißen Schaum hautfarbene Spuren. Am Ende nahm er ein Handtuch und tupfte das Gesicht trocken.

»Jetzt bist du fein. Richtig weihnachtsfein.«

»Danke.«

»Und wenn Weihnachten eingeläutet wird, kriegst du von mir einen Schnaps. Das gefällt dir doch sicher.«

Der Vater nickte mehrere Male und berührte seine Wange mit einem Finger.

Tor kam die Treppe hoch und ging geradewegs ins Badezimmer.

»Was …«

»Ich habe Vater rasiert. Ist er nicht fein?«

»Jetzt steht die Welt doch verdammt noch mal Kopf«, sagte Tor, machte kehrt und ging wieder nach unten.

»Und dann noch ein bisschen Feuchtigkeitscreme, damit die Haut nicht austrocknet.«

Der Vater ließ die Hände in den Schoß sinken und schloss die Augen, während er die Creme verrieb.

Margido hatte recht, er musste versuchen, sich zusammenzureißen, an den Hof zu denken, an seine Tiere. Es war das
eine, im Stall Besuch zu haben und seiner Tochter die Tiere zu
zeigen, etwas ganz anderes aber war es, so außer sich zu sein,
dass er die Stallarbeit nicht mehr bewältigte und nie mehr
allein sein durfte dort. Aber sie war tüchtig, wenn sie Stroh
brachte und in den Koben verteilte, sie lief problemlos bei den
Sauen ein und aus, die kannten sie jetzt. Und die abgestillten
Ferkel waren ganz wild nach ihr und wimmelten um ihre
Füße, wenn sie zu ihnen kam.

Als sie fertig waren und zum Weihnachtsessen ins Haus
gehen wollten, sagte sie: »Du kannst sie auch gleich auspacken. Es gibt ja sonst keine Geschenke, und da ist es doch ein
bisschen ungerecht, wenn du sie drüben auspackst. Ich habe
gesehen, dass du sie in die Waschküche gestellt hast.«

Das hatte sie also. Da hatte sie vermutlich auch die Flaschen im Schrank gesehen, Aquavit und Sherry. Es wäre seltsam, wenn sie den Aquavit nicht auch noch erwähnte. Erlend
hatte schon laut gejammert, dass der Alkoholladen geschlossen war und sie nur Bier und eine Flasche Rotwein und etwas
dänischen Schnaps hatten. Für ihn hörte sich das nach sehr
viel an, im Anbau standen zwei Kästen Bier, aber da war eben
die Sache mit dem Aquavit, und ohne den sei nicht richtig
Weihnachten, hatte Erlend gesagt.

Es war Wollunterwäsche allerfeinster Qualität. Er faltete das Weihnachtspapier ordentlich zusammen und sah sich den jungen sportlichen Mann an, der auf der Schachtel abgebildet war.

»Das ist aber... so was Schönes. Das wäre doch nicht nötig...«

»Und jetzt die anderen.«

Kaffee und brauner Zucker an Holzstäbchen, ein Becher, der wie ein Schwein geformt war, er hob ihn hoch, führte ihn an den Mund und gab vor zu trinken, sie lächelte und lächelte, er könnte sie eigentlich umarmen, dachte er, wo sie hier in identischen Overalls von Trønderkorn standen.

»Danke, aber ich habe nichts für dich«, sagte er und zog sie rasch an sich. Unter dem Stallgeruch duftete sie nach Seife.

»Keine Panik, du kannst mir ein schönes Geschenk machen, indem du mich als Erste ins Badezimmer gehen lässt.«

Das gab ihm einige Minuten, um sich zu sammeln. Er holte die Aquavitflasche hervor, stellte sie auf den Tisch, öffnete die eine Sherryflasche und trank ein paar Schlucke. Der Whisky war leer, so konnte er nicht weitermachen. Aber wenn er sie erst unter die Erde gebracht hätte und die Beerdigung überstanden wäre, würde alles wieder wie früher sein. Und jetzt konnte er auch trinken, solange er etwas hatte.

Der Sherry wärmte ihn, krallte sich in seiner Brust fest wie Feuer, Essen im Kaminzimmer, der Vater von Erlend rasiert, mit einem Latz um den Hals. Ein Däne mit Ohrstecker vor den Kochtöpfen, das hätte die Mutter sehen sollen. Und dann auch noch das Kaminzimmer. Das Silberbesteck hatten sie verkaufen müssen, als er damals für Torunn Unterhalt gezahlt hatte.

Margidos Citroën stand auf dem Hofplatz. Er traf ihn auf dem Gang, Margido zog den Mantel aus, war soeben gekommen.

Aus der Küche strömte köstlicher Duft. Die Türen standen offen, an diesem Abend war auch der Gang warm.

»Jetzt liegt sie im Nebenhaus der Kirche«, sagte Margido.

»Schon?«

»Ich habe sie heute hingefahren, im Krankenhaus ist alles voll.«

Da war sie nur einige hundert Meter von ihm entfernt. Wenn am nächsten Morgen die Kirchenglocken zum Gottesdienst riefen, würden sie auch für sie läuten. Er versuchte, sie vor sich zu sehen. Weiß, sie war sicher in etwas Weißes gekleidet, das waren doch alle, und ihre Hände waren gefaltet. Er beschloss, sie sich vor der Beerdigung noch einmal anzusehen, und nach diesem Entschluss empfand er eine plötzliche Ruhe.

»Nimm die mit rein, du«, sagte er und reichte Margido die kleine Aquavitflasche.

»Aber ich kann nichts trinken, für den Fall, dass ich geholt werde.«

»Die wird schon nicht alt.«

Er holte saubere Kleidung und wusch sich am ganzen Leib. Es kam ihm vor wie eine Läuterung. Zu wissen, dass sie nicht weit weg lag und er sie sehen würde. Und sie würde ja sowieso hier draußen liegen. Für immer. Nicht in dem scheußlichen Krankenhaus, sicher hatte das ihm so wehgetan, sie sich im Krankenhaus vorzustellen. Sie gehörte doch hierher, in die Nähe von Neshov. Und wann immer die Glocken läuteten… er spürte, wie seine Tränen fielen, aber er wischte sie nicht weg, es tat gut, diese Tränen zu weinen, sie vermischten sich mit dem Duschwasser.

Sein Hemd war nicht gebügelt, aber es war sauber. Das musste reichen.

Als er die Treppe hinunterging, hörte er aus der Küche die Stimme des Vaters. Er blieb mitten auf der Treppe stehen, um zu lauschen. Sie redeten mit ihm, Erlend und Torunn und der Däne. Margidos Stimme hörte er nicht. Offenbar hatten sie dem Vater etwas Starkes zu trinken gegeben, und dabei rührte er sonst nie einen Tropfen an, das musste ihm doch zu Kopf steigen!

»Aber eine ganze Stadt! Ich dachte schon, mein Vater wollte sich einen Scherz mit mir erlauben«, sagte Torunn.

»Über fünfzigtausend Terrassenhäuser«, sagte der Vater.

»Da wäre ja wohl kaum Platz für die Höfe geblieben«, sagte Erlend.

»Neu-Drontheim«, sagte der Vater.

»So sollte die Stadt heißen?«, fragte der Däne.

Der Vater antwortete nicht, sicher nickte er stattdessen. Aber dann sagte er: »Albert Speer hatte ein Modell gemacht. Fünfundzwanzig Quadratmeter groß. Aus Gips. Von allem.«

»Du weißt ja wirklich viel«, sagte der Däne.

»Ach, ich lese eben ein bisschen.«

»Und wo ist das Modell jetzt?«, fragte Torunn.

»Stand in Berlin«, sagte der Vater. »Wurde zusammen mit allem anderen in Fetzen geschossen.«

»Aber die Bäume stehen noch immer«, sagte Erlend. »Ich kann mich gut daran erinnern. Opa Tallak hat sie mir gezeigt, als ich klein war. Sie stehen da, als ob das ganz natürlich wäre, als ob sie hierhin gehörten.«

»Tun sie inzwischen doch auch«, sagte der Vater. »Nach sechzig Jahren.«

»Man kann sie ja auch nicht rausreißen und nach Deutschland schicken«, sagte Erlend und lachte ein bisschen. »So auf die Tour, hallo, hier ist ein bisschen Kleinkram, den ihr vergessen habt. Die wären doch schon verwelkt, ehe sie das offene Meer erreicht hätten.«

Er lief die Treppe hinunter in die Küche. Vor dem Vater stand wirklich ein leeres Likörglas, die braune Flasche stand auf dem Tisch, alle hatten sie kleine Gläser, außer Margido, der mit verschränkten Armen am Küchenschrank lehnte.

301

»Einen Gammel Dansk, Tor?«, fragte Erlend und reichte ihm ein Glas.

Ach, das enthielt also die braune Flasche. Von diesem Schnaps hatte er gehört, hatte ihn aber nie gekostet. Er rechnete mit etwas Süßem, aber der Schnaps war bitter, ein fremder Geschmack.

»Dann können wir uns ja zu Tisch setzen«, sagte Torunn.

Auf beiden Fensterbänken brannten Teelichter, und im Kamin flackerte ein Feuer. Auf dem Tisch standen hohe rote Kerzen, und da waren auch die Gestecke von Hovstad und Snarli, wo die Mutter Verwandte gehabt hatte. Er blieb staunend in der Tür stehen. Es war wie aus einer anderen Zeit. Der Däne lief mit Schüsseln hin und her.

»Wie schön, dass du heimlich Aquavit auf Lager hattest«, sagte Erlend. »Das ist wirklich eine Überraschung.«

Der Vater saß ganz blank da, alles an ihm war blank, die Haut, die Augen, die nach hinten gekämmten Haare. Er fragte sich, wie viele Schnäpse sie ihm eingetrichtert hatten, ohne daran zu denken, dass der Mann sonst nie trank.

Er setzte sich auf die andere Seite, ans andere Tischende, möglichst weit weg. Torunn füllte alle Gläser mit Bier, nur nicht das von Margido, dann drehte sie mit der Aquavitflasche ihre Runde. Es war still in den Zimmern, das Radio war ausgeschaltet, der Fernseher schwarz. Der Däne brachte die Soße, in einer Soßenschüssel, die ebenfalls aus einer anderen Zeit stammte, er konnte sich gut daran erinnern, dass die Mutter eine gute Soßenköchin gewesen war, und nichts schmeckte ihm so gut wie eine gelungene Soße.

»Wir haben Mineralwasser und Limonade«, sagte Torunn zu Margido.

»Mineralwasser bitte«, sagte Margido.

Er hatte schon lange nicht mehr so gut gegessen, er nahm sich zweimal nach. Die Schwarte war knackig und knusprig, die

Soße so lecker, dass er seine Manieren vergaß und die Kartoffeln darin zerquetschte. Er entdeckte den Wichtel mit dem Nussknacker auf dem Büfett. Dort standen auch eine Schale mit Nüssen, eine mit rosa und grünen Marzipankugeln und eine Schachtel Feigen. Bier und Aquavit und Kerzen und das gute Essen ließen ihn dankbar und nachsichtig werden. Noch hatte niemand »Prost« gesagt, sollte er das jetzt wagen? Er hob sein Likörglas.

»Dann auf … Mutter.«

Er sah nicht, wer mit ihm anstieß, er musste die Augen schließen und heftig und konzentriert schlucken, ehe er an seinem Glas nippte. Niemand sagte etwas, alle beugten ihre Gesichter über Essen und Besteck. Es war gesagt, er hatte es gesagt, er wusste nicht, warum dieser Trinkspruch wichtig gewesen war, aber das war er. Er würde in Ruhe im Stall darüber nachdenken, irgendwann, wenn er wieder allein mit den Tieren sein durfte.

»Und auf den Koch«, sagte Erlend und brach damit das Schweigen.

Er hob unbeschwert für den Dänen das Glas. Es musste doch seine positiven Seiten haben, wenn er so gut kochen konnte. Zwölf Jahre, dachte er, zwölf Jahre sind eine lange Zeit.

»Prost«, sagte er und spürte Margidos Blick.

Torunn hatte Moltebeercreme gemacht, sie hatte in der Gefriertruhe Moltebeeren gefunden.

»Hast du die vielleicht gepflückt?«, fragte sie ihn.

Er nickte. Es war sicher schon Jahre her, aber das brauchte er ja nicht laut zu sagen. Moltebeeren hielten sich lange in der Gefriertruhe. Und die Mutter hatte alles Gute immer aufheben wollen. Der Däne brachte den Kaffeekessel und stellte ihn auf den Kaminrand. Torunn verteilte die guten Tassen der Mutter. Sie stellte die Tassen vorsichtig auf die Untertassen, darüber freute er sich.

»Und zum Kaffee passt doch sicher ein Gammel Dansk«, sagte Erlend und schenkte ein.

Er schaute rasch zum Vater hinüber, der hielt den Kopf gesenkt und schaute träge in seine Kaffeetasse und in das kleine Glas mit dem dunklen Inhalt. Fast, als wäre er eingeschlafen.

»Ich möchte etwas sagen«, sagte Erlend. »Jetzt, wo wir alle hier versammelt sind.«

Was kam wohl jetzt? Er hatte doch mit dem Liebhaber angestoßen, Erlend musste begreifen, dass er sein Bestes tat, dass es noch anderen hier am Tisch schwerfiel, dem Mann zuzuprosten, denn um nichts in der Welt wären sie imstande, sich vorzustellen, dass zwei erwachsene Männer...

»Der Hof muss auf Tor überschrieben werden. Das ist doch nie gemacht worden«, sagte Erlend.

In seinen Ohren sauste es, er griff nach der Kaffeetasse, hob sie ein wenig an und stellte sie klirrend wieder auf die Untertasse. Die hatten doch keine Ahnung, wie schlecht es ihnen hier ging, und jetzt mussten sie auch noch auf die Rente der Mutter verzichten. Sie würden verkaufen müssen, er konnte Erlend und Margido unmöglich ausbezahlen. Und gerade jetzt, wo er hier saß und doch...

»Nein«, sagte er.

»Aber eigentlich willst du das doch?«, fragte Erlend überrascht.

»Nein«, sagte er noch einmal. »Dann verlieren wir den Hof. Wir kommen hier gerade mit Mühe und Not über die Runden.«

»Das kommt ein bisschen plötzlich«, sagte Margido.

»Plötzlich? Hast du plötzlich gesagt? Tor ist fünfundfünfzig«, sagte Erlend.

»Aber Erlend, sollten wir nicht... heute Abend...«, sagte Torunn.

»Das hier ist wichtig«, sagte Erlend. »Und gerade heute

Abend sitzen wir alle zusammen. Ich dachte, ihr würdet euch freuen.«

»Aber was ist mit Torunn?«, fragte Margido.

»Ja? Was ist mit Torunn?«, fragte Erlend. »Wenn Tor plötzlich tot umfällt, kriegt sie alles, oder so? Wir müssen eben schriftlich festlegen, dass wir uns erst dann ausbezahlen lassen, und dann muss Torunn entscheiden, was sie machen will. So schlimm ist das doch alles nicht.«

»So war das nicht gemeint«, sagte Margido langsam. »Der Hof ist doch trotz allem … und ich will doch auch, dass …«

»Du hast den Leuten hier ja auch nicht gerade die Bude eingerannt«, sagte Erlend.

»Hör jetzt auf damit«, sagte Torunn.

»Aber wenn wir das schriftlich festlegen, wie du sagst«, sagte Margido ruhig. »Dass wir uns erst dann ausbezahlen lassen. Wenn das möglich ist. Und wenn dann etwas da ist, was ausbezahlt werden kann. Wenn wir es brauchen.«

»Es kommt nur auf dich und mich an, Margido«, sagte Erlend. »Jetzt auf unser Erbe zu verzichten, Tor weitermachen zu lassen, was er in all den Jahren gemacht hat, ohne dass ihm etwas gehörte. Das ist eine scheußliche Vorstellung. Ich war ja auch nicht hier und …«

»Wenn das so einfach ist«, sagte Margido.

»Wir können abmachen, was wir wollen, wenn wir uns alle drei einig sind und unterschreiben. Zeugen und Anwälte und der ganze Kram, ich kenn mich mit so etwas nicht richtig aus, aber auch, wenn Dänemark und Norwegen nicht dasselbe sind, meint Krumme, dass wir natürlich unsere eigene Abmachung treffen können. Und Krumme weiß alles.«

»Dann machen wir das so. Das tun wir, Tor«, sagte Margido. »Wir erkundigen uns bei einem Anwalt, wie wir das machen müssen, damit wirklich alles seine Richtigkeit hat.«

Er konnte die Kaffeetasse an die Lippen heben, das aber nur mit großer Mühe. War es so einfach, worüber er sich seit Jahren den Kopf zerbrach? Konnten sie einfach bis auf Weiteres auf ihr Erbe verzichten?

»Was sagst du, Tor? Ist das nicht gut?«, fragte Erlend.

»Aber was ist mit mir?«, fragte Torunn. »Ihr geht einfach davon aus, dass ich … da sträuben sich mir doch die Haare.«

»Das hier ist ein Sippenhof«, sagte Margido. »Und nach Tor bist du die Einzige, die ihn übernehmen kann. Wenn du nicht willst, wird der Hof verkauft.«

»Du kannst ein bisschen verkaufen, zum Beispiel«, sagte Erlend. »Und dich mit etwas anderem beschäftigen als Schweinen. Oder investieren und erweitern. Du lebst doch ohnehin schon von Tieren. Die Hunde in Trondheim benehmen sich vermutlich genauso unmöglich wie die in Oslo. Oder du kannst etwas ganz anderes machen. Die Felder verpachten und eine Meierei betreiben. Du kannst alles Mögliche versuchen. Du hast doch gesagt, dass du es hier schön findest. Und wenn Tor den Hof übernimmt, bist du die Anerbin. Ist das nicht eine ziemlich tolle Vorstellung?«

»Erlend. Sie braucht doch Zeit, um das zu verdauen«, sagte der Däne.

»Ja, das glaube ich auch«, sagte Torunn leise. »Wo ich eigentlich nie an so etwas gedacht habe. Alles ist so schnell gegangen.«

»Nimm es mir nicht übel, aber im Moment geht es nicht um dich. Es geht um Tor«, sagte Erlend. »Und darum, dass hier Ordnung geschaffen werden muss. Und dass Margido und ich auf eine Erbschaft verzichten, die Tor uns nicht auszahlen kann. Für den Moment. Ich könnte mir einige von den alten Ausziehbetten vorstellen, dann wäre ich zufrieden, nicht wahr, Krumme, die sind doch klasse. Aber wir sind uns jetzt einig?«

»Das sind wir wohl«, sagte Margido.

Er trank noch einen Schluck Kaffee, versuchte, ruhig zu atmen. Sollte der Hof endlich ihm gehören, ihm allein, sollte er als der Bauer von Neshov auf dem Hofplatz stehen und das wirklich sein, würde er nicht mehr die gekritzelte Unterschrift seines Vaters auf allen offiziellen Dokumenten benötigen. Er schaute rasch und verstohlen zu ihm hinüber. Der Vater schien plötzlich nicht mehr im Halbschlaf versunken zu sein, er sah sie alle mit steifem Nacken und leuchtenden Augen an, war überhaupt nicht wie sonst, jetzt hob er mit zitternder Hand das kleine Glas und leerte es auf einen Zug, schluckte mehrere Male und sagte:

»Nein.«

»Nein was?«, fragte Erlend.

»Wir sind uns nicht einig. Ich will auch ...«

»Du?«, fragte Erlend. »Du brauchst dich hier um überhaupt nichts zu kümmern. Für dich ändert sich nichts. Tor hat doch nicht vor, seinen Vater vom Hof zu jagen. Ja, rein juristisch gesehen übernimmt Tor das Eigentumsrecht von dir. Aber du brauchst das nur zu unterschreiben, und schon ist die Sache geritzt.«

»Ich bin nicht sein Vater.«

Er blieb sitzen und schaute seine Kaffeetasse an, was hatte der Mann da gesagt, was hatte der Vater gesagt?

Der Vater sah ihm ins Gesicht.

»Ich bin nicht dein Vater«, sagte er. »Ich bin dein Bruder.«

»Halbbruder«, sagte Margido.

»Von euch allen dreien«, sagte der Vater. »Halbbruder.«

»Das weiß ich«, sagte Margido. »Aber mehr brauchst du jetzt nicht zu sagen, sie ist doch gerade erst gestorben.«

Es wurde ganz still im Zimmer, er hörte, wie im Kamin ein Holzscheit umfiel, aber er drehte sich nicht um, sah nicht nach, ob Funken auf den Holzboden gefallen waren. Was war hier los, er hob sein Gesicht zu Margido, was sollte das Gerede von einem Halbbruder?

»Ich war nie mit Anna zusammen«, sagte der Vater jetzt mit unerwartet lauter Stimme und hob den Kopf. »War nie

307

mit deiner Mutter zusammen. Ich war nur mit ihr verheiratet.«

Der Vater sank wieder in sich zusammen. Seine Wangen hingen nach unten, die Runzeln sahen aus wie schwarze Schnüre.

»Wie hast du das geschafft«, sagte Margido leise. »Das zu wissen. Das verstehe ich nicht.«

»Du brauchst nicht mehr zu sagen.«

»Aber sie zu heiraten.«

»Brauchst nicht mehr zu sagen.«

»Aber du musst doch ein...«, sagte Margido.

»Ein was?«, fragte der Vater und hob wieder den Kopf, hielt die Augen aber geschlossen, wie um genau zuzuhören, er legte die Hände flach vor sich auf die Tischdecke.

»Ein überaus gehorsamer Sohn musst du gewesen sein«, sagte Margido leise. »Viel zu gehorsam.«

»Ja. Aber das spielte keine Rolle.«

»Sie zu heiraten. Das hat keine Rolle gespielt?«, fragte Margido.

»Nein. Ich mochte das ja nicht so gern.«

»Was mochtest du nicht so gern?«, fragte Margido.

»Den Frauenkram«, sagte der Vater und schaute in diesem Moment zu Erlend hinüber.

»Du bist betrunken.«

»Ja«, sagte der Vater und grinste. »Ich bin betrunken.«

Erlend schlug die Hände vors Gesicht und ließ sich auf den Tisch sinken. Eins der Gläser, die vor ihm standen, kippte um.

Er schaffte es, in den Stall zu laufen, konnte den Riegel vor die Tür schieben, die Sherryflasche aus dem Schrank nehmen, es war eiskalt hier drinnen, er stand in Hemdsärmeln da, riss den Korken aus der Flasche und steckte ihn wieder hinein, ohne getrunken zu haben, der Vater war nie mit der Mutter zusammen gewesen, das ergab doch keinen Sinn, der Mann musste verrückt geworden sein, und das mit dem Frauen-kram, das ergab keinen Sinn, ein alter Mann von achtzig Jahren, der hatte doch nie im Leben...

Er ging zu den Schweinen, schaltete das Deckenlicht nicht ein. Licht fiel wie ein schmales weißes Bett durch die Tür hinter ihm auf den Betonboden, einzelne Strohwische warfen lange Schatten, die Tiere schliefen, ließen sich von der kleinen Lichtfläche nicht beeindrucken, für sie war jetzt Nacht, sie lagen Körper an Körper da und atmeten und ruhten sich aus, satt und auf dem Weg zu einem neuen Tag, sie wussten nicht einmal, dass Heiliger Abend war, die Wärmelampen waren rote Flecken im Schwarzen. Draußen wurde an die Tür ge-hämmert, er hörte Margido immer wieder seinen Namen rufen, er müsse öffnen, und nun hörte er auch Torunns Stimme. Er hätte sich so gern zu den Schweinen gelegt, unbelastet von jeglichem Wissen, einfach ein Tier sein, das nur an Essen und Wärme und Ruhe zu denken braucht, das seine Ruhe hat. Aber plötzlich zerfloss das Bett aus weißem Licht, und dann standen sie beide da, gleich hinter ihm. Torunn weinte, das war deutlich zu hören. Er ging weg von ihnen, tiefer in die Dunkelheit hinein, auf die roten Flecken und die Hügel aus schlafendem Leben zu.

»Ich hätte nie gedacht, dass er das erzählen würde«, sagte Margido leise. »Und Mutter hätte es bestimmt nie getan.«

Einige Schweine fingen an, leise zu grunzen, vage und ver-schlafene Grunzlaute, er kannte sie, kannte jede Geräuschnu-ance, der Vater war nie hier gewesen, seit sie auf Schweine umgestiegen waren, und Margido auch nicht.

»Ich verstehe das nicht. Was ist bloß los«, flüsterte er, merkte, dass er sabberte, dass er am liebsten gekotzt hätte. Er ahnte die Umrisse der Sauen, die er bald in Brunst versetzen würde, es waren dunkelgraue Berge vor dem pechschwarzen Hintergrund.

»Er trinkt doch nie«, sagte Margido. »Er wollte nur ein biss-chen Aufmerksamkeit, wollte dabei sein. Und er ist als unser

Vater aufgeführt, in den Kirchenbüchern und beim Standes-
amt. Er wird also nichts weiter unternehmen. Wenn er wieder
nüchtern ist, wird er nur … komm jetzt wieder mit uns rein,
Tor. Bestimmt ist er schon ins Bett gegangen.«

»Aber dass er nie mit ihr zusammen war. Wie … es gibt uns
doch, uns drei.«

Margido räusperte sich heftig, ehe er sagte: »Ich habe sie
zusammen gesehen. Ich bin einmal früher aus der Schule zurückgekommen, weil ich krank war.«

»Opa Tallak?«, flüsterte er. Er hatte das Gefühl, im Traum
zu sprechen, in einem düsteren Raum, wo die Stimmen hinter
ihm laut wurden, unwirklich. Großvater Tallak. Die Mutter
hatte sich nach seinem Tod zwei Tage in ihrem Schlafzimmer
eingeschlossen. Ihr Schwiegervater.

»Ja, Opa Tallak«, sagte Margido. »Aber sie haben mich
nicht gesehen. Weißt du noch, wie ich mich mit Mutter gestritten habe? Als ich zum letzten Mal hier war? Ich fand, dass
ihr so gemein zu Vater wart. Es muss doch Grenzen geben,
habe ich zu Mutter gesagt.«

»Aber er ist ein … er ist doch so ein Trottel.«

»Aber wieso ist er das, Tor?«

»Weil … weil er nie … ich weiß nicht. Es war immer so. Er
hat ja selbst gesagt, dass es keine Rolle gespielt hat.«

»Mutter hat ihn immer nur verabscheut, vielleicht deshalb.
Weil er sich nie gewehrt hat. Richtig schlimm ist es wohl erst
nach Omas Tod geworden, glaube ich. Da war nur noch Vater
übrig, stand zwischen ihnen. Und als Opa dann tot war, hat
sie ihn weiter verabscheut. Vielleicht noch heftiger.«

»Aber Oma …«

»Ich glaube nicht, dass sie es gewusst hat. Oder höchstens
ganz zum Schluss. Da lag sie doch jahrelang hier, und Mutter
musste sie pflegen, weil sie nicht ins Heim wollte. Das war
vielleicht eine Art Rache. Aber ich … nicht einmal ich habe
gewusst, dass Vater nie mit Mutter zusammen war. Das hat
sie erst bei unserem Streit vor sieben Jahren gesagt.«

Er stützte sich auf einen Koben und fiel auf die Knie, blieb auf dem Boden knien, plötzlich leuchtete das Licht auf. Torunn kam und hockte sich vor ihn, sie saßen vor Saras Koben, Sara stand nicht auf, sie blinzelte sie nur an, mit ihren fast blinden Augen, herausgerissen aus ihrem gewohnten Trott, hinter ihr lagen ihre Jungen. Die, die sie noch hatte.

»Als du zu ihr gesagt hast, dass es doch Grenzen geben müsse?«, flüsterte er.

»Sie hat geantwortet, ich hätte doch keine Ahnung, wovon ich da redete. Und ich sagte, dass ich sie gesehen hätte. Wie sie es oben getrieben hatten. Ich schäme mich nicht, sagte sie, von Anfang bis Ende hat es immer nur Tallak und mich gegeben. So war das, Tor. Und wenn Vater erst wieder nüchtern ist...«

»Aber er ist doch nicht mehr unser Vater. Er ist doch... er ist doch hier der Anerbe. Tallaks ältester Sohn! Wir anderen sind nur... die kleinen Brüder. Die kleinen Halbbrüder... nein, das, das kann ich nicht...«

Sara erhob sich, kam auf ihn zugetrottet, schob die Schnauze zwischen die Stahlrohre und in seine Haare, er ließ sie gewähren.

»Nimm dich zusammen, Tor. Auf dem Papier ist er unser Vater. Wir tun einfach so, als wäre das alles nicht passiert. Als hätten wir nicht darüber gesprochen. Der Hof wird auf dich überschrieben.«

Margidos Stimme klang hart, wie die eines Lehrers.

»Aber er muss doch hier wohnen. Zusammen mit mir. Du kannst einfach nach Hause fahren.«

»Vielleicht wird es jetzt leichter. Für dich.«

Margido trat vor ihn, es war nicht auszuhalten, wie sie ihm auf den Leib rückten. Margido in Hausschuhen und dunkelbraunem Anzug, er würde alles wegwerfen müssen, würde den Geruch nie wieder loswerden.

»Aber du hattest nicht vor, mir das zu erzählen. Das hattest du nicht.«

»Doch, Tor. Irgendwann. Wenn du nicht... wenn du nicht mehr geglaubt hättest, dass ich Mutter anschwärzen wollte. Ich hatte vor, es dir dann zu sagen. Damit du Mitleid mit Vater haben könntest, statt dich nur über ihn zu ärgern.«

»So hattest du dir das also gedacht.«

»Ja. Denn wir sollten Mitleid mit ihm haben«, sagte Margido. »Überleg doch mal, wie er in all den Jahren hier gelebt hat. Und nach Opas Tod allein mit der Frau, mit der er sozusagen verheiratet war.«

»Eure Mutter muss eine Hexe gewesen sein«, sagte Torunn und stand auf.

»Das war sie nicht!«, rief Tor und presste Saras Schnauze zurück durch die Stahlrohre. Sie versuchte, ihn zu beißen, aber der Biss endete feucht und scharf in der losen Luft.

»Nein, das war sie nicht«, sagte Margido. »Aber sie hat viel kaputtgemacht, Tor. Das hat sie. Weißt du noch, wie du aus dem Krankenhaus angerufen hast, an dem Abend, als du Mutter dorthin gebracht hattest?«

»Du wolltest nicht kommen, weil ich dort war. Ich dachte, du... teilst meine Ansicht. Über ihn.«

»Ich konnte die Vorstellung nicht ertragen, sie zusammen zu sehen. Ich wollte sie nie wieder zusammen sehen, das hatte ich mir vor sieben Jahren geschworen. Zu sehen, wie er da an ihrem Krankenbett saß, und zu wissen, was er sich alles von ihr hatte bieten lassen. Nichts tun zu können.«

»Aber was tu ich denn nun? Einfach alle Schweine schlachten und...«

»Nein!«, sagte Torunn. »Das tust du nun wirklich nicht. Sieh dich um. Das tust du nicht. Das darfst du nicht. Das erlaube ich nicht.«

»Du sprichst mit ihm«, sagte Margido. »Behandelst ihn wie einen Menschen. Das wird dir guttun. Dann ist es vielleicht wieder möglich, hier auf dem Hof zu sein. Auch für mich. Ich könnte dann herkommen und... du hast so feine Schweine, Tor.«

»Ich habe immer auf ihrer Seite gestanden. Wir beide gegen ihn«, flüsterte er.

»Das weiß ich. Aber das brauchst du jetzt nicht mehr.«

»Aber sie liegt doch hier in der Nähe. Ach, Mutter...«

Er brach in trockenes Schluchzen aus. Margido bückte sich und legte ihm eine Hand auf die Schulter.

»Komm. Dann gehen wir ins Haus, Tor.«

Erlend saß am Tisch und hielt die Hand des Dänen. Er schniefte, als er die anderen erblickte, sein Gesicht war vom Weinen geschwollen. Der Däne streichelte seine Hand.

»Herrgott, ihr stinkt ja vielleicht nach Stall«, sagte Erlend und lächelte schwach, wischte sich die Wangen.

Der Vater saß am Tischende und hatte den Kopf auf die Hände gelegt, ein alter Mann von achtzig Jahren mit frischrasiertem Kinn und wiedergefundenem Gebiss.

»Jetzt brauchen wir wohl noch eine Runde Kaffee und Schnaps«, sagte der Däne.

Er setzte sich. Der Kaffee dampfte in der Tasse, der Däne füllte das kleine Glas, er musste etwas sagen.

»Vater?«

Der alte Mann hob das Gesicht, sein Blick irrte hin und her, ohne bei irgendwem haften zu bleiben.

»Nein danke, ich will nicht mehr. Ich geh jetzt ins Bett.«

Niemand sagte etwas, als er mühsam auf die Beine kam und langsam das Kaminzimmer verließ, sich mit einer Hand an der Wand abstützte. Erst, als er die Schwelle überschritten hatte, fragte Torunn: »Brauchst du Hilfe auf der Treppe?«

»Nicht doch«, sagte er. »Das geht schon. Gute Nacht und danke für das Essen. Tausend Dank.«

Er sollte allein bei den Deutschenhäusern arbeiten, er war an der Reihe. Anfangs hatten alle in Øysand, Leinstrand und Byneset die Häuser abreißen wollen. Sie seien Schandflecken, Beweis für den verbissenen Willen der Deutschen, hier im fremden Land Wurzeln zu schlagen. Die Häuser waren für deutsche Marineoffiziere auf Landurlaub gebaut worden. Es waren gute kleine Häuser, es wäre Irrsinn, sie abzureißen, diese Meinung vertraten jetzt mehrere, auch Tallak. Es wäre besser, sie instand zu setzen und irgendwie zu nutzen. Vielleicht als Versammlungshäuser oder Jugendheime.

Die Leute von den Höfen arbeiteten abwechselnd hier, an den Wochenenden oft mehrere gemeinsam, und Leben und Lachen zogen ein, wenn die Frauen später am Tag Essen und Getränke brachten.

Sie hatte schon mehrere Stunden auf dem Kartoffelfeld gearbeitet, bei der Wärme wuchs das Unkraut schneller als die neuen Kartoffelpflanzen, und die Erde musste aufgehackt werden, damit das Wasser nicht an der Oberfläche ablief, wenn Regen kam. Aber Tallak brauchte ja etwas zu essen, das begriffen alle, und da war es nur gut, dass sie die Aufgabe übernommen hatte, zu ihm zu gehen.

Es war ein ziemlicher Weg, aber das machte ihr nichts aus. Der Himmel war grau, ohne Regenwolken allerdings. Sie musste den Weg nehmen, die Felder waren frischgepflügt, es *war zu mühsam, dort zu gehen. Außerdem machte es keinen guten Eindruck, in andererleuts Ackerfurchen herumzulaufen.*

Als sie endlich oben auf Bråliene angekommen war, blieb sie stehen, wie immer an dieser Stelle. Die Flussmündung lag breit und mächtig vor ihr, so, wie die Gaula sie geformt hatte. Wäldchen und Büsche waren hellgrüner Flor zwischen kleinen Buchten, die das Wasser hier ausgespült hatte.

Ihr traten Tränen in die Augen, aber sie wusste nicht, ob das daran lag, dass sie auf dem Weg zu ihm war, oder weil sich alles verändern würde und sie nicht wusste, wie.

Sie holte Luft und stieg dann den Hang hinunter, ließ ihren Körper mit jedem Schritt sinken, merkte, dass sie kaum einen einzigen Muskel benutzte, sie ließ sich einfach träge und warm zu den Deutschenhäusern hinuntergleiten, zu ihm.

Er stand auf einem Hocker und reparierte die Küchendecke. Er sprang vom Hocker und schloss, sowie sie das Haus betreten hatte, hinter ihr die Tür ab. Zwischen seinen Lippen lugten Nägel hervor, die er auf den Boden spuckte, als der Schlüssel sich mit einem Seufzer im Schloss herumdrehte. Er nahm ihr den Korb ab und zog sie an sich.

»Meine Anna.«

Tallak zu küssen war wie zu sterben. Und nach dem Tod kam noch ein Tod, schmaler und tiefer, wenn er ihr die Kleider vom Leib riss, ihr ins Ohr hauchte und sagte, wer sie sei und weshalb sie das sei und dass sie nur für das hier lebe, für das hier und sonst gar nichts, denn sie gehöre ihm. Und als sie diesmal zu sich kam, saß sie auf der Anrichte. Er stand vor ihr und lächelte. Die Zungenspitze zwischen den weißen Zähnen und den Kopf schräg gelegt stand er da und musterte sie. Seine Hände lagen auf ihren Hüften, da saß sie, nur mit Schuhen und Söckchen bekleidet, auf einer deutschen Anrichte, und

315

niemals wandte sie sich unter seinem Blick ab, nie schämte sie sich ihrer Nacktheit, die war geradewegs auf ihn gerichtet, wie immer, wenn sie zusammen waren. Er senkte den Kopf und hob eine ihrer Brüste mit seiner groben Faust hoch, küsste sie mit seinen Lippen, und es war so schön, dass sie gleich wieder hätte sterben mögen.

»Sitzt du unbequem?«, flüsterte er gegen die feuchte Brust, sie bekam eine Gänsehaut, sie schlug mit den Absätzen gegen die Schublade unter ihr.

»Nicht doch«, lachte sie und zog seinen Kopf dichter zu sich heran.

»Ich hol Wasser vom Brunnen«, sagte er. »Damit du dich ein bisschen zurechtmachen kannst.«

»Geh nicht weg!«

Er riss sich los, küsste sie rasch auf den Mund.

»Bin gleich wieder da.«

Er schloss die Tür auf, sie streifte rasch ihre Kleider über. Es konnte doch jemand kommen, die Tür stand für alles und alle offen. Für dieses Mal war es vorbei.

»Du«, sagte sie. »Ich muss dir etwas sagen.«

»Ja?«

Sie standen draußen. Er hatte die Brote gegessen, die sie für ihn mitgebracht hatte, hatte mit Brunnenwasser verdünnten Johannisbeersaft dazu getrunken. Sie standen mehrere Meter voneinander entfernt, sie mit dem leeren Korb am Arm, damit alle Gaffer begriffen, warum sie hier gewesen war. Sie waren von den benachbarten Höfen und von der Straße her deutlich zu sehen.

»Ich bekomme ein Kind.«

Er bewegte sich nicht, kam nicht auf sie zu, durfte das nicht.

»Meine Anna. Wir gehen wieder ins Haus.«

»Nein! Dann passiert nur … ich muss wissen, was du denkst. Wir reden nie viel miteinander. Wir machen nur …«

»Ja. Das tun wir.«

»Aber was wird er sagen, Tallak?«

»Der Junge?«

»Der Junge… der ist so alt wie ich. Und er ist mein Mann.«

Plötzlich musste sie laut lachen, und sie hörte selbst, dass es ein rohes und widerliches Lachen war, es hörte so plötzlich auf, wie es eingesetzt hatte, aber sie dachte nur so selten daran. Es steckte ihr jetzt im Blut, dass alles versteckt werden musste, dass andere es nicht wissen durften, aber trotzdem gab es einen, der es wusste, er wusste es, weil er darauf eingegangen war. Aber dass dabei ein Kind herauskommen würde, dass es Kinder geben könnte, lebendige Menschen, die herumliefen und niemals erfahren durften, dass…

»Er wird nichts sagen«, sagte Tallak.

»Aber…«

»Du weißt doch, dass er dich nicht will.«

Sie dachte an die Hochzeit. An den seltsamen Tag, an dem alles falsch gewesen war, aber dennoch richtig, weil sie danach auf Neshov wohnen durfte. Sie war so froh gewesen, dass niemand so kurz nach dem Krieg eine großartige Feier erwartet hatte. Alle hatten genug mit ihren eigenen Problemen zu tun gehabt, von allem hatte es zu wenig gegeben. Und außerdem hatte am selben Tag auf Landstad Henrik seine Guri geheiratet, und bei denen hatte Überfluss geherrscht, nicht zuletzt an offensichtlichem Glück, und deshalb hatten die meisten lieber dort eingeladen werden wollen.

»Wie soll das Kind ihn denn nennen?«

»Vater«, sagte Tallak.

»Vater? Das Kind soll ihn Vater nennen?«

»Es kann ihn nicht anders nennen.«

Sie strich ihren Rock gerade, spürte die Hitze dort unten, die Hitze, die er hinterlassen hatte. Sie hatte es heute nicht sagen wollen, hatte warten, hatte nichts Neues in ihre Welt

317

kommen lassen wollen. Es gab wirklich schon genug, das sie im Griff behalten mussten.

»Aber was ist mit ... ihr?«

»Sie hat nie irgendetwas begriffen. Nicht einmal, dass ihr Junge es nie geschafft hätte, sich ein Mädchen zu suchen. Denk nicht an sie.«

»Aber ich habe Angst, Tallak.«

»Das brauchst du nicht. Es ist zu spät, um Angst zu haben. Du gehörst jetzt nach Neshov.«

»Ich weiß nicht...«

Plötzlich riss er an einer Pappel. Sie sah ihn erschrocken an.

»Was machst du denn da? Lass los!«

Er ließ nicht los, und der kleine Baum ließ auch nicht los, ließ die Erde nicht los. Die Blätter dagegen zitterten, ihre silbrige Unterseite drehte sich nach oben, resignierend.

»Siehst du? Der sitzt fest«, sagte er. »Steht noch nicht lange hier, sitzt aber ganz fest. Nicht einmal Tallak Neshov kann ihn rausreißen.«

Er trat von dem kleinen Baum zurück. Sie ging hin, nahm ein Kätzchen zwischen die Finger, der Blütenstaub hinterließ auf ihrer Hand winzige Häufchen.

»Und die, die den Baum gepflanzt haben, sind aus dem Land gejagt worden«, sagte er. »Trotzdem steht er hier und freut sich auf den Sommer.«

Sie gab keine Antwort.

»Eines Tages werde auch ich verschwunden sein«, sagte Tallak.

»Nein!«, sagte sie und ließ den Baum los, ging einen Schritt auf ihn zu, dann kam sie zur Besinnung.

»Ich bin so viel älter als du, eines Tages werde ich verschwunden sein, und dann musst du mir etwas versprechen. Wo du doch jetzt ein Kind bekommst und alles anders wird.«

Sie atmete und wartete nur, ließ ihren Blick nicht von seinem Gesicht wegwandern, das Gesicht war ernst und steif, seine Augen waren düster und wichen den ihren aus.

»Du musst mir versprechen, ihn nie zu verachten«, sagte er leise. »Der Junge ist nicht schuld.«

»Schuld?«

»Ja. Er ist nicht schuld daran, dass er kein Bauer ist, dass er keine Kraft hat.«

»Ich kenne ihn nicht«, flüsterte sie. »Und ich weiß nicht, wie er das sehen wird.«

»Nein. Wer weiß das schon. Er weiß es ja selbst nicht. Aber wenn es auf ihn ankäme, würde niemand den Hof übernehmen können.«

»Warum mag er keine Mädchen?«, fragte sie mutig, sie hatte Tallak noch nie danach gefragt.

Er antwortete nicht sofort, schaute weg, blieb stehen und rieb seinen Holzschuh am Gras.

»So ist das eben. Es braucht nicht für alles Wörter zu geben«, sagte er endlich.

»Aber du hast mich nicht nur genommen, weil der Hof noch einen Jungen braucht?«

»Nein.«

Er starrte ihr in die Augen, als er das sagte, sie senkte den Blick. Sie wünschte sich so sehr, dass er sie in diesem Moment in den Arm nähme.

»Anna. Du gehörst mir. Und wenn der Hof aussterben muss … dann hast du trotzdem mir gehört. Jetzt wird er nicht mehr aussterben. Weil du ein Kind bekommst. Aber du darfst ihn niemals verachten. Das musst du mir versprechen.«

Sie lauschte auf seine Worte, ließ eins nach dem anderen in sich einsinken, hörte sie. Hörte sie ganz deutlich. Sie hob den Kopf, schob den Korb in die Armbeuge und erwiderte seinen Blick.

»Ja«, sagte sie. »Ich verspreche es. Aber dann musst du mir versprechen, dass du mich niemals verlassen wirst.«

Die große norwegische
Familiensaga geht weiter

Bitte lesen Sie selbst »

ISBN 978-3-442-75167-9
€ 17,95 [D] / € 18,50 [A] / sFr 31,90
320 Seiten

Ein Auszug aus »Einsiedlerkrebse« von Anne B. Ragde.

Die norwegische Originalausgabe erschien 2005
unter dem Titel »Eremittkrepsene« bei Forlaget Oktober, Oslo.

1. Auflage
Copyright © 2005 by Forlaget Oktober as, Oslo
Copyright © der deutschsprachigen Ausgabe 2008
by btb Verlag in der Verlagsgruppe Random House GmbH,
München
ISBN 978-3-442-75167-9

Sie wurde sonst nie so früh wach. Sie blieb mit weit offenen Augen in dem dunklen Schlafzimmer liegen und lauschte auf seine Geräusche. Zuerst das hektische Klingeln des Weckers, das so schnell abgewürgt wurde, wie es angefangen hatte, sicher hatte er schon darauf gewartet. Es war halb sieben, das wusste sie. Danach war es für einen kurzen Moment still, und dann hörte sie, wie seine Zimmertür sich lautlos öffnete, um ebenso lautlos wieder geschlossen zu werden. Darauf folgten leise Geräusche, von der Tür bis zum Badezimmer. Er wusste, dass Fremde im Haus waren, und er wollte keinen Lärm machen, denn sicher hielt er sie dafür. Fremde, die hier eigentlich nichts zu suchen hatten, die herkamen, störten, sich einmischten und die Jahre voller schlichter Routine und Sicherheit störten.

Sie kannte ihren Vater nicht. Im Grunde wusste sie nicht, wer er war. Wie er als Junge ausgesehen hatte, als Kind oder in ihrem eigenen Alter. Auf dem Hof gab es nicht ein einziges Fotoalbum. Es war wie eine Geschichte, von der sie nie ein Teil gewesen war, in deren Zentrum sie sich aber nun plötzlich aufhielt. An diesem Tag jedoch würde sie abreisen und sich wieder in ihre eigene Geschichte einklinken. Daran dachte sie, als sie hier lag, dass sie abreisen würde, ehe sie ihn kennengelernt hatte. Der Einzige, den sie kannte, war der Schweinezüchter, der, der sich so gern im Stall einschloss, dessen Stimme sang und lebendig wurde, wenn er von den Eigenheiten der verschiedenen Sauen erzählte, von den frechen Streichen der Ferkel, von den großzügigen Würfen und den Wachstumskurven. Im Stall sah sie ihn, im Stall war er vorhanden, wenn er in seinem verdreckten Overall dastand und sich in die Koben bückte, um eine Sau von einer Vierteltonne hinter den Ohren zu kraulen, während er das Tier strahlend anlächelte und sein Blick hell und leicht war.

Sie hörte, wie er Wasser ließ, mitten in die Schüssel, das konnte er einfach nicht geräuschlos, egal, wie viele Gäste im Haus auch schlafen mochten. Sie lauschte auf die letzten Tropfen, hörte, wie er abzog. Sie hörte danach kein Wasser im Waschbecken, hörte nur, dass die Tür abermals geöffnet und geschlossen wurde, ehe er langsam die Treppe zur Küche hinunterging. Dann hörte sie, wie er Wasser in den Kaffeekessel gab, vermutlich auf den alten Kaffeesatz vom Vortag, danach war es still.

Und in der Stille gab sie sich alle Mühe, sich ihre Wohnung zu Hause in Oslo ins Gedächtnis zu rufen; die Bilder an den Wänden, die Bücher in den Regalen, die kleine Glasschale mit den blauen Badeperlen, den Staubsauger im viel zu engen Schrank auf dem Flur, den Anrufbeantworter, der blinkte, wenn sie von der Arbeit nach Hause kam, den Korb für die schmutzige Wäsche, den Stapel von alten Zeitungen gleich neben der Eingangstür, die antike Blechdose, die sie immer wieder mit Keksen füllte, die Pinnwand mit abgerissenen Kinokarten und Bildern von Hunden und deren Besitzern. Sie versuchte, sich das alles vorzustellen, und schaffte es auch. Und freute sich. Aber sie wusste nicht, wer er war. Sie wusste nicht, wen sie hier verließ. Seine Schweine kannte sie besser als ihn.

Jetzt hörte sie die Haustür und seine Schritte im Anbau, ihre Finger griffen nach dem Telefon auf dem Nachttisch und drückten darauf, es war zehn vor sieben. Aber sie wartete zuerst auf das Geräusch der Stalltür, die hinter ihm ins Schloss fiel, ehe sie aus dem Bett sprang und durch das eiskalte Zimmer lief, ihre Kleider an sich riss und ins Badezimmer stürzte, um sich anzuziehen. Wie er, schlich auch sie. Nur tat sie es blitzschnell und nicht auf seine Altmännerweise. Im Badezimmer nahm sie noch schwach seinen Geruch wahr. Das Bad war kalt, die einzige Wärmequelle war eine kleine rostige Heizsonne, die über dem Toilettenspiegel an der Wand angebracht war. Sie musterte ihr Gesicht, während sie sich die Hände wusch, sie brachte es nicht über sich zu duschen, sie wollte warten, bis sie nach Hause kam, wo sie nicht in einer glitschigen Badewanne stehen und Resopalplatten anstarren musste, die an den Rändern von Wasserschäden aufgequollen waren, um sich danach mit einem fast durchsichtigen verschlissenen Handtuch abzutrocknen. An diesem Abend würde sie in ihrem eigenen guten Duschkabinett stehen, mit Fußbodenheizung unter den Keramikfliesen.

Sie schloss die Tür auf und lauschte, bevor sie vorsichtig die Klinke seiner Schlafzimmertür drückte.

Das Zimmer war ein wenig größer als das, in dem sie geschlafen hatte und das eigentlich Erlends altes Zimmer war.

Sie schaltete die Deckenlampe ein, er würde es nicht sehen, das Fenster schaute nicht auf den Hofplatz, sondern auf den Fjord, genau wie ihres.

Die Wände waren vor Jahrzehnten einmal grün angestrichen worden. Der Boden war einst grau gewesen, jetzt war er bis auf das Holz abgenutzt, und vor der Tür und dem Bett, wo seine Fußsohlen den Boden trafen, wenn er zu Bett ging und aufstand, zeichnete sich ein Halbmond ab. Das Fenster war mit Eisblumen bedeckt, blendend weiß vor dem Wintermorgen draußen, in verschlungenen Formen und Mustern.

Die Eisblumen waren das einzig Schöne in diesem Zimmer.

Kein einziges Bild an den Wänden. Ein Bett, ein Nachttisch, ein Flickenteppich, eine Kredenz vor der einen Wand. Sie ging zur Kredenz und öffnete die Türen. Leer. Sie stand hier nur als Möbelstück vor einer Wand. Aber in der einen oberen Schublade lagen aufeinandergestapelt einige gehäkelte Decken, sie waren identisch im Muster, hatten aber unterschiedliche Farben, blankes Baumwollgarn. Sie fror jetzt, vermutlich hatte er das Fenster erst nach dem Aufstehen geschlossen.

Das Laken unter der zur Seite geschlagenen Bettdecke war schmutzig, vor allem am Fußende, wo hier und da runde Wollfussel lagen, vielleicht schlief er ja mit Socken. Was hatte sie hier eigentlich zu suchen? Hier konnte sie ihn ja wohl kaum kennenlernen. Das hier war sein Ruheraum, hier war er niemand; niemand war jemand, der ruhte und schlief. Aber wie viele Abende hatte er sich hier wohl hingelegt, in die Finsternis hinausgestarrt und gedacht. Hatte er an sie gedacht? Sie vermisst? Es vermisst zu wissen, wer *sie* war?

Es roch stickig und streng im Zimmer, nach Körper und Stall und kalten Wänden.

Da war der Kleiderschrank. Er war in die Wand eingelassen und auf den ersten Blick nur schwer zu erkennen, er wurde mit winzigen Knöpfen geöffnet. Einige Flanellhemden mit verschlissenen Krägen und Manschetten, zwei Hosen ganz unten im Schrank, ein Fach mit Socken und Unterhosen, nicht mehr als drei, vier Stück, ein in Plastik gewickelter Schlips, sie hob ihn hoch, dabei lag eine verblasste Weihnachtskarte, die vom Schlachthof Eikemo stammte. Sie legte sie vorsichtig an ihren angestammten Platz zurück.

Sie hielte inne, um zu horchen. Aber natürlich kam er nicht zurück, warum sollte er, er war jetzt im Stall beschäftigt, während sie sein Zimmer durchsuchte, ohne auch nur zu wissen, was sie da suchte. Denn nach jedem Blick, den sie hier in die Runde warf, spürte sie die Traurigkeit. Den Verfall. Zu Hause hatte sie ein Bett von einem Meter zwanzig Breite mit einer dicken Matratze, ihr Vater schlief in einem Bett, das kaum mehr als achtzig Zentimeter breit sein konnte, und er lag auf Schaumgummi. Mitten im Bett gab es eine tiefe Senke, das Laken klebte zerknüllt unten in der Senke fest, Kopf- und Fußende waren aus mattem Teak, das Kopfende wies in der Mitte ein helleres Feld auf, sicher hatte er sich in all den Jahren dort angelehnt, ehe er die Leselampe ausgeschaltet hatte. Und an diesem Tag würde sie abreisen, fünfhundert Kilometer fortgehen von allem hier, während er sich schon an diesem Abend wieder in dieses Bett legen würde. Hier würde er sich wieder und wieder hinlegen, den Wecker aufziehen und hinter den Eisblumen zu schlafen versuchen.

Sie öffnete die Nachttischschublade. Ein Foto eines Ferkels lachte sie an, es war ein Jubiläumsheft des norwegischen Schweinezüchterverbandes, sie hob es hoch. Darunter lagen zwanzig Tausender, sieh an, hier hatte er das Geld also versteckt. Unter den Tausendern lag ein Buch, vorsichtig nahm sie es heraus.

Der Kinsey-Report. Das sexuelle Verhalten der Frau. Sie blieb mit dem Buch in den Händen bewegungslos stehen. An den Kinsey-Report erinnerte sie sich vage aus einer Radiosendung. Dieser Kinsey hatte vor einer Ewigkeit Frauen und Männer in den USA nach ihren sexuellen Gewohnheiten befragt, in den USA hatte das wohl großes Aufsehen erregt. Das Buch war zerfleddert, es ließ sich nicht mehr richtig schließen.

Sie wollte das Buch von hinten her durchblättern, aber ihr Finger blieb schon beim harten hinteren Einband hängen, sie schlug dort auf. »Stadtbücherei Trondheim« war eingestempelt, dazu ein schmales Fach mit einer altmodischen gelben Ausleihkarte, sie erinnerte sich an solche Karten aus den Bibliotheksbesuchen ihrer Kindheit. Sie nahm sie heraus. Das Buch hätte spätestens am 10. November 1969 zurückgebracht werden müssen.

Sie schob das Buch rasch zurück unter die Tausender. Der Kinsey-Report und eine Schaumgummimatratze von höchstens achtzig Zentimetern. Sie schlich sich aus dem Zimmer.

Will noch schnell etwas erledigen. Ehe du fährst.«

Torunn hörte nicht, dass der Vater auf dem Hof hinter sie getreten war, der Neuschnee dämpfte die Geräusche.

»Ist es nicht nett, am Küchenfenster zu sitzen und ihnen zuzusehen?«, fragte sie. »Und sie kommen doch nicht, wenn das Vogelbrett leer ist.«

»Wir wickeln sonst immer nur ein bisschen Bindfaden um einen Rest Speck und hängen den auf. Aber sie haben jetzt länger Hunger leiden müssen. Das hat immer... Mutter hat sich um so etwas gekümmert.«

Sie war eben im Laden gewesen und hatte ein letztes Mal eingekauft, ehe sie und Erlend und Krumme sich auf den Weg machten, sie nach Oslo, Erlend und Krumme zurück nach Kopenhagen. Sie wollte, dass es im Haus gutes Essen gibt, Essen, das ihr Vater sich niemals leisten würde. Erlend hatte versprochen zu bezahlen. *Carte blanche* flüsterte er ihr ins Ohr, als sie zu Coop in Spongdal fuhr, und darüber freute sie sich, auf ihrem Konto war gerade genug Geld für die Januarrechnungen, auch wenn sie nun Mitbesitzerin einer Kleintierpraxis war. *Onkel* Erlend, dachte sie, es war seltsam, plötzlich einen Onkel zu haben, der nur drei Jahre älter war als sie selbst. Der kleine Bruder des Vaters, der den Hof zwanzig Jahre zuvor in trotziger Selbstbehauptung verlassen und der wohl nie damit gerechnet hatte, nach so langer Zeit zurückzukehren, um hier Weihnachten zu feiern, noch dazu mit seinem Lebensgefährten. Und dann war es gerade Erlend, der verlorene Sohn, der von den drei Brüdern sein Leben wohl am besten gemeistert hatte. Erlend war glücklich, er liebte und wurde geliebt, und er hatte finanziell keinerlei Probleme. Erlend hatte ihr erzählt, Krumme sei das, was man in Dänemark *hovedrig* nannte, »hauptreich«, und dieses Wort fand er wunderbar.

Margido konnte sie einfach nicht Onkel nennen, auch wenn er das war. Vielleicht machte sein Beruf ihn so unnahbar, die Tatsache, dass er alle Gefühle unter Kontrolle halten musste. Mit trauernden Menschen umzugehen und zugleich perfekte Beerdigungen von kürzlich Verstorbenen zu arrangieren, trug möglicherweise dazu bei, dass er sich daran gewöhnt hatte, mit seinen Gedanken allein zu leben. Allein die Tatsache, dass er schon seit Jahren gewusst hatte, was auf Neshov wirklich passiert war, dass so vieles auf Lügen aufbaute, dass der Mann, den sie Vater nannten, gar nicht ihr Vater war. Margido hatte es gewusst, hatte aber weder Tor noch Erlend etwas davon gesagt. Stattdessen wich er ihnen nur aus, stellte sich diesem Teil der Wirklichkeit einfach nicht. Bis zum Heiligen Abend, da war er dazu gezwungen gewesen.

Sie hatte an sie alle gedacht, während sie zwischen den Regalen im Supermarkt hin und her ging, ihren Einkaufswagen schob und versuchte, sich zu erinnern, was noch im Kühlschrank lag. Und sie dachte an das Schweigen, das dann gefolgt war. An den ersten Weihnachtstag mit dem, was sie als krampfhafte Versuche einer Normalisierung aufgefasst hatte. Gerede über Wetter und Temperaturen! An diesem Tag war ihr aufgegangen, dass sie hier auf diese Weise überlebt hatten, sie hatten um alles herumgeredet, so hatten sie ihre eigene Wirklichkeit erschaffen. Das, worüber nicht geredet wurde, existierte nicht. Ihr Vater hatte den Alten weiterhin als *Vater* bezeichnet, und auch sie selbst hatte sich angepasst und an ihn als an ihren Großvater gedacht. Und der Großvater hatte nicht widersprochen, er hatte wohl das Gefühl, genug gesagt zu haben, vermutlich zum ersten Mal in seinem Leben.

Sie füllte den Einkaufswagen mit Lebensmitteln und kam dann auf die Idee, auch das Vogelbrett zu füllen, als sie sich vorstellte, wie der Vater in wenigen Stunden allein am Küchentisch sitzen und über die weiße Halbgardine aus Nylon hinaus auf den Hofplatz blicken würde.

Sie hatte vier Meisenkugeln in grünen Plastiknetzen und einige Tüten ebenso verpackte Vogelnüsse gekauft. Die Meisenkugeln befestigte sie jetzt mit Bindfaden und Heftzwecken am Baum mitten auf dem Hofplatz, ihre Finger waren schon benommen von der Kälte. Auf dem Vogelbrett hatte sie altes Brot zerkrümelt.

»Vergiss nicht, Brot nachzufüllen, wenn das hier weg ist«, sagte sie. »Die Spatzen wollen beim Essen aufrecht sitzen, nur die Blaumeisen bringen es über sich, mit dem Kopf nach unten um sich selbst zu wirbeln, während sie ihre Mahlzeit genießen.«

Sie lachte ein wenig, hörte selbst, wie ihr Lachen falsch und hohl klang. Sie würde nach Hause fahren, nach Hause, nach Oslo und zu ihrer Arbeit, sie würde diesen Hof in der Nähe von Trondheim verlassen, auf dem sie noch vierzehn Tage zuvor nichts verloren zu haben geglaubt hatte. Ein anderes Leben, eine andere Zeit, fast. Und übermorgen war Silvester, ein neues Jahr würde den Absprung wagen.

»Du rufst sicher an«, sagte er, plötzlich mit belegter Stimme, sie hörte sehr gut, dass die Sache mit den Vögeln ihm jetzt egal war. Ohne dass sie sich umzudrehen brauchte, wusste sie, dass er mit dem einen Holzschuh im Schnee wühlte, vermutlich dem rechten, dass er so fest zutrat, dass der Neuschnee sich flaumleicht an die grauen Wollsocken heftete, die er immer in Holzschuhen und in Stallstiefeln trug.

Sie drückte die letzte Heftzwecke fest, hatte plötzlich das Gefühl, Bäumen das Leben zu nehmen, indem sie ihnen Kupfernägel in den Stamm schlug, wodurch sie an Vergiftung starben. Vielleicht enthielten auch Heftzwecken ein wenig Kupfer, und dann ermordete sie hier soeben den Schutzbaum von Neshov, und den Hofwichtel gleich mit, denn der wohnte unter dem Baum, und wenn der Baum starb, dann starb auch der Wichtel.

»Natürlich rufe ich an. Ich rufe an, sowie ich zu Hause bin«, sagt sie, obwohl sie sehr gut wusste, dass er es nicht so gemeint hatte.

»Haben Dreckswetter gemeldet. Und du musst doch fliegen«, sagte er.

»Es wird schon gut gehen. Keine Sorge.«

Die Meisenkugeln hingen still und grün dicht nebeneinander, sie musste sich umdrehen, und er stand so da, wie sie erwartet hatte, ein Halbkreis aus Neuschnee war vor seinem rechten Holzschuh gezogen, seine Hände steckten in den Taschen einer karierten Wollhose, die Strickjacke baumelte schlaff und locker um einen dünnen Körper, einen Körper, der in vier Jahren sechzig werden würde, ihr Vater, es war nicht zu fassen.

»Bist du schon mal geflogen?«

»Sicher doch«, sagte er.

Er ging zum Vogelbrett und zerbröselte die Krümel noch weiter, ließ einiges in den Schnee fallen, die Krümel verschwanden und hinterließen winzige blauweiße Löcher. Seine Ellbogen zeichneten sich spitz auf der Jacke ab, die vorne lang und hinten kurz war, die Wollmaschen an den Ellbogen waren abgenutzt und zeigten das karierte Flanellhemd darunter. Ein Pullover, vielleicht sollte sie ihm einen warmen Wollpullover stricken und darauf bestehen, dass er ihn im Alltag trug. Aber was würde es schon helfen, wenn sie sich am Telefon aus Oslo vor Anstrengung den Mund fusselig redete, dachte sie, hier auf dem Hof wird ja doch das Schöne weggelegt und aufgespart, für Tage, die niemals kommen.

Er würde so entsetzlich allein sein, nur mit dem alten

Mann im Fernsehzimmer zur Gesellschaft. Aber er hatte ja die Schweine im Stall. Die hat er immerhin, dachte sie. Sie musste die Sprache auf die Schweine bringen, darauf, dass sie im Stall standen und auf ihn warteten.

»Bin doch nach Nordnorwegen und zurückgeflogen, als ich beim Militär war«, sagte er.

Er wühlte nicht mehr in den Krümeln herum, wischte sich die Hände ab, steckte sie wieder in die Hosentasche und schaute zum Himmel hoch.

»Das hatte ich vergessen. Da musstest du natürlich fliegen«, sagte sie.

»Mit einer Hercules. Verdammter Krach in so einer Maschine. Wäre auch fast erfroren. Flog so langsam, ich dachte, wir würden gleich zu Boden gehen.«

Dazu könnte sie mehr sagen, gerade jetzt, sagen, dass er *sie* dort oben gemacht hatte, auf Urlaub in Tromsø, zusammen mit einem Mädchen, das Cissi hieß, und das danach die lange Reise nach Neshov angetreten war, schwanger, nur um zu erleben, wie die Frau, die es für seine angehende Schwiegermutter gehalten hatte, es wieder wegschickte.

»Ich habe auch für euch viel gutes Essen gekauft, nicht nur für die Vögel«, sagte sie.

Er schwieg eine Weile. Da standen sie nun, glotzten in unterschiedliche Richtungen. Sie atmete tief durch, über den Bergen und dem Fjord unten im Süden lag das Morgenlicht, die Sonne verbarg sich hinter einem rosablauen Frostschleier. Sie wünschte, sie säße schon im Auto, mit ihrem Gepäck im Kofferraum, unterwegs nach Værnes und Gardermoen und Stovner.

»Schade, dass du fährst. Der Januar ist immer schrecklich lang. Dieses Jahr wird er besonders lang.«

»Da bist du nicht der Einzige. Niemand kann den Januar leiden«, sagte sie.

»Rechnungen und Jahresbilanzen und der ganze Mist. Auch wenn Erlend und der Däne… ach, dass das nötig sein muss.«

Erlend und Krumme hatten ihm Geld gegeben, hatten es ihm aufgedrängt, auch wenn er sich heftig geweigert hatte und fast wütend geworden war. Es war am Abend des dritten Weihnachtstages gewesen, nach der Beerdigung, und Erlend hatte zu viel Bier getrunken und gesagt, er wolle zwanzigtausend hinterlassen. Er hätte bis zum Tag danach warten können, aber Erlend war einer, der sofort drauflosquasselte, wenn ihm etwas einfiel, und er hatte doch nur nett sein wollen. Dann hatte Krumme die erlösenden Worte gesagt, dass das Geld nicht für die Leute auf dem Hof sein sollte, sondern für den Hof. Tor sollte es nur gut und richtig verwalten.

»Denk daran, dass es um den Hof geht«, sagte sie jetzt. »Wie Krumme gesagt hat. Es ist schon in Ordnung so. Du kannst im Frühjahr die Scheune anstreichen und die zerbrochenen Fenster auswechseln.«

»Na ja, das Geld landet ja doch vor allem bei Trønderkorn und Røstad.«

»Røstad?«

»Dem Tierarzt. Jetzt lass ich meistens den kommen. Muss die Sauen besamen lassen und die Ferkel kastrieren. Brauch auch bald mehr Futter.«

»Ein bisschen Farbe kannst du dir bestimmt leisten. Und ich rufe sicher an. Wird doch auch spannend, wenn es neue Würfe gibt, wie groß die ausfallen. Deine Schweine werden mir fehlen.«

»Wirklich?«

»Ja, das kannst du mir glauben.«

»Aber bei der Arbeit hast du doch genug Tiere um dich herum.«

»Das ist nicht ganz dasselbe«, sagte sie. »Kranke Katzen und Hunde und Wellensittiche und Schildkröten. Nichts ist so schön, wie Siri hinter den Ohren zu kraulen. Ich hab wirklich Respekt vor Schweinen bekommen. Die sind doch was ganz anderes als Meerschweinchen und ungezogene Welpen!«

Sie sagte das nicht, um ihm eine Freude zu machen, es kam

ihr von Herzen, sie hatte seine Zuchtsauen mit ihrer Vierteltonne Lebendgewicht lieb gewonnen, die Wärme und die Stimmung in Stall, den Kontakt zu den Tieren, die gaben und gaben und im Gegenzug nur Futter und Wärme und Fürsorge verlangten. Und sie waren so klug, mit ihren ganzen individuellen Eigenheiten, ihrer Sturheit und ihrem Humor. Und die neugeborenen Ferkel, so niedlich, dass es nicht zu fassen war, dass aus ihnen im Handumdrehen dicke Brocken von hundert Kilo werden würden.

Sie schüttelte den Kopf, kicherte mit geschlossenem Mund und atmete durch die Nase ein.

»Meerschweinchen, ja. Ich habe noch nie ein lebendiges Meerschweinchen gesehen. Finde es komisch, was du von deiner Arbeit erzählst«, sagte er. »Dass Leute Geld ausgeben, um ein Meerschweinchen operieren zu lassen.«

»Die haben sie eben lieb. Gerade Kindern geht es nahe. Die weinen schrecklich, wenn sie ihr Meerschweinchen oder ihre Ratte einschläfern lassen müssen.«

»Und dann auch noch Ratten! Wie können Leute freiwillig... Aber sicher, ich verstehe schon, dass Kinder... Ich habe einmal ein Eichhörnchen gezähmt, als ich acht oder zehn war. Es ist im Düngerkeller ertrunken. Und da war ich wirklich kein harter Bursche. Aber auch Hunde. Ich weiß noch, du hast von Leuten erzählt, die fast dreißigtausend für einen Hund ausgegeben haben. Sind mit ihm nach Schweden gefahren und haben ihm... neue Hüften operieren lassen, war das nicht so?«

»Neue Hüften, ja. Sie hatte Hüftegelenksdysplasie. Sie wäre sonst eingeschläfert worden, und sie war erst ein Jahr alt.«

»Aber dreißigtausend? Für eine Töle, die selber nicht mal für fünf Öre produziert!«

»Haustiere sind etwas ganz anderes als Nutztiere, weißt du. Könntest dir eigentlich auch einen Hund zulegen. Gute Gesellschaft, so ein Hund. Er könnte zusammen mit dir hier herumtrotten und...«

»Nie im Leben. Nein, die Schweine reichen. Die sind Gesellschaft genug.«

»Aber du verstehst doch, was ich meine. Dass es einsam für dich wird. Für dich und … den Vater.«

»Den, ja.«

Er schniefte und wischte sich mit dem Handrücken einen Tropfen von der Nase.

»Habt ihr darüber gesprochen?«, fragte sie. »Nach Heiligabend? Du und er?«

»Nein.«

»Aber jetzt wird der Hof doch endlich auf dich überschrieben. Dagegen hat er wohl nichts einzuwenden?«

»Nicht doch.«

»Vielleicht, wenn ihr zwei allein seid, dann schafft ihr es …«

»Wir sind hier nicht in Oslo. Über so etwas wird hier nicht geredet. Die Sache ist jetzt erledigt«, sagte er hart.

»Aber ich wollte doch nur sagen, dass …«

»Himmel, jetzt wird es hier draußen aber kalt«, sagte er, und seine Stimme klang wieder wie sonst. »Einen Kaffee können wir doch sicher noch trinken, ehe ihr fahrt.«